FREUD-STUDIENAUSGABE

BAND X

Conditio
humana

Herausgegeben von

Alexander Mitscherlich · Angela Richards · James Strachey †

Band X: Der Wahn und die Träume in W. Jensens *Gradiva*, (1907
[1906]) · Eine Kindheitserinnerung des Leonardo da Vinci, (1910) ·
Psychopathische Personen auf der Bühne, (1942 [1905–6]) · Der Dichter
und das Phantasieren, (1908 [1907]) · Das Motiv der Kästchenwahl,
(1913) · Der Moses des Michelangelo, (1914) · Vergänglichkeit, (1916
[1915]) · Einige Charaktertypen aus der psychoanalytischen Arbeit,
(1916) · Eine Kindheitserinnerung aus *Dichtung und Wahrheit*, (1917) ·
Dostojewski und die Vatertötung, (1928 [1927]) · Goethe-Preis, (1930)

SIGMUND FREUD

Studienausgabe

BAND X

Bildende Kunst und Literatur

S. FISCHER VERLAG

Die Freud-Studienausgabe erscheint im Rahmen der Reihe
Conditio humana
Ergebnisse aus den Wissenschaften vom Menschen

Vierte, korrigierte Auflage
19. bis 23. Tausend
Für sämtliche Freud-Texte:
© S. Fischer Verlag GmbH, Frankfurt am Main, 1969
Für das editorische Material:
© The Institute of Psycho-Analysis, London, und Alix Strachey, Marlow, 1969
Alle Rechte, auch die des Abdrucks im Auszug
und der photomechanischen Wiedergabe, vorbehalten.
Satz: Buchdruckerei Eugen Göbel, Tübingen
Druck: Gutmann & Co., Heilbronn
Bindearbeiten: G. Lachenmaier, Reutlingen
Printed in Germany 1972
ISBN 3 10 8227106

INHALT

ZU DIESEM BAND

Eine genauere Darstellung der Gliederung und der Ziele der vorliegenden Ausgabe sowie der editorischen Methode findet sich in den Erläuterungen zur Edition, die dem Band I vorangestellt sind. Diese Gesichtspunkte sollen daher hier nur noch einmal kurz zusammengefaßt werden; zugleich möchten wir gewisse Dankespflichten erfüllen und ferner dem Leser durch einige Erklärungen einen Wegweiser zum vorliegenden Band geben.

Ziel dieser nach Themen gegliederten Ausgabe ist es, vor allem den Studenten aus den an die Psychoanalyse angrenzenden Wissensgebieten – Soziologie, Politische Wissenschaften, Sozialpsychologie, Pädagogik usw. –, aber auch interessierten Laien die Hauptwerke Sigmund Freuds in preiswerter Ausstattung mit einem detaillierten neuen Anmerkungsapparat systematischer und in größerem Umfang zugänglich zu machen, als dies in den Taschenbuchausgaben einiger Einzelwerke möglich ist. Nicht in diese Edition aufgenommen sind vornehmlich die behandlungstechnischen Schriften, die sich nicht an das große Publikum, sondern ausschließlich an den Fachmann wenden. Diese Texte finden sich in den *Gesammelten Werken*.

Die Veröffentlichung der *Studienausgabe* erfolgt nach dem Tode von James Strachey, des Seniors des Herausgebergremiums, der jedoch bis zu seinem Tode im April 1967 an den Vorbereitungen, vor allem am Inhaltsplan und an den Richtlinien für die Kommentierung, mitgearbeitet hat.

Die für diese Ausgabe benutzten Texte sind im allgemeinen die der letzten deutschen Ausgaben, die noch zu Freuds Lebzeiten veröffentlicht wurden, in den meisten Fällen also die der zuerst in London erschienenen *Gesammelten Werke* (die ihrerseits großenteils Photokopien der noch in Wien publizierten *Gesammelten Schriften* sind). Wo dies nicht zutrifft, wird die genaue Quelle in der das betreffende Werk einführenden ›Editorischen Vorbemerkung‹ genannt. Ein paar Seitenhinweise Freuds auf frühere, heute kaum noch erreichbare Ausgaben sind von den Herausgebern weggelassen und statt dessen deskriptive Fußnoten hinzugefügt worden, welche es dem Leser ermöglichen, die entsprechenden

Stellen in heute greifbaren Editionen aufzufinden; dies betrifft vor allem die *Traumdeutung*. Um unnötige Wiederholungen zu vermeiden, sind auch ausführliche bibliographische Angaben Freuds über eigene Werke und Schriften anderer Autoren, die in den älteren Editionen im Text enthalten sind, in der Regel in die Bibliographie am Schluß der Bände der *Studienausgabe* verwiesen worden. Außer diesen unwesentlichen Änderungen und dem einheitlichen Gebrauch der Abkürzung »S.« für Seitenverweise (auch dort, wo Freud, wie vor allem in den frühen Arbeiten, »p.« schrieb) sowie schließlich einigen wenigen Modernisierungen der Orthographie, Interpunktion und Typographie wird jede Änderung, die am Quellentext vorgenommen wurde, in einer Fußnote erklärt.

Das in die *Studienausgabe* aufgenommene editorische Material entstammt der *Standard Edition of the Complete Psychological Works of Sigmund Freud*, der englischen Ausgabe also, die unter der Leitung James Stracheys hergestellt wurde; es wird hier mit Erlaubnis der Inhaber der Veröffentlichungsrechte, des Institute of Psycho-Analysis (London) und des Verlages Hogarth Press (London), in der Übersetzung wiedergegeben. Wo es das Ziel der vorliegenden Ausgabe erforderte, wurde dieses Material gekürzt und adaptiert; zugleich wurden einige wenige Korrekturen vorgenommen und ergänzende Anmerkungen hinzugefügt. Abgesehen von den ›Editorischen Vorbemerkungen‹, sind sämtliche von den Herausgebern stammenden Zusätze in eckige Klammern gesetzt.

Die Herausgeber sind Frau Ilse Grubrich-Simitis vom S. Fischer Verlag zu großem Dank verbunden. Ohne ihre Initiative wäre diese Studienausgabe nicht begonnen worden; in allen Stadien der Vorbereitung hat sie unschätzbare Hilfen und kenntnisreiche Anregungen gegeben. Großer Dank gebührt auch Fräulein Käte Hügel für die Übertragung des editorischen Materials ins Deutsche.

Die in diesem Band verwendeten speziellen Abkürzungen sind in der Liste der Abkürzungen auf S. 308 erklärt. Im Text oder in den Fußnoten sind gelegentlich Werke von Freud erwähnt, die nicht in die *Studienausgabe* aufgenommen wurden. Die Bibliographie am Ende jedes Bandes (in welcher die Daten aller erwähnten technischen Arbeiten Freuds und anderer Autoren enthalten sind) informiert den Leser darüber, ob die betreffende Arbeit in die *Studienausgabe* aufgenommen wurde oder nicht. Auf S. 323 findet sich außerdem ein Gesamtinhaltsverzeichnis der *Studienausgabe*.

Die Herausgeber

Der Wahn und die Träume in W. Jensens *Gradiva*

(1907 [1906])

EDITORISCHE VORBEMERKUNG

Deutsche Ausgaben:

1907 Leipzig und Wien; Heller. 81 Seiten. *(Schriften zur angewandten Seelenkunde,* Heft 1.) 1908 unveränderte Neuausgabe mit dem gleichen Titelblatt, jedoch mit neuem Schutzumschlag bei Deuticke, Leipzig und Wien.

1912 2. Aufl. Leipzig und Wien; Deuticke. 87 Seiten (mit ›Nachtrag‹).

1924 3. unveränderte Aufl. im selben Verlag.

1925 *G. S.,* Bd. 9, 273–367.

1941 *G. W.,* Bd. 7, 31–125.

Abgesehen von Freuds Betrachtungen zu *König Ödipus* und *Hamlet* in der *Traumdeutung* (1900 a), in Abschnitt D (β) des Kapitels V, ist dies die erste Analyse eines literarischen Werks, die er veröffentlichte. Er hatte allerdings schon vorher eine kurze Analyse der Novelle ›Die Richterin‹ von C. F. Meyer geschrieben und mit einem Brief am 20. Juni 1898 an Fließ gesandt (Freud, 1950 a, Brief Nr. 91).

Von Ernest Jones (1962 a, 402) erfahren wir, daß Freud von C. G. Jung auf Jensens Buch [1] aufmerksam gemacht worden war und daß er den Essay hauptsächlich Jung zu Gefallen geschrieben habe. Das war im Sommer 1906, mehrere Monate, bevor beide Männer einander auch persönlich kennenlernten; die Studie war somit ein Vorbote ihrer fünf bis sechs Jahre währenden freundschaftlichen Beziehung. Freud veröffentlichte sie im Mai 1907 und sandte wenig später ein Exemplar des Büchleins an Jensen. Daraus ergab sich ein kurzer Briefwechsel, auf den im ›Nachtrag‹ zur zweiten Auflage (unten S. 84) Bezug genommen ist. Jensens Anteil an der Korrespondenz, drei kürzere Briefe vom 13., 25. Mai und 14. Dezember 1907, ist später in *Psychoanalytische Bewegung,* Bd. 1 (1929), 207–11, abgedruckt worden. Der Ton der Briefe ist überaus freundlich, und man bekommt den Eindruck, daß Jensen sich durch Freuds Analyse seiner Novelle geschmeichelt fühlte. Er scheint die Deutung in den Hauptzügen sogar akzeptiert zu haben. So versichert er auch, er erinnere sich nicht, »etwas unwirsch« geantwortet zu haben, als er, wie unten auf S. 81 berichtet, (offenbar von Jung) gefragt wurde, ob er Freuds Theorien kenne.

Abgesehen von der tieferen Bedeutung, die er in Jensens Novelle erkannte,

---

[1] Wilhelm Jensen (1837–1911), ein mit Raabe befreundeter, norddeutscher Autor vor allem historischer Romane und Erzählungen. In Kapitel VI seiner *Selbstdarstellung* (1925 d) spricht Freud etwas abschätzig von *Gradiva* als einer »an sich nicht besonders wertvollen Novelle«.

11

wird Freud sich ohne Zweifel besonders von der Landschaft angezogen gefühlt haben, in der sie spielt. Pompeji interessierte ihn schon seit langem, es taucht in seinen Briefen an Fließ öfter auf (Freud, 1950 *a*), bis er mehrere Jahre später, im September 1902, die Stätte mit eigenen Augen sah. Vor allem war Freud fasziniert von der Analogie zwischen dem historischen Schicksal Pompejis (seiner Verschüttung und späteren Ausgrabung) und den seelischen Erscheinungen, mit denen er vertraut war – der Verschüttung durch Verdrängung und der Ausgrabung durch die Analyse. Jensen selber wies auf diese Analogie andeutend hin (S. 49), und es bereitete Freud Vergnügen, sie hier wie auch später in anderen Zusammenhängen im Detail herauszuarbeiten.

Beim Lesen der Studie Freuds soll man sich vor Augen halten, welchen Platz sie in der Chronologie seiner Werke einnimmt. Es handelt sich um eine seiner frühesten psychoanalytischen Arbeiten; sie erschien nur ein Jahr nach der Erstveröffentlichung des Fallberichts der »Dora« (1905 *e*) und der *Drei Abhandlungen zur Sexualtheorie* (1905 *d*). Eingebettet in die Diskussion der *Gradiva* finden wir denn auch eine Zusammenfassung von Freuds Traumlehre und ferner die vielleicht erste seiner halbpopulären Darstellungen seiner Neurosentheorie sowie der therapeutischen Wirkung der Psychoanalyse.

I. KAPITEL

In einem Kreise von Männern, denen es als ausgemacht gilt, daß die wesentlichsten Rätsel des Traumes durch die Bemühung des Verfassers [1] gelöst worden sind, erwachte eines Tages die Neugierde, sich um jene Träume zu kümmern, die überhaupt niemals geträumt worden, die von Dichtern geschaffen und erfundenen Personen im Zusammenhange einer Erzählung beigelegt werden. Der Vorschlag, diese Gattung von Träumen einer Untersuchung zu unterziehen, mochte müßig und befremdend erscheinen; von einer Seite her konnte man ihn als berechtigt hinstellen. Es wird ja keineswegs allgemein geglaubt, daß der Traum etwas Sinnvolles und Deutbares ist. Die Wissenschaft und die Mehrzahl der Gebildeten lächeln, wenn man ihnen die Aufgabe einer Traumdeutung stellt; nur das am Aberglauben hängende Volk, das hierin die Überzeugungen des Altertums fortsetzt, will von der Deutbarkeit der Träume nicht ablassen, und der Verfasser der *Traumdeutung* hat es gewagt, gegen den Einspruch der gestrengen Wissenschaft Partei für die Alten und für den Aberglauben zu nehmen. Er ist allerdings weit davon entfernt, im Traume eine Ankündigung der Zukunft anzuerkennen, nach deren Enthüllung der Mensch seit jeher mit allen unerlaubten Mitteln vergeblich strebt. Aber völlig konnte auch er nicht die Beziehung des Traumes zur Zukunft verwerfen, denn nach Vollendung einer mühseligen Übersetzungsarbeit erwies sich ihm der Traum als ein *erfüllt* dargestellter *Wunsch* des Träumers, und wer könnte bestreiten, daß Wünsche sich vorwiegend der Zukunft zuzuwenden pflegen.

Ich sagte eben: der Traum sei ein erfüllter Wunsch. Wer sich nicht scheut, ein schwieriges Buch durchzuarbeiten, wer nicht fordert, daß ein verwickeltes Problem zur Schonung seiner Bemühung und auf Kosten von Treue und Wahrheit ihm als leicht und einfach vorgehalten werde, der mag in der erwähnten *Traumdeutung* den weitläufigen Beweis für diesen Satz aufsuchen und bis dahin die ihm sicherlich aufsteigenden Einwendungen gegen die Gleichstellung von Traum und Wunscherfüllung zur Seite drängen.

---

[1] Freud, *Die Traumdeutung* (1900 *a*).

Aber wir haben weit vorgegriffen. Es handelt sich noch gar nicht darum, festzustellen, ob der Sinn eines Traumes in jedem Falle durch einen erfüllten Wunsch wiederzugeben sei oder nicht auch ebenso häufig durch eine ängstliche Erwartung, einen Vorsatz, eine Überlegung usw. Vielmehr steht erst in Frage, ob der Traum überhaupt einen Sinn habe, ob man ihm den Wert eines seelischen Vorganges zugestehen solle. Die Wissenschaft antwortet mit Nein, sie erklärt das Träumen für einen bloß physiologischen Vorgang, hinter dem man also Sinn, Bedeutung, Absicht nicht zu suchen brauche. Körperliche Reize spielten während des Schlafes auf dem seelischen Instrument und brächten so bald diese, bald jene der alles seelischen Zusammenhalts beraubten Vorstellungen zum Bewußtsein. Die Träume wären nur Zuckungen, nicht aber Ausdrucksbewegungen des Seelenlebens vergleichbar.

In diesem Streite über die Würdigung des Traumes scheinen nun die Dichter auf derselben Seite zu stehen wie die Alten, wie das abergläubische Volk und wie der Verfasser der *Traumdeutung*. Denn wenn sie die von ihrer Phantasie gestalteten Personen träumen lassen, so folgen sie der alltäglichen Erfahrung, daß das Denken und Fühlen der Menschen sich in den Schlaf hinein fortsetzt, und suchen nichts anderes, als die Seelenzustände ihrer Helden durch deren Träume zu schildern. Wertvolle Bundesgenossen sind aber die Dichter, und ihr Zeugnis ist hoch anzuschlagen, denn sie pflegen eine Menge von Dingen zwischen Himmel und Erde zu wissen, von denen sich unsere Schulweisheit noch nichts träumen läßt. In der Seelenkunde gar sind sie uns Alltagsmenschen weit voraus, weil sie da aus Quellen schöpfen, welche wir noch nicht für die Wissenschaft erschlossen haben. Wäre diese Parteinahme der Dichter für die sinnvolle Natur der Träume nur unzweideutiger! Eine schärfere Kritik könnte ja einwenden, der Dichter nehme weder für noch gegen die psychische Bedeutung des einzelnen Traumes Partei; er begnüge sich zu zeigen, wie die schlafende Seele unter den Erregungen aufzuckt, die als Ausläufer des Wachlebens in ihr kräftig verblieben sind.

Unser Interesse für die Art, wie sich die Dichter des Traumes bedienen, ist indes auch durch diese Ernüchterung nicht gedämpft. Wenn uns die Untersuchung auch nichts Neues über das Wesen der Träume lehren sollte, vielleicht gestattet sie uns von diesem Winkel aus einen kleinen Einblick in die Natur der dichterischen Produktion. Die wirklichen Träume gelten zwar bereits als zügellose und regelfreie Bildungen, und nun erst die freien Nachbildungen solcher Träume! Aber es gibt viel weniger Freiheit und Willkür im Seelenleben, als wir geneigt sind an-

14

zunehmen; vielleicht überhaupt keine. Was wir in der Welt draußen Zufälligkeit heißen, löst sich bekanntermaßen in Gesetze auf; auch was wir im Seelischen Willkür heißen, ruht auf – derzeit erst dunkel geahnten – Gesetzen. Sehen wir also zu!

Es gäbe zwei Wege für diese Untersuchung. Der eine wäre die Vertiefung in einen Spezialfall, in die Traumschöpfungen eines Dichters in einem seiner Werke. Der andere bestünde im Zusammentragen und Gegeneinanderhalten all der Beispiele, die sich in den Werken verschiedener Dichter von der Verwendung der Träume finden lassen. Der zweite Weg scheint der bei weitem trefflichere zu sein, vielleicht der einzig berechtigte, denn er befreit uns sofort von den Schädigungen, die mit der Aufnahme des künstlichen Einheitsbegriffes »der Dichter« verbunden sind. Diese Einheit zerfällt bei der Untersuchung in die so sehr verschiedenwertigen Dichterindividuen, unter denen wir in einzelnen die tiefsten Kenner des menschlichen Seelenlebens zu verehren gewohnt sind. Dennoch aber werden diese Blätter von einer Untersuchung der ersten Art ausgefüllt sein. Es hatte sich in jenem Kreise von Männern, unter denen die Anregung auftauchte, so gefügt, daß jemand[1] sich besann, in dem Dichtwerke, das zuletzt sein Wohlgefallen erweckt, wären mehrere Träume enthalten gewesen, die ihn gleichsam mit vertrauten Zügen angeblickt hätten und ihn einlüden, die Methode der *Traumdeutung* an ihnen zu versuchen. Er gestand zu, Stoff und Örtlichkeit der kleinen Dichtung wären wohl an der Entstehung seines Wohlgefallens hauptsächlich beteiligt gewesen, denn die Geschichte spiele auf dem Boden von Pompeji und handle von einem jungen Archäologen, der das Interesse für das Leben gegen das an den Resten der klassischen Vergangenheit hingegeben hätte und nun auf einem merkwürdigen, aber völlig korrekten Umwege ins Leben zurückgebracht werde. Während der Behandlung dieses echt poetischen Stoffes rege sich allerlei Verwandtes und dazu Stimmendes im Leser. Die Dichtung aber sei die kleine Novelle *Gradiva* von Wilhelm Jensen, vom Autor selbst als »pompejanisches Phantasiestück« bezeichnet.

Und nun müßte ich eigentlich alle meine Leser bitten, dieses Heft aus der Hand zu legen und es für eine ganze Weile durch die 1903 im Buchhandel erschienene *Gradiva* zu ersetzen, damit ich mich im weiteren auf Bekanntes beziehen kann. Denjenigen aber, welche die *Gradiva* bereits gelesen haben, will ich den Inhalt der Erzählung durch einen kurzen

---

[1] [Es war Jung; s. editorische Vorbemerkung, oben S. 11.]

Auszug ins Gedächtnis zurückrufen und rechne darauf, daß ihre Erinnerung allen dabei abgestreiften Reiz aus eigenem wiederherstellen
wird.

Ein junger Archäologe, Norbert Hanold, hat in einer Antikensammlung
Roms ein Reliefbild entdeckt, das ihn so ausnehmend angezogen, daß er
sehr erfreut gewesen ist, einen vortrefflichen Gipsabguß davon erhalten
zu können, den er in seiner Studierstube in einer deutschen Universitätsstadt aufhängen und mit Interesse studieren kann. Das Bild stellt ein
reifes junges Mädchen im Schreiten dar, welches ein reichfaltiges Gewand ein wenig aufgerafft hat, so daß die Füße in den Sandalen sichtbar werden. Der eine Fuß ruht ganz auf dem Boden, der andere hat sich
zum Nachfolgen vom Boden abgehoben und berührt ihn nur mit den
Zehenspitzen, während Sohle und Ferse sich fast senkrecht empor-
heben[1]. Der hier dargestellte ungewöhnliche und besonders reizvolle
Gang hatte wahrscheinlich die Aufmerksamkeit des Künstlers erregt
und fesselt nach so viel Jahrhunderten nun den Blick unseres archäologischen Beschauers.

Dies Interesse des Helden der Erzählung für das geschilderte Reliefbild
ist die psychologische Grundtatsache unserer Dichtung. Es ist nicht ohne
weiteres erklärbar. »Doktor Norbert Hanold, Dozent der Archäologie,
fand eigentlich für seine Wissenschaft an dem Relief nichts sonderlich
Beachtenswertes.« (*Gradiva*, S. 3[2].) »Er wußte sich nicht klarzustellen,
was daran seine Aufmerksamkeit erregt habe, nur daß er von etwas
angezogen worden und diese Wirkung sich seitdem unverändert fort-
erhalten habe.« Aber seine Phantasie läßt nicht ab, sich mit dem Bilde
zu beschäftigen. Er findet etwas »Heutiges« darin, als ob der Künstler
den Anblick auf der Straße »nach dem Leben« festgehalten habe. Er
verleiht dem im Schreiten dargestellten Mädchen einen Namen: »Gradiva«, die »Vorschreitende«[3]; er fabuliert, sie sei gewiß die Tochter
eines vornehmen Hauses, vielleicht »eines patrizischen Aedilis[4], der sein
Amt im Namen der Ceres ausübte«, und befinde sich auf dem Wege zum
Tempel der Göttin. Dann widerstrebt es ihm, ihre ruhige, stille Art in
das Getriebe einer Großstadt einzufügen, vielmehr erschafft er sich die

---

[1] [S. die Abbildung gegenüber S. 80.]
[2] [Die eingeklammerten Seitenzahlen nach *Gradiva* oder »G.« sind Hinweise auf
Jensens Novelle *Gradiva* (1903). Andere Seitenzahlen im Text beziehen sich auf den
vorliegenden Band.]
[3] [Die Ableitung des Namens wird weiter unten, S. 48, noch näher erklärt.]
[4] [Beamter, der polizeiliche Ordnungsfunktionen mit beschränkter Gerichtsbarkeit
ausübte und öffentliche Gebäude beaufsichtigte.]

Überzeugung, daß sie nach Pompeji zu versetzen sei und dort irgendwo auf den wieder ausgegrabenen eigentümlichen Trittsteinen schreite, die bei regnerischem Wetter einen trockenen Übergang von einer Seite der Straße zur anderen ermöglicht und doch auch Durchlaß für Wagenräder gestattet hatten. Ihr Gesichtsschnitt dünkt ihm *griechischer* Art, ihre hellenische Abstammung unzweifelhaft; seine ganze Altertumswissenschaft stellt sich allmählich in den Dienst dieser und anderer auf das Urbild des Reliefs bezüglichen Phantasien.

Dann aber drängt sich ihm ein angeblich wissenschaftliches Problem auf, das nach Erledigung verlangt. Es handelt sich für ihn um eine kritische Urteilsabgabe, »ob der Künstler den Vorgang des Ausschreitens bei der Gradiva dem Leben entsprechend wiedergegeben habe«. Er selbst vermag ihn an sich nicht hervorzurufen; bei der Suche nach der »Wirklichkeit« dieser Gangart gelangt er nun dazu, »zur Aufhellung der Sache selbst Beobachtungen nach dem Leben anzustellen«. (G. S. 9.) Das nötigt ihn allerdings zu einem ihm durchaus fremdartigen Tun. »Das weibliche Geschlecht war bisher für ihn nur ein Begriff aus Marmor oder Erzguß gewesen, und er hatte seinen zeitgenössischen Vertreterinnen desselben niemals die geringste Beachtung geschenkt.« Pflege der Gesellschaft war ihm immer nur als unabweisbare Plage erschienen; junge Damen, mit denen er dort zusammentraf, sah und hörte er so wenig, daß er bei einer nächsten Begegnung grußlos an ihnen vorüberging, was ihn natürlich in kein günstiges Licht bei ihnen brachte. Nun aber nötigte ihn die wissenschaftliche Aufgabe, die er sich gestellt, bei trockener, besonders aber bei nasser Witterung eifrig nach den sichtbar werdenden Füßen der Frauen und Mädchen auf der Straße zu schauen, welche Tätigkeit ihm manchen unmutigen und manchen ermutigenden Blick der so Beobachteten eintrug; »doch kam ihm das eine so wenig zum Verständnis wie das andere.« (G. S. 10.) Als Ergebnis dieser sorgfältigen Studien mußte er finden, daß die Gangart der Gradiva in der Wirklichkeit nicht nachzuweisen war, was ihn mit Bedauern und Verdruß erfüllte.

Bald nachher hatte er einen schreckvoll beängstigenden Traum, der ihn in das alte Pompeji am Tage des Vesuvausbruches versetzte und zum Zeugen des Unterganges der Stadt machte. »Wie er so am Rande des Forums neben dem Jupitertempel stand, sah er plötzlich in geringer Entfernung die Gradiva vor sich; bis dahin hatte ihn kein Gedanke an ihr Hiersein angerührt, jetzt aber ging ihm auf einmal und als natürlich auf, da sie ja eine Pompejanerin sei, lebe sie in ihrer Vaterstadt und, *ohne daß er's geahnt habe, gleichzeitig mit ihm.*« (G. S. 12.) Angst um das ihr bevorstehende Schicksal entlockte ihm einen Warnruf, auf den die gleichmütig fortschreitende Erscheinung ihm ihr Gesicht zuwendete. Sie setzte aber dann unbekümmert ihren Weg bis zum Portikus des Tempels[1] fort, setzte sich dort auf eine Treppenstufe und legte langsam den Kopf auf diese nieder, während ihr Gesicht sich immer blasser färbte, als ob es sich zu weißem Marmor umwandelte. Als er nacheilte, fand er sie mit ruhigem Ausdruck wie schlafend auf der breiten Stufe hingestreckt, bis dann der Aschenregen ihre Gestalt begrub.

Als er erwachte, glaubte er noch das verworrene Geschrei der nach Rettung suchenden Bewohner Pompejis und die dumpfdröhnende Brandung der erregten See im Ohre zu haben. Aber auch nachdem die wiederkehrende Besinnung diese Geräusche als die weckenden Lebensäußerungen der lärmenden Großstadt erkannt hatte, behielt er für eine lange Zeit den Glauben an die Wirklichkeit des Geträumten; als er sich endlich von der Vorstellung frei gemacht, daß er selbst vor bald zwei Jahrtausenden dem Untergang Pompejis beigewohnt, verblieb ihm doch wie eine wahrhafte Überzeugung, daß die Gradiva in Pompeji gelebt und dort im Jahre 79 mit verschüttet worden sei. Solche Fortsetzung fanden seine Phantasien über die Gradiva durch die Nachwirkung dieses Traumes, daß er sie jetzt erst wie eine Verlorene betrauerte.

Während er, von diesen Gedanken befangen, aus dem Fenster lehnte, zog ein Kanarienvogel seine Aufmerksamkeit auf sich, der an einem offenstehenden Fenster des Hauses gegenüber im Käfig sein Lied schmetterte. Plötzlich durchfuhr etwas wie ein Ruck den, wie es scheint, noch nicht völlig aus seinem Traum Erwachten. Er glaubte, auf der Straße eine Gestalt wie die seiner Gradiva gesehen und selbst den für sie charakteristischen Gang erkannt zu haben, eilte unbedenklich auf die Straße, um sie einzuholen, und erst das Lachen und Spotten der Leute über seine unschickliche Morgenkleidung trieb ihn rasch wieder in seine Wohnung zurück. In seinem Zimmer war es wieder der singende Kanarienvogel im Käfig, der ihn beschäftigte und ihn zum Vergleiche mit seiner eigenen Person anregte. Auch er sitze wie im Käfig, fand er, doch habe er es leichter, seinen Käfig zu verlassen. Wie in weiterer Nachwirkung des Traumes, vielleicht auch unter dem Einflusse der linden Frühlingsluft gestaltete sich in ihm der Entschluß einer Frühjahrsreise nach Italien, für welche ein wissenschaftlicher Vorwand bald gefunden wurde, wenn auch »der Antrieb zu dieser Reise ihm aus einer unbenennbaren Empfindung entsprungen war«. (G. S. 24.)

---

[1] [Des Apollotempels.]

Bei dieser merkwürdig locker motivierten Reise wollen wir einen Moment haltmachen und die Persönlichkeit wie das Treiben unseres Helden näher ins Auge fassen. Er erscheint uns noch unverständlich und töricht; wir ahnen nicht, auf welchem Wege seine besondere Torheit sich mit der Menschlichkeit verknüpfen wird, um unsere Teilnahme zu erzwingen. Es ist das Vorrecht des Dichters, uns in solcher Unsicherheit belassen zu dürfen; mit der Schönheit seiner Sprache, der Sinnigkeit seiner Einfälle lohnt er uns vorläufig das Vertrauen, das wir ihm schenken, und die Sympathie, die wir, noch unverdient, für seinen Helden bereithalten. Von diesem teilt er uns noch mit, daß er, schon durch die Familientradition zum Altertumsforscher bestimmt, sich in seiner späteren Vereinsamung und Unabhängigkeit ganz in seine Wissenschaft versenkt und ganz vom Leben und seinen Genüssen abgewendet hatte. Marmor und Bronze waren für sein Gefühl das einzig wirklich Lebendige, den Zweck und Wert des Menschenlebens zum Ausdruck Bringende. Doch hatte vielleicht in wohlmeinender Absicht die Natur ihm ein Korrektiv durchaus unwissenschaftlicher Art ins Blut gelegt, eine überaus lebhafte Phantasie, die sich nicht nur in Träumen, sondern auch oft im Wachen zur Geltung bringen konnte. Durch solche Absonderung der Phantasie vom Denkvermögen mußte er zum Dichter oder zum Neurotiker bestimmt sein, gehörte er jenen Menschen an, deren Reich nicht von dieser Welt ist. So konnte es sich ihm ereignen, daß er mit seinem Interesse an einem Reliefbild hängen blieb, welches ein eigentümlich schreitendes Mädchen darstellte, daß er dieses mit seinen Phantasien umspann, ihm Namen und Herkunft fabulierte und die von ihm geschaffene Person in das vor mehr als 1800 Jahren verschüttete Pompeji versetzte, endlich nach einem merkwürdigen Angsttraum die Phantasie von der Existenz und dem Untergang des Gradiva genannten Mädchens zu einem Wahn erhob, der auf sein Handeln Einfluß gewann. Sonderbar und undurchsichtig würden uns diese Leistungen der Phantasie erscheinen, wenn wir ihnen bei einem wirklich Lebenden begegnen würden. Da unser Held Norbert Hanold ein Geschöpf des Dichters ist, möchten wir etwa an diesen die schüchterne Frage richten, ob seine Phantasie von anderen Mächten als von ihrer eigenen Willkür bestimmt worden ist.

Unseren Helden hatten wir verlassen, als er sich anscheinend durch das Singen eines Kanarienvogels zu einer Reise nach Italien bewegen ließ, deren Motiv ihm offenbar nicht klar war. Wir erfahren weiter, daß auch Ziel und Zweck dieser Reise ihm nicht feststand. Eine innere Unruhe und Unbefriedigung treibt ihn von Rom nach Neapel und von da weiter weg. Er gerät in den Schwarm der Hochzeitsreisenden, und genötigt, sich mit den zärtlichen »August« und »Grete« zu beschäftigen, findet er sich ganz außerstande, das Tun und Treiben dieser Paare zu verstehen. Er kommt zu dem Ergebnis, unter allen Torheiten der Menschen »nehme jedenfalls das Heiraten, als die größte und unbegreiflichste, den obersten Rang ein, und ihre sinnlosen Hochzeitsreisen nach Italien setzten gewissermaßen dieser Narretei die Krone auf«. (G. S. 27.) In Rom durch die Nähe eines zärtlichen Paares in seinem Schlaf gestört, flieht er alsbald nach Neapel, nur um dort andere »August und Grete« wiederzufinden. Da er aus deren Gesprächen zu entnehmen glaubt, daß die Mehrheit dieser Vogelpaare nicht im Sinne habe, zwischen dem Schutt von Pompeji zu nisten, sondern den Flug nach Capri zu richten, beschließt er, das zu tun, was sie nicht täten, und befindet sich »wider Erwarten und Absicht« wenige Tage nach seiner Abreise in Pompeji.

Ohne aber dort die Ruhe zu finden, die er gesucht. Die Rolle, welche bis dahin die Hochzeitspaare gespielt, die sein Gemüt beunruhigt und seine Sinne belästigt hatten, wird jetzt von den Stubenfliegen übernommen, in denen er die Verkörperung des absolut Bösen und Überflüssigen zu erblicken geneigt wird. Beiderlei Quälgeister verschwimmen ihm zu einer Einheit; manche Fliegenpaare erinnern ihn an Hochzeitsreisende, reden sich vermutlich in ihrer Sprache auch »mein einziger August« und »meine süße Grete« an. Er kann endlich nicht umhin zu erkennen, »daß seine Unbefriedigung nicht allein durch das um ihn herum Befindliche verursacht werde, sondern etwas ihren Ursprung auch aus ihm selbst schöpfe«. (G. S. 42.) Er fühlt, »daß er mißmutig sei, weil ihm etwas fehle, ohne daß er sich aufhellen könne, was«.

Am nächsten Morgen begibt er sich durch den *Ingresso* nach Pompeji und durchstreift nach Verabschiedung des Führers planlos die Stadt, merkwürdigerweise ohne sich dabei zu erinnern, daß er vor einiger Zeit im Traume bei der Verschüttung Pompejis zugegen gewesen. Als dann in der »heißen, heiligen«[1] Mittagsstunde, die ja den Alten als Geisterstunde galt, die anderen Besucher sich geflüchtet haben und die Trümmerhaufen verödet und sonnenglanzübergossen vor ihm liegen, da regt sich in ihm die Fähigkeit, sich in das versunkene Leben zurückzuversetzen, aber nicht mit Hilfe der Wissenschaft. »Was diese lehrte, war eine leblose archäologische Anschauung, und was ihr vom Mund kam, eine tote, philologische Sprache. Die verhalfen zu keinem Begreifen mit der Seele, dem Gemüt, dem Herzen, wie man's nennen wollte, sondern

---

[1] [*Gradiva*, S. 51.]

wer danach Verlangen in sich trug, der mußte als einzig Lebendiger allein in der heißen Mittagsstille hier zwischen den Überresten der Vergangenheit stehen, um nicht mit den körperlichen Augen zu sehen und nicht mit den leiblichen Ohren zu hören. Dann ... wachten die Toten auf und Pompeji fing an, wieder zu leben.« (G. S. 55.)

Während er so die Vergangenheit mit seiner Phantasie belebt, sieht er plötzlich die unverkennbare Gradiva seines Reliefs aus einem Hause heraustreten und leichtbehend über die Lavatrittsteine zur anderen Seite der Straße schreiten, ganz so, wie er sie im Traume jener Nacht gesehen, als sie sich wie zum Schlafen auf die Stufen des Apollotempels hingelegt hatte. »Und mit dieser Erinnerung zusammen kommt ihm noch etwas anderes zum erstenmal zum Bewußtsein: Er sei, ohne selbst von dem Antrieb in seinem Innern zu wissen, deshalb nach Italien und ohne Aufenthalt von Rom und Neapel bis Pompeji weitergefahren, um danach zu suchen, ob er hier Spuren von ihr auffinden könne. Und zwar im wörtlichen Sinne, denn bei ihrer besonderen Gangart mußte sie in der Asche einen von allen übrigen sich unterscheidenden Abdruck der Zehen hinterlassen haben.« (G. S. 58.)

Die Spannung, in welcher der Dichter uns bisher erhalten hat, steigert sich hier an dieser Stelle für einen Augenblick zu peinlicher Verwirrung. Nicht nur, daß unser Held offenbar aus dem Gleichgewicht geraten ist, auch wir finden uns angesichts der Erscheinung der Gradiva, die bisher ein Stein- und dann ein Phantasiebild war, nicht zurecht. Ist's eine Halluzination unseres vom Wahn betörten Helden, ein »wirkliches« Gespenst oder eine leibhaftige Person? Nicht daß wir an Gespenster zu glauben brauchten, um diese Reihe aufzustellen. Der Dichter, der seine Erzählung ein »Phantasiestück« benannte, hat ja noch keinen Anlaß gefunden, uns aufzuklären, ob er uns in unserer, als nüchtern verschrieenen, von den Gesetzen der Wissenschaft beherrschten Welt belassen oder in eine andere, phantastische Welt führen will, in der Geistern und Gespenstern Wirklichkeit zugesprochen wird. Wie das Beispiel des *Hamlet*, des *Macbeth*, beweist, sind wir ohne Zögern bereit, ihm in eine solche zu folgen. Der Wahn des phantasievollen Archäologen wäre in diesem Falle an einem anderen Maßstabe zu messen. Ja, wenn wir bedenken, wie unwahrscheinlich die reale Existenz einer Person sein muß, die in ihrer Erscheinung jenes antike Steinbild getreulich wiederholt, so schrumpft unsere Reihe zu einer Alternative ein: Halluzination oder Mittagsgespenst. Ein kleiner Zug der Schilderung streicht dann bald die erstere Möglichkeit. Eine große Eidechse liegt bewegungslos im Sonnenlichte ausgestreckt, die aber vor dem herannahenden Fuß der Gradiva entflieht und sich über die Lavaplatten der Straßen davonringelt. Also keine Halluzination, etwas außerhalb der Sinne unseres Träumers. Aber sollte die Wirklichkeit einer *rediviva* eine Eidechse stören können?

Vor dem Hause des Meleager verschwindet die Gradiva. Wir verwundern uns nicht, daß Norbert Hanold seinen Wahn dahin fortsetzt, daß Pompeji in der Mittagsgeisterstunde rings um ihn her wieder zu leben begonnen habe, und so sei auch die Gradiva wieder aufgelebt und in das Haus gegangen, das sie vor dem verhängnisvollen Augusttage des Jahres 79 bewohnt hatte. Scharfsinnige Vermutungen über die Persönlichkeit des Eigentümers, nach dem dies Haus benannt sein mochte, und über die Beziehung der Gradiva zu ihm schießen durch seinen Kopf und beweisen, daß sich seine Wissenschaft nun völlig in den Dienst seiner Phantasie begeben hat. Ins Innere dieses Hauses eingetreten, entdeckt er die Erscheinung plötzlich wieder auf niedrigen Stufen zwischen zweien der gelben Säulen sitzend. »Auf ihren Knien lag etwas Weißes ausgebreitet, das sein Blick klar zu unterscheiden nicht fähig war; ein Papyrusblatt schien's zu sein ...« Unter den Voraussetzungen seiner letzten Kombination über ihre Herkunft spricht er sie griechisch an, mit Zagen die Entscheidung erwartend, ob ihr in ihrem Scheindasein wohl Sprachvermögen gegönnt sei. Da sie nicht antwortet, vertauscht er die Anrede mit einer lateinischen. Da klingt es von lächelnden Lippen: »Wenn Sie mit mir sprechen wollen, müssen Sie's auf Deutsch tun.«

Welche Beschämung für uns, die Leser! So hat der Dichter auch unser gespottet und uns wie durch den Widerschein der Sonnenglut Pompejis in einen kleinen Wahn gelockt, damit wir den Armen, auf den die wirkliche Mittagssonne brennt, milder beurteilen müssen. Wir aber wissen jetzt, von kurzer Verwirrung geheilt, daß die Gradiva ein leibhaftiges deutsches Mädchen ist, was wir gerade als das Unwahrscheinlichste von uns weisen wollten. In ruhiger Überlegenheit dürfen wir nun zuwarten, bis wir erfahren, welche Beziehung zwischen dem Mädchen und ihrem Bild in Stein besteht und wie unser junger Archäologe zu den Phantasien gelangt ist, die auf ihre reale Persönlichkeit hinweisen.

Nicht so rasch wie wir wird unser Held aus seinem Wahn gerissen, denn »wenn der Glaube selig machte«, sagt der Dichter, »nahm er überall eine erhebliche Summe von Unbegreiflichkeiten in den Kauf« (G. S. 140), und überdies hat dieser Wahn wahrscheinlich Wurzeln in seinem Innern, von denen wir nichts wissen und die bei uns nicht bestehen. Es bedarf wohl bei ihm einer eingreifenden Behandlung, um ihn zur Wirklichkeit zurückzuführen. Gegenwärtig kann er nicht anders, als den Wahn der eben gemachten wunderbaren Erfahrung anpassen. Die Gradiva, die bei der Verschüttung Pompejis mit untergegangen, kann nichts anderes sein als ein Mittagsgespenst, das für die kurze Geisterstunde ins Leben zurückkehrt. Aber warum entfährt ihm nach jener in deutscher Sprache gegebenen Antwort der Ausruf: »Ich wußte es, so klänge deine Stimme«? Nicht wir allein, auch das Mädchen selbst muß so fragen, und Hanold muß zugeben, daß er die Stimme noch nie gehört, aber sie zu hören erwartet, damals im Traum, als er sie anrief, während sie sich auf den Stufen des Tempels zum Schlafen hinlegte. Er bittet sie, es wieder zu tun wie damals, aber da erhebt sie sich, richtet ihm einen befremdenden Blick entgegen und verschwindet nach wenigen Schritten zwischen den Säulen des Hofes. Ein schöner Schmetterling hatte sie kurz vorher einigemal umflattert; in seiner Deutung war es ein Bote des Hades gewesen, der die Abgeschiedene an ihre Rückkehr mahnen sollte, da die Mittagsgeisterstunde abgelaufen. Den Ruf: »Kehrst du morgen in der Mittagsstunde wieder hieher?« kann Hanold der Verschwindenden noch nachsenden. Uns aber, die wir uns jetzt mehr nüchterner Deutungen getrauen, will es scheinen, als ob die junge Dame in der Aufforderung, die Hanold an sie gerichtet, etwas Ungehöriges erblickte und ihn darum beleidigt verließ, da sie doch von seinem Traum nichts wissen konnte. Sollte ihr Feingefühl nicht die erotische Natur des Verlangens herausgespürt haben, das sich für Hanold durch die Beziehung auf seinen Traum motivierte?

Nach dem Verschwinden der Gradiva mustert unser Held sämtliche bei der Tafel anwesenden Gäste des Hotel Diomède und darauf ebenso die des Hotel Suisse und kann sich dann sagen, daß in keiner der beiden ihm allein bekannten Unterkunftsstätten Pompejis eine Person zu finden sei, die mit der Gradiva die entfernteste Ähnlichkeit besitze. Selbstverständlich hätte er die Erwartung als widersinnig abgewiesen, daß er die Gradiva wirklich in einer der beiden Wirtschaften antreffen könne. Der auf dem heißen Boden des Vesuvs gekelterte Wein hilft dann den Taumel verstärken, in dem er den Tag verbracht.

Vom nächsten Tage stand nur fest, daß Hanold wieder um die Mittagsstunde im Hause des Meleager sein müsse, und diese Zeit erwartend, dringt er auf einem nicht vorschriftsmäßigen Wege über die alte Stadtmauer in Pompeji ein. Ein mit weißen Glockenkelchen behängter Asphodelosschaft erscheint ihm als Blume der Unterwelt bedeutungsvoll genug,

um ihn zu pflücken und mit sich zu tragen. Die gesamte Altertumswissenschaft aber dünkt ihm während seines Wartens das Zweckloseste
und Gleichgültigste von der Welt, denn ein anderes Interesse hat sich
seiner bemächtigt, das Problem: »von welcher Beschaffenheit die körperliche Erscheinung eines Wesens wie der Gradiva sei, das zugleich tot
und, wenn auch nur in der Mittagsgeisterstunde, lebendig war.«
(G. S. 80.) Auch bangt er davor, die Gesuchte heute nicht anzutreffen,
weil ihr vielleicht die Wiederkehr erst nach langen Zeiten verstattet sein
könne, und hält ihre Erscheinung, als er ihrer wieder zwischen den
Säulen gewahr wird, für ein Gaukelspiel seiner Phantasie, welches ihm
den schmerzlichen Ausruf entlockt: »Oh, daß du noch wärest und leb-
test!« Allein diesmal war er offenbar zu kritisch gewesen, denn die
Erscheinung verfügt über eine Stimme, die ihn fragt, ob er ihr die weiße
Blume bringen wolle, und zieht den wiederum Fassungslosen in ein
langes Gespräch. Uns Lesern, welchen die Gradiva bereits als lebende
Persönlichkeit interessant geworden ist, teilt der Dichter mit, daß das
Unmutige und Zurückweisende, das sich tags zuvor in ihrem Blick geäußert, einem Ausdruck von suchender Neugier und Wißbegierde ge-
wichen war. Sie forscht ihn auch wirklich aus, verlangt die Aufklärung
seiner Bemerkung vom vorigen Tag, wann er bei ihr gestanden, als sie
sich zum Schlafen hingelegt, erfährt so vom Traum, in dem sie mit ihrer
Vaterstadt untergegangen, dann vom Reliefbild und der Stellung des
Fußes, die den Archäologen so angezogen. Nun läßt sie sich auch bereit
finden, ihren Gang zu demonstrieren, wobei als einzige Abweichung
vom Urbild der Gradiva der Ersatz der Sandalen durch sandfarbige helle
Schuhe von feinem Leder festgestellt wird, den sie als Anpassung an die
Gegenwart aufklärt. Offenbar geht sie auf seinen Wahn ein, dessen
ganzen Umfang sie ihm entlockt, ohne je zu widersprechen. Ein einziges
Mal scheint sie durch einen eigenen Affekt aus ihrer Rolle gerissen zu
werden, als er, den Sinn auf ihr Reliefbild gerichtet, behauptet, daß er
sie auf den ersten Blick erkannt habe. Da sie an dieser Stelle des Ge-
sprächs noch nichts von dem Relief weiß, muß ihr ein Mißverständnis
der Worte Hanolds naheliegen, aber alsbald hat sie sich wieder gefaßt,
und nur uns will es scheinen, als ob manche ihrer Reden doppelsinnig
klingen, außer ihrer Bedeutung im Zusammenhang des Wahnes auch
etwas Wirkliches und Gegenwärtiges meinen, so z. B. wenn sie bedauert,
daß ihm damals die Feststellung der Gradivagangart auf der Straße
nicht gelungen sei. »Wie schade, du hättest vielleicht die weite Reise
hieher nicht zu machen gebraucht.« (G. S. 89.) Sie erfährt auch, daß er

ihr Reliefbild »Gradiva« benannt, und sagt ihm ihren wirklichen Namen Zoë. »Der Name steht dir schön an, aber er klingt mir als ein bitterer Hohn, denn Zoë heißt das Leben.« – »Man muß sich in das Unabänderliche fügen«, entgegnet sie, »und ich habe mich schon lange daran gewöhnt, tot zu sein.« Mit dem Versprechen, morgen um die Mittagsstunde wieder an demselben Orte zu sein, nimmt sie von ihm Abschied, nachdem sie sich noch die Asphodelosstaude von ihm erbeten. »Solchen, die besser daran sind, gibt man im Frühling Rosen, doch für mich ist die Blume der Vergessenheit aus deiner Hand die richtige.« (G. S. 90.) Wehmut schickt sich wohl für eine so lang Verstorbene, die nur auf kurze Stunden ins Leben zurückgekehrt ist.

Wir fangen nun an zu verstehen und eine Hoffnung zu fassen. Wenn die junge Dame, in deren Gestalt die Gradiva wieder aufgelebt ist, Hanolds Wahn so voll aufnimmt, so tut sie es wahrscheinlich, um ihn von ihm zu befreien. Es gibt keinen anderen Weg dazu; durch Widerspruch versperrte man sich die Möglichkeit. Auch die ernsthafte Behandlung eines wirklichen solchen Krankheitszustandes könnte nicht anders, als sich zunächst auf den Boden des Wahngebäudes stellen und dieses dann möglichst vollständig erforschen. Wenn Zoë die richtige Person dafür ist, werden wir wohl erfahren, wie man einen Wahn wie den unseres Helden heilt. Wir wollten auch gern wissen, wie ein solcher Wahn entsteht. Es träfe sich sonderbar und wäre doch nicht ohne Beispiel und Gegenstück, wenn Behandlung und Erforschung des Wahnes zusammenfielen und die Aufklärung der Entstehungsgeschichte desselben sich gerade während seiner Zersetzung ergäbe. Es ahnt uns freilich, daß unser Krankheitsfall dann in eine »gewöhnliche« Liebesgeschichte auslaufen könnte, aber man darf die Liebe als Heilpotenz gegen den Wahn nicht verachten, und war unseres Helden Eingenommensein von seinem Gradivabild nicht auch eine volle Verliebtheit, allerdings noch aufs Vergangene und Leblose gerichtet?

Nach dem Verschwinden der Gradiva schallt es nur noch einmal aus der Entfernung wie ein lachender Ruf eines über die Trümmerstadt hinfliegenden Vogels. Der Zurückgebliebene nimmt etwas Weißes auf, das die Gradiva zurückgelassen, kein Papyrusblatt, sondern ein Skizzenbuch mit Bleistiftzeichnungen verschiedener Motive aus Pompeji. Wir würden sagen, es sei ein Unterpfand ihrer Wiederkehr, daß sie das kleine Buch an dieser Stelle vergessen, denn wir behaupten, man vergißt nichts ohne geheimen Grund oder verborgenes Motiv.

Der Rest des Tages bringt unserem Hanold allerlei merkwürdige Entdeckungen und Feststellungen, die er zu einem Ganzen zusammenzufügen verabsäumt. In der Mauer des Portikus, wo die Gradiva verschwunden, nimmt er heute einen schmalen Spalt gewahr, der doch breit genug ist, um eine Person von ungewöhnlicher Schlankheit durchzulassen. Er erkennt, die Zoë-Gradiva brauche hier nicht in den Boden zu versinken, was auch so vernunftwidrig sei, daß er sich dieses nun abgelegten Glaubens schämt, sondern sie benütze diesen Weg, um sich in ihre Gruft zu begeben. Ein leichter Schatten scheint ihm am Ende der Gräberstraße vor der sogenannten Villa des Diomedes zu zergehen. Im Taumel wie am Vortage und mit denselben Problemen beschäftigt, treibt er sich nun in der Umgebung Pompejis herum. Von welcher leiblichen Beschaffenheit wohl die Zoë-Gradiva sein möge und ob man etwas verspüren würde, wenn man ihre Hand berührte. Ein eigentümlicher Drang trieb ihn zum Vorsatze, dieses Experiment zu unternehmen, und doch hielt ihn eine ebenso große Scheu auch in der Vorstellung davon zurück. An einem heißbesonnten Abhange traf er einen älteren Herrn, der nach seiner Ausrüstung ein Zoologe oder Botaniker sein mußte und mit einem Fange beschäftigt schien. Der wandte sich nach ihm um und sagte dann: »Interessieren Sie sich auch für die *faraglionensis?* Das hätte ich kaum vermutet, aber mir ist es durchaus wahrscheinlich, daß sie sich nicht nur auf den Faraglionen bei Capri aufhält, sondern sich mit Ausdauer auch am Festland finden lassen muß. Das vom Kollegen Eimer [1] angegebene Mittel ist wirklich gut; ich habe es schon mehrfach mit bestem Erfolge angewendet. Bitte, halten Sie sich ganz ruhig –.« (G. S. 96.) Der Sprecher brach dann ab und hielt eine aus einem langen Grashalm hergestellte Schlinge vor eine Felsritze, aus der das bläulich schillernde Köpfchen einer Eidechse hervorsah. Hanold verließ den Lacertenjäger mit der kritischen Idee, es sei kaum glaublich, was für närrisch merkwürdige Vorhaben Leute zu der weiten Fahrt nach Pompeji veranlassen konnten, in welche Kritik er sich und seine Absicht, in der Asche Pompejis nach den Fußabdrücken der Gradiva zu forschen, natürlich nicht einschloß. Das Gesicht des Herrn kam ihm übrigens bekannt vor, als hätte er es flüchtig in einem der beiden Gasthöfe bemerkt, auch war dessen Anrede wie an einen Bekannten gerichtet gewesen. Auf seiner weiteren Wanderung brachte ihn ein Seitenweg zu einem bisher von ihm nicht entdeckten Haus, welches sich als drittes Wirtshaus, der *»Albergo del Sole«* herausstellte. Der unbeschäftigte Wirt benützte die Gelegenheit,

---

[1] [Ein bekannter Zoologe der zweiten Hälfte des 19. Jahrhunderts.]

sein Haus und die darin enthaltenen ausgegrabenen Schätze bestens zu empfehlen. Er behauptete, daß er auch zugegen gewesen sei, als man in der Gegend des Forums das junge Liebespaar aufgefunden, das sich bei der Erkenntnis des unabwendbaren Unterganges fest mit den Armen umschlungen und so den Tod erwartet habe. Davon hatte Hanold schon früher gehört und darüber als über eine Fabelerfindung irgendeines phantasiereichen Erzählers die Achsel gezuckt, aber heute erweckten die Reden des Wirtes bei ihm eine Gläubigkeit, die sich auch weiter erstreckte, als dieser eine mit grüner Patina überzogene Metallspange herbeiholte, die in seiner Gegenwart neben den Überresten des Mädchens aus der Asche gesammelt worden sei. Er erwarb diese Spange ohne weitere kritische Bedenken, und als er beim Verlassen des Albergo an einem offenstehenden Fenster einen mit weißen Blüten besetzten Asphodelosschaft herabnicken sah, durchdrang ihn der Anblick der Gräberblume wie eine Beglaubigung für die Echtheit seines neuen Besitztums.

Mit dieser Spange hatte aber ein neuer Wahn von ihm Besitz ergriffen oder vielmehr der alte ein Stückchen Fortsetzung getrieben, anscheinend kein gutes Vorzeichen für die eingeleitete Therapie. Unweit des Forums hatte man ein junges Liebespaar in solcher Umschlingung ausgegraben, und er hatte im Traume die Gradiva in eben dieser Gegend beim Apollotempel sich zum Schlafe niederlegen gesehen [S. 17 f.]. Wäre es nicht möglich, daß sie in Wirklichkeit vom Forum noch weiter gegangen sei, um mit jemand zusammenzutreffen, mit dem sie dann gemeinsam gestorben? Ein quälendes Gefühl, das wir vielleicht der Eifersucht gleichstellen können, entsprang aus dieser Vermutung. Er beschwichtigte es durch den Hinweis auf die Unsicherheit der Kombination und brachte sich wieder soweit zurecht, daß er die Abendmahlzeit im Hotel Diomède einnehmen konnte. Zwei neueingetroffene Gäste, ein Er und eine Sie, die er nach einer gewissen Ähnlichkeit für Geschwister halten mußte – trotz ihrer verschiedenen Haarfärbung – zogen dort seine Aufmerksamkeit auf sich. Die beiden waren die ersten ihm auf seiner Reise Begegnenden, von denen er einen sympathischen Eindruck empfing. Eine rote Sorrentiner Rose, die das junge Mädchen trug, weckte irgendeine Erinnerung in ihm, er konnte sich nicht besinnen, welche. Endlich ging er zu Bett und träumte; es war merkwürdig unsinniges Zeug, aber offenbar aus den Erlebnissen des Tages zusammengebraut. »Irgendwo in der Sonne saß die Gradiva, machte aus einem Grashalm eine Schlinge, um eine Eidechse drin zu fangen, und sagte dazu: ›Bitte, halte dich ganz ruhig – die Kollegin hat recht, das Mittel ist wirklich gut und sie hat es mit bestem Erfolge angewendet.‹« Gegen diesen Traum wehrte er sich noch im Schlafe mit der Kritik, das sei ja vollständige Verrücktheit, und es gelang ihm, den Traum loszuwerden mit Hilfe eines unsichtbaren Vogels, der einen kurzen lachenden Ruf ausstieß und die Eidechse im Schnabel forttrug.

Trotz all dieses Spuks erwachte er eher geklärt und gefestigt. Ein Rosenstrauch, der Blumen von jener Art trug, wie er sie gestern an der Brust der jungen Dame bemerkt hatte, brachte ihm ins Gedächtnis zurück, daß in der Nacht jemand gesagt hatte, im Frühling gäbe man Rosen. Er pflückte unwillkürlich einige der Rosen ab, und an diese mußte sich etwas knüpfen, was eine lösende Wirkung in seinem Kopf ausübte. Seiner Menschenscheu entledigt, begab er sich auf dem gewöhnlichen Wege nach Pompeji, mit den Rosen, der Metallspange und dem Skizzenbuch beschwert und mit verschiedenen Problemen, welche die Gradiva betrafen, beschäftigt. Der alte Wahn war rissig geworden, er zweifelte bereits, ob sie sich nur in der Mittagsstunde, nicht auch zu anderen Zeiten in Pompeji aufhalten dürfe. Der Akzent hatte sich dafür auf das zuletzt angefügte Stück verschoben, und die an diesem hängende Eifersucht quälte ihn in allerlei Verkleidungen. Beinahe hätte er gewünscht, daß die Erscheinung nur seinen Augen sichtbar bleibe und sich der Wahrnehmung anderer entziehe; so dürfte er sie doch als sein ausschließliches Eigentum betrachten. Während seiner Streifungen im Erwarten der Mittagsstunde hatte er eine überraschende Begegnung. In der *Casa del fauno* traf er auf zwei Gestalten, die sich in einem Winkel unentdeckbar glauben mochten, denn sie hielten sich mit den Armen umschlungen und ihre Lippen zusammengeschlossen. Mit Verwunderung erkannte er in ihnen das sympathische Paar von gestern abend. Aber für zwei Geschwister bedünkten ihn ihr gegenwärtiges Verhalten, die Umarmung und der Kuß von zu langer Andauer; also war es doch ein Liebes- und vermutlich junges Hochzeitspaar, auch ein August und eine Grete. Merkwürdigerweise erregte dieser Anblick jetzt nichts anderes als Wohlgefallen in ihm, und scheu, als hätte er eine geheime Andachtsübung gestört, zog er sich ungesehen zurück. Ein Respekt, der ihm lange gefehlt hatte, war in ihm wiederhergestellt.

Vor dem Hause des Meleager angekommen, überfiel ihn die Angst, die Gradiva in Gesellschaft eines anderen anzutreffen, noch einmal so heftig, daß er für ihre Erscheinung keine andere Begrüßung fand als die Frage: Bist du allein? Mit Schwierigkeit läßt er sich von ihr zum Bewußtsein bringen, daß er die Rosen für sie gepflückt, beichtet ihr den letzten

Wahn, daß sie das Mädchen gewesen, das man am Forum in Liebesumarmung gefunden und dem die grüne Spange gehört hatte. Nicht ohne Spott fragt sie, ob er das Stück etwa in der Sonne gefunden. Diese – hier *Sole* genannt – bringe allerlei derart zustande. Zur Heilung des Schwindels im Kopfe, den er zugesteht, schlägt sie ihm vor, ihre kleine Mahlzeit mit ihr zu teilen, und bietet ihm die eine Hälfte eines in Seidenpapier eingewickelten Weißbrotes an, dessen andere sie selbst mit sichtlichem Appetit verzehrt. Dabei blitzen ihre tadellosen Zähne zwischen den Lippen auf und verursachen beim Durchbeißen der Rinde einen leicht krachenden Ton. Auf ihre Rede: »Mir ist's als hätten wir schon vor zweitausend Jahren einmal so zusammen unser Brot gegessen. Kannst du dich nicht darauf besinnen?« (G. S. 118) wußte er keine Antwort, aber die Stärkung seines Kopfes durch das Nährmittel und all die Zeichen von Gegenwärtigkeit, die sie gab, verfehlten ihre Wirkung auf ihn nicht. Die Vernunft erhob sich in ihm und zog den ganzen Wahn, daß die Gradiva nur ein Mittagsgespenst sei, in Zweifel; dagegen ließ sich freilich einwenden, daß sie soeben selbst gesagt, sie habe schon vor zweitausend Jahren die Mahlzeit mit ihm geteilt. In solchem Konflikt bot sich ein Experiment als Mittel der Entscheidung, das er mit Schlauheit und wiedergefundenem Mute ausführte. Ihre linke Hand lag mit den schmalen Fingern ruhig auf ihren Knien, und eine der Stubenfliegen, über deren Frechheit und Nutzlosigkeit er sich früher so entrüstet hatte, ließ sich auf dieser Hand nieder. Plötzlich fuhr Hanolds Hand in die Höh' und klatschte mit einem keineswegs gelinden Schlag auf die Fliege und die Hand der Gradiva herunter.

Zweierlei Erfolg trug ihm dieser kühne Versuch ein, zunächst die freudige Überzeugung, daß er eine unzweifelhaft wirkliche, lebendige und warme Menschenhand berührt, dann aber einen Verweis, vor dem er erschrocken von seinem Sitz auf der Stufe auflog. Denn von den Lippen der Gradiva tönte es, nachdem sie sich von ihrer Verblüffung erholt hatte: »Du bist doch offenbar verrückt, Norbert Hanold.« Der Ruf beim eigenen Namen ist bekanntlich das beste Mittel, einen Schläfer oder Nachtwandler aufzuwecken. Welche Folgen die Nennung seines Namens, von dem er niemand in Pompeji Mitteilung gemacht, durch die Gradiva für Norbert Hanold mit sich gebracht hatte, ließ sich leider nicht beobachten. Denn in diesem kritischen Augenblick tauchte das sympathische Liebespaar aus der *Casa del fauno* auf, und die junge Dame rief mit einem Ton fröhlicher Überraschung: »Zoë! Du auch hier? Und auch auf der Hochzeitsreise? Davon hast du mir ja kein Wort geschrieben!«

Vor diesem neuen Beweis der Lebenswirklichkeit der Gradiva ergriff Hanold die Flucht.

Die Zoë-Gradiva war durch den unvorhergesehenen Besuch, der sie in einer, wie es scheint, wichtigen Arbeit störte, auch nicht aufs angenehmste überrascht. Aber bald gefaßt, beantwortet sie die Frage mit einer geläufigen Antwortsrede, in der sie der Freundin, aber mehr noch uns, Auskünfte über die Situation gibt und mittels welcher sie sich des jungen Paares zu entledigen weiß. Sie gratuliert, aber sie ist nicht auf der Hochzeitsreise. »Der junge Herr, der eben fortging, laboriert auch an einem merkwürdigen Hirngespinst, mir scheint, er glaubt, daß ihm eine Fliege im Kopfe summt; nun, irgendeine Kerbtierart hat wohl jeder drin. Pflichtmäßig verstehe ich mich etwas auf Entomologie und kann deshalb bei solchen Zuständen ein bißchen von Nutzen sein. Mein Vater und ich wohnen im *Sole*, er bekam auch einen plötzlichen Anfall und dazu den guten Einfall, mich mit hieher zu nehmen, wenn ich mich auf meine eigene Hand in Pompeji unterhalten und an ihn keinerlei Anforderungen stellen wollte. Ich sagte mir, irgendetwas Interessantes würde ich wohl schon allein hier ausgraben. Freilich, auf den Fund, den ich gemacht – ich meine das Glück, dich zu treffen, Gisa, hatte ich mit keinem Gedanken gerechnet.« (G. S. 124.) Aber nun muß sie eilig fort, ihrem Vater am Sonnentisch Gesellschaft leisten. Und so entfernt sie sich, nachdem sie sich uns als die Tochter des Zoologen und Eidechsenfängers vorgestellt und in allerlei doppelsinnigen Reden sich zur Absicht der Therapie und zu anderen geheimen Absichten bekannt hat.

Die Richtung, die sie einschlug, war aber nicht die des Gasthofes zur Sonne, in dem ihr Vater sie erwartete, sondern auch ihr wollte scheinen, als ob in der Umgegend der Villa des Diomedes eine Schattengestalt ihren Tumulus aufsuche und unter einem der Gräberdenkmäler verschwinde, und darum richtete sie ihre Schritte mit dem jedesmal beinahe senkrecht aufgestellten Fuß nach der Gräberstraße. Dorthin hatte sich in seiner Beschämung und Verwirrung Hanold geflüchtet und wanderte im Portikus des Gartenraumes unablässig auf und ab, beschäftigt, den Rest seines Problems durch Denkanstrengung zu erledigen. Eines war ihm unanfechtbar klargeworden, daß er völlig ohne Sinn und Verstand gewesen zu glauben, daß er mit einer mehr oder weniger leiblich wieder lebendig gewordenen jungen Pompejanerin verkehrt habe, und diese deutliche Einsicht seiner Verrücktheit bildete unstreitig einen wesentlichen Fortschritt auf dem Rückweg zur gesunden Vernunft. Aber anderseits war diese Lebende, mit der auch andere wie mit einer ihnen gleichartigen Leibhaftigkeit verkehrten, die Gradiva, und sie wußte seinen Namen, und dieses Rätsel zu lösen, war seine kaum erwachte Vernunft nicht stark genug. Auch war er im Gefühl kaum ruhig genug, um sich solcher schwierigen Aufgabe gewachsen zu zeigen, denn am liebsten wäre er vor zweitausend Jahren in der Villa des Diomedes mitverschüttet worden, um nur sicher zu sein, der Zoë-Gradiva nicht wieder zú begegnen. Eine heftige Sehnsucht, sie wiederzusehen, stritt indessen gegen den Rest von Neigung zur Flucht, der sich in ihm erhalten hatte.

Um eine der vier Ecken des Pfeilerganges biegend, prallte er plötzlich zurück. Auf einem abgebrochenen Mauerstücke saß da eines der Mädchen, die hier in der Villa des Diomedes ihren Tod gefunden hatten. Aber das war ein bald abgewiesener letzter Versuch, in das Reich des Wahnsinns zu flüchten; nein, die Gradiva war es, die offenbar gekommen war, ihm das letzte Stück ihrer Behandlung zu schenken. Sie deutete seine erste instinktive Bewegung ganz richtig als einen Versuch, den Raum zu verlassen, und bewies ihm, daß er nicht entrinnen könne, denn draußen hatte ein fürchterlicher Wassersturz zu rauschen begonnen. Die Unbarmherzige begann das Examen mit der Frage, was er mit der Fliege auf ihrer Hand gewollt. Er fand nicht den Mut, sich eines bestimmten Pronomens zu bedienen, wohl aber den wertvolleren, die entscheidende Frage zu stellen:

»Ich war – wie jemand sagte – etwas verwirrt im Kopf und bitte um Verzeihung, daß ich die Hand derartig – wie ich so sinnlos sein konnte, ist mir nicht begreiflich – aber ich bin auch nicht imstande zu begreifen, wie ihre Besitzerin mir meine – meine Unvernunft mit meinem Namen vorhalten konnte.« (G. S. 134.)

»So weit ist dein Begreifen also noch nicht vorgeschritten, Norbert Hanold. Wundernehmen kann's mich allerdings nicht, da du mich lange daran gewöhnt hast. Um die Erfahrung wieder zu machen, hätte ich nicht nach Pompeji zu kommen gebraucht, und du hättest sie mir um gut hundert Meilen näher bestätigen können.«

»Um hundert Meilen näher; deiner Wohnung schräg gegenüber, in dem Eckhaus; an meinem Fenster steht ein Käfig mit einem Kanarienvogel«, eröffnet sie jetzt dem noch immer Verständnislosen.

Dies letzte Wort berührt den Hörer wie eine Erinnerung aus einer weiten Ferne. Das ist doch derselbe Vogel, dessen Gesang ihm den Entschluß zur Reise nach Italien eingegeben.

»In dem Hause wohnt mein Vater, der Professor der Zoologie Richard Bertgang.«

Als seine Nachbarin kannte sie also seine Person und seinen Namen. Uns droht es wie eine Enttäuschung durch eine seichte Lösung, die unserer Erwartungen nicht würdig ist.

Norbert Hanold zeigt noch keine wiedergewonnene Selbständigkeit des Denkens, wenn er wiederholt: »Dann sind Sie – sind Sie Fräulein Zoë Bertgang? Die sah aber doch ganz anders aus . . .«.

Die Antwort des Fräuleins Bertgang zeigt dann, daß doch noch andere Beziehungen als die der Nachbarschaft zwischen den beiden bestanden hatten. Sie weiß für das trauliche »du« einzutreten, das er dem Mittagsgespenst natürlich geboten, vor der Lebenden wieder zurückgezogen hatte, auf das sie aber alte Rechte geltend macht. »Wenn du die Anrede passender zwischen uns findest, kann ich sie ja auch anwenden, mir lag nur die andere natürlicher auf der Zunge. Ich weiß nicht mehr, ob ich früher, als wir täglich freundschaftlich miteinander herumliefen, gelegentlich uns zur Abwechslung auch knufften und pufften, anders ausgesehen habe. Aber wenn Sie in den letzten Jahren einmal mit einem Blick auf mich achtgegeben hätten, wäre Ihren Augen vielleicht aufgegangen, daß ich schon seit längerer Zeit so aussehe.«

Eine Kinderfreundschaft hatte also zwischen den beiden bestanden, vielleicht eine Kinderliebe, aus der das »du« seine Berechtigung ableitete. Ist diese Lösung nicht vielleicht ebenso seicht wie die erst vermutete? Es trägt aber doch wesentlich zur Vertiefung bei, daß uns einfällt, dies Kinderverhältnis erkläre in unvermuteter Weise so manche Einzelheit von dem, was während ihres jetzigen Verkehrs zwischen den beiden vorgefallen. Jener Schlag auf die Hand der Zoë-Gradiva, den sich Norbert Hanold so vortrefflich mit dem Bedürfnis motiviert, durch eine experimentelle Entscheidung die Frage nach der Leiblichkeit der Erscheinung zu lösen, sieht er nicht anderseits einem Wiederaufleben des Impulses zum »Knuffen und Puffen« merkwürdig ähnlich, dessen Herrschaft in der Kindheit uns die Worte Zoës bezeugt haben? Und wenn die Gradiva an den Archäologen die Frage gerichtet, ob ihm nicht vorkomme, daß sie schon einmal vor zweitausend Jahren so die Mahlzeit miteinander geteilt hätten, wird diese unverständliche Frage nicht plötzlich sinnvoll, wenn wir anstatt jener geschichtlichen Vergangenheit die persönliche einsetzen, die Kinderzeit wiederum, deren Erinnerungen bei dem Mädchen lebhaft erhalten, bei dem jungen Manne aber vergessen zu sein scheinen? Dämmert uns nicht plötzlich die Einsicht, daß die Phantasien des jungen Archäologen über seine Gradiva ein Nachklang dieser vergessenen Kindheitserinnerungen sein könnten? Dann wären sie also keine willkürlichen Produktionen seiner Phantasie, sondern bestimmt, ohne daß er darum wüßte, durch das von ihm vergessene, aber noch wirksam in ihm vorhandene Material von Kindheitseindrücken. Wir müßten diese Abkunft der Phantasien im einzelnen nachweisen können, wenn auch nur durch Vermutungen. Wenn z. B. die Gradiva durchaus *griechischer* Abkunft sein muß, die Tochter eines angesehenen Mannes, vielleicht eines Priesters der Ceres, so stimmte das nicht übel zu einer Nachwirkung der Kenntnis ihres griechischen Namens Zoë und ihrer Zugehörigkeit zur Familie eines Professors der Zoologie. Sind aber die Phantasien Hanolds umgewandelte Erinnerungen, so dürfen wir erwarten, in den Mitteilungen der Zoë Bertgang den Hinweis auf die Quellen dieser Phantasien zu finden. Horchen wir auf; sie erzählte uns von einer intimen Freundschaft der Kinderjahre, wir werden nun erfahren, welche weitere Entwicklung diese Kinderbeziehung bei den beiden genommen hat.

»Damals, so bis um die Zeit, in der man uns, ich weiß nicht weshalb, Backfische tituliert, hatte ich mir eigentlich eine merkwürdige Anhänglichkeit an Sie angewöhnt und glaubte, ich könnte nie einen mir angenehmeren Freund auf der Welt finden. Mutter und Schwester oder Bruder hatte ich ja nicht, meinem Vater war eine Blindschleiche in Spiritus bedeutend interessanter als ich, und etwas muß man, wozu ich auch ein Mädchen rechne, wohl haben, womit man seine Gedanken und was sonst mit ihnen zusammenhängt, beschäftigen kann. Das waren also Sie damals; doch als die Altertumswissenschaft über Sie gekommen war, machte ich die Entdeckung, daß aus dir — entschuldigen Sie, aber Ihre schickliche Neuerung klingt mir doch zu abgeschmackt und paßt auch nicht zu dem, was ich ausdrücken will — ich wollte sagen, da stellte sich heraus, daß aus dir ein unausstehlicher Mensch geworden war, der, wenigstens für mich, keine Augen mehr im Kopf, keine Zunge mehr im Mund und keine Erinnerung mehr da hatte, wo sie mir an unsere Kinderfreundschaft sitzen geblieben war. Darum sah ich wohl anders aus als früher, denn wenn ich ab und zu in einer Gesellschaft mit dir zusammenkam, noch im letzten Winter einmal, sahst du mich nicht, und noch weniger bekam ich deine Stimme zu hören, worin übrigens keine Auszeichnung für mich lag, weil du's mit allen andern ebenso machtest. Ich war Luft für dich, und du warst, mit deinem blonden Haarschopf, an dem ich dich früher oft gezaust, so langweilig, vertrocknet und mundfaul wie ein ausgestopfter Kakadu und dabei so großartig wie ein — *Archäopteryx* heißt das ausgegrabene vorsintflutliche Vogelungetüm ja wohl. Nur daß dein Kopf eine ebenfalls so großartige Phantasie beherbergte, hier in Pompeji mich auch für etwas Ausgegrabenes und wieder lebendig Gewordenes anzusehen – das hatte ich nicht bei dir vermutet, und als du auf einmal ganz unerwartet vor mir standest, kostete es mich zuerst ziemliche Mühe, dahinterzukommen, was für ein unglaubliches Hirngespinst deine Einbildung sich zurechtgearbeitet hatte. Dann machte mir's Spaß und gefiel mir auch trotz seiner Tollhäusigkeit nicht so übel. Denn, wie gesagt, das hatte ich bei dir nicht vermutet.«

So sagt sie uns also deutlich genug, was aus der Kinderfreundschaft mit den Jahren bei ihnen beiden geworden war. Bei ihr steigerte sich dieselbe zu einer herzlichen Verliebtheit, denn etwas muß man ja haben, woran man als Mädchen sein Herz hängt. Fräulein Zoë, die Verkörperung der Klugheit und Klarheit, macht uns auch ihr Seelenleben ganz durchsichtig. Wenn es schon allgemeine Regel für das normal geartete Mädchen ist, daß sie ihre Neigung zunächst dem Vater zuwende, so war sie ganz besonders dazu bereit, die keine andere Person als den Vater in ihrer Familie fand. Dieser Vater aber hatte für sie nichts übrig, die Objekte seiner Wissenschaft hatten all sein Interesse mit Beschlag belegt. So mußte sie nach einer anderen Person Umschau halten und hing sich mit besonderer Innigkeit an ihren Jugendgespielen. Als auch dieser keine Augen mehr für sie hatte, störte es ihre Liebe nicht, steigerte sie vielmehr, denn er war ihrem Vater gleichgeworden, wie dieser von der Wissenschaft absorbiert und durch sie vom Leben und von Zoë ferngehalten. So war es ihr gestattet, in der Untreue noch treu zu sein, im Geliebten den Vater wiederzufinden, mit dem gleichen Gefühl, die beiden zu umfassen oder, wie wir sagen können, die beiden in ihrem Fühlen zu identifizieren. Woher nehmen wir die Berechtigung zu dieser kleinen psychologischen Analyse, die leicht als selbstherrlich erscheinen könnte? In einem einzigen, aber höchst charakteristischen Detail hat sie der Dichter uns gegeben. Wenn Zoë die für sie so betrübende Verwandlung ihres Jugendgespielen schildert, so beschimpft sie ihn durch einen Vergleich mit dem Archäopteryx, jenem Vogelungetüm, das der Archäologie der Zoologie angehört. So hat sie für die Identifizierung der beiden Personen einen einzigen konkreten Ausdruck gefunden; ihr Groll trifft den Geliebten wie den Vater mit demselben Worte. Der Archäopteryx ist sozusagen die Kompromiß- oder Mittelvorstellung, in welcher der Gedanke an die Torheit ihres Geliebten mit dem an die analoge ihres Vaters zusammenkommt.

Anders hatte es sich bei dem jungen Manne gewendet. Die Altertumswissenschaft kam über ihn und ließ ihm nur Interesse für Weiber aus Stein und Bronze übrig. Die Kinderfreundschaft ging unter, anstatt sich zu einer Leidenschaft zu verstärken, und die Erinnerungen an sie gerieten in so tiefe Vergessenheit, daß er seine Jugendgenossin nicht erkannte und nicht beachtete, wenn er sie in Gesellschaft traf. Zwar, wenn wir das weitere überblicken, dürfen wir in Zweifel ziehen, ob »Vergessenheit« die richtige psychologische Bezeichnung für das Schicksal dieser Erinnerungen bei unserem Archäologen ist. Es gibt eine Art von Vergessen, welche sich durch die Schwierigkeit auszeichnet, mit welcher die Erinnerung auch durch starke äußere Anrufungen erweckt wird, als ob ein innerer Widerstand sich gegen deren Wiederbelebung sträubte. Solches Vergessen hat den Namen »Verdrängung« in der Psychopathologie erhalten; der Fall, den unser Dichter uns vorgeführt, scheint ein solches Beispiel von Verdrängung zu sein. Nun wissen wir ganz allgemein nicht, ob das Vergessen eines Eindruckes mit dem Untergang von dessen Erinnerungsspur im Seelenleben verbunden ist; von der »Verdrängung« können wir aber mit Bestimmtheit behaupten, daß sie nicht mit dem Untergang, dem Auslöschen der Erinnerung zusammenfällt. Das Verdrängte kann zwar in der Regel sich nicht ohneweiters als Erinnerung durchsetzen, aber es bleibt leistungs- und wirkungsfähig, es läßt eines Tages unter dem Einfluß einer äußeren Einwirkung psychische Abfolgen entstehen, die man als Verwandlungsprodukte und Abkömmlinge der vergessenen Erinnerung auffassen kann und die unverständlich bleiben, wenn man sie nicht so auffaßt. In den Phantasien Norbert Hanolds über die Gradiva glaubten wir bereits die Abkömmlinge seiner verdrängten Erinnerungen an seine Kinderfreundschaft mit der Zoë Bertgang zu erkennen. Mit besonderer Gesetzmäßigkeit darf man eine derartige Wiederkehr des Verdrängten erwarten, wenn an den verdrängten Eindrücken das erotische Fühlen eines Menschen haftet, wenn sein Liebesleben von der Verdrängung betroffen worden ist. Dann behält der alte lateinische Spruch recht, der vielleicht ursprünglich auf Austreibung durch äußere Einflüsse, nicht auf innere Konflikte gemünzt ist: *Naturam furca expellas, semper redibit*[1]. Aber er sagt nicht alles, kündigt nur die Tatsache der Wiederkehr des Stückes verdrängter Natur an, und beschreibt nicht die höchst merkwürdige Art dieser Wiederkehr,

---

[1] [Das Zitat (aus Horaz, *Episteln*, I, 10, 24) ist, obwohl vom ursprünglichen Sinn nur wenig abweichend, nicht genau wiedergegeben. Richtig lautet es: »Naturam expelles furca, tamen usque recurret« (»Mag man die Natur auch mit der Heugabel austreiben, sie kehrt stets zurück.«).]

die sich wie durch einen tückischen Verrat vollzieht. Gerade dasjenige, was zum Mittel der Verdrängung gewählt worden ist – wie die *furca* des Spruches –, wird der Träger des Wiederkehrenden; in und hinter dem Verdrängenden macht sich endlich siegreich das Verdrängte geltend. Eine bekannte Radierung von Félicien Rops illustriert diese wenig beachtete und der Würdigung so sehr bedürftige Tatsache eindrucksvoller, als viele Erläuterungen es vermöchten, und zwar an dem vorbildlichen Falle der Verdrängung im Leben der Heiligen und Büßer. Ein asketischer Mönch hat sich – gewiß vor den Versuchungen der Welt – zum Bild des gekreuzigten Erlösers geflüchtet. Da sinkt dieses Kreuz schattenhaft nieder und strahlend erhebt sich an seiner Stelle, zu seinem Ersatze, das Bild eines üppigen nackten Weibes in der gleichen Situation der Kreuzigung. Andere Maler von geringerem psychologischen Scharfblick haben in solchen Darstellungen der Versuchung die Sünde frech und triumphierend an irgendeine Stelle neben dem Erlöser am Kreuze gewiesen. Rops allein hat sie den Platz des Erlösers selbst am Kreuze einnehmen lassen; er scheint gewußt zu haben, daß das Verdrängte bei seiner Wiederkehr aus dem Verdrängenden selbst hervortritt.

Es ist des Verweilens wert, sich in Krankheitsfällen zu überzeugen, wie feinfühlig im Zustande der Verdrängung das Seelenleben eines Menschen für die Annäherung des Verdrängten wird, und wie leise und geringfügige Ähnlichkeiten genügen, damit dasselbe hinter dem Verdrängenden und durch dieses zur Wirkung gelange. Ich hatte einmal Anlaß, mich ärztlich um einen jungen Mann, fast noch Knaben, zu kümmern, der nach der ersten unerwünschten Kenntnisnahme von den sexuellen Vorgängen die Flucht vor allen in ihm aufsteigenden Gelüsten ergriffen hatte und sich verschiedener Mittel der Verdrängung dazu bediente, seinen Lerneifer steigerte, die kindliche Anhänglichkeit an die Mutter übertrieb und im ganzen ein kindisches Wesen annahm. Ich will hier nicht ausführen, wie gerade im Verhältnis zur Mutter die verdrängte Sexualität wieder durchdrang, sondern den selteneren und fremdartigeren Fall beschreiben, wie ein anderes seiner Bollwerke bei einem kaum als zureichend zu erkennenden Anlasse zusammenbrach. Als Ablenkung vom Sexuellen genießt die Mathematik den größten Ruf; schon J. J. Rousseau hatte sich von einer Dame, die mit ihm unzufrieden war, raten lassen müssen: *Lascia le donne e studia le matematiche*[1]. So warf sich auch unser Flüchtling mit besonderem Eifer auf die in der

---

[1] [Richtiger »la matematica«; »Lasse die Frauen, studiere lieber die Mathematik«.]

Schule gelehrte Mathematik und Geometrie, bis seine Fassungskraft eines Tages plötzlich vor einigen harmlosen Aufgaben erlahmte. Von zweien dieser Aufgaben ließ sich noch der Wortlaut feststellen: Zwei Körper stoßen aufeinander, der eine mit der Geschwindigkeit ... usw. – Und: Einem Zylinder vom Durchmesser der Fläche m ist ein Kegel einzuschreiben usw. Bei diesen für einen anderen gewiß nicht auffälligen Anspielungen an das sexuelle Geschehen fand er sich auch von der Mathematik verraten und ergriff auch vor ihr die Flucht.

Wenn Norbert Hanold eine aus dem Leben geholte Persönlichkeit wäre, die so die Liebe und die Erinnerung an seine Kinderfreundschaft durch die Archäologie vertrieben hätte, so wäre es nur gesetzmäßig und korrekt, daß gerade ein antikes Relief die vergessene Erinnerung an die mit kindlichen Gefühlen Geliebte in ihm erweckte; es wäre sein wohlverdientes Schicksal, daß er sich in das Steinbild der Gradiva verliebte, hinter welchem vermöge einer nicht aufgeklärten Ähnlichkeit die lebende und von ihm vernachlässigte Zoë zur Wirkung kommt.

Fräulein Zoë scheint selbst unsere Auffassung von dem Wahn des jungen Archäologen zu teilen, denn das Wohlgefallen, dem sie am Ende ihrer »rückhaltlosen, ausführlichen und lehrreichen Strafrede« Ausdruck gegeben, läßt sich kaum anders als durch die Bereitwilligkeit begründen, sein Interesse für die Gradiva von allem Anfang an auf ihre Person zu beziehen. Dieses war es eben, was sie ihm nicht zugetraut hatte und was sie trotz aller Wahnverkleidung doch als solches erkannte. An ihm aber hatte nun die psychische Behandlung von ihrer Seite ihre wohltätige Wirkung vollbracht; er fühlte sich frei, da nun der Wahn durch dasjenige ersetzt war, wovon er doch nur eine entstellte und ungenügende Abbildung sein konnte. Er zögerte jetzt auch nicht, sich zu erinnern und sie als seine gute, fröhliche, klugsinnige Kameradin zu erkennen, die sich im Grunde gar nicht verändert habe. Aber etwas anderes fand er höchst sonderbar –

»Daß jemand erst sterben muß, um lebendig zu werden«, meinte das Mädchen. »Aber für die Archäologen ist das wohl notwendig.« (G. S. 141.) Sie hatte ihm offenbar den Umweg noch nicht verziehen, den er von der Kinderfreundschaft bis zu dem neu sich knüpfenden Verhältnis über die Altertumswissenschaft eingeschlagen hatte.

»Nein, ich meine dein Name ... Weil *Bertgang* mit *Gradiva* gleichbedeutend ist und ›die im Schreiten Glänzende‹ bezeichnet.« (G. S. 142.) Darauf waren nun auch wir nicht vorbereitet. Unser Held beginnt sich aus seiner Demütigung zu erheben und eine aktive Rolle zu spielen. Er ist offenbar von seinem Wahn völlig geheilt, über ihn erhoben und beweist dies, indem er die letzten Fäden des Wahngespinstes selbständig zerreißt. Genau so benehmen sich auch die Kranken, denen man den Zwang ihrer wahnhaften Gedanken durch Aufdeckung des dahintersteckenden Verdrängten gelockert hat. Haben sie begriffen, so bringen sie für die letzten und bedeutsamsten Rätsel ihres sonderbaren Zustandes selbst die Lösungen in plötzlich auftauchenden Einfällen. Wir hatten ja bereits vermutet, daß die griechische Abkunft der fabelhaften Gradiva eine dunkle Nachwirkung des griechischen Namens Zoë sei, aber an den Namen »Gradiva« selbst hatten wir uns nicht herangewagt, ihn hatten wir als freie Schöpfung der Phantasie Norbert Hanolds gelten lassen. Und siehe da, gerade dieser Name erweist sich nun als Abkomme, ja eigentlich als Übersetzung des verdrängten Familiennamens der angeblich vergessenen Kindergeliebten!

Die Herleitung und die Auflösung des Wahnes sind nun vollendet. Was noch beim Dichter folgt, darf wohl dem harmonischen Abschluß der Erzählung dienen. Es kann uns im Hinblick auf Zukünftiges nur wohltuend berühren, wenn die Rehabilitierung des Mannes, der früher eine so klägliche Rolle als Heilungsbedürftiger spielen mußte, weiterschreitet und es ihm nun gelingt, etwas von den Affekten, die er bisher erduldet, bei ihr zu erwecken. So trifft es sich, daß er sie eifersüchtig macht durch die Erwähnung der sympathischen jungen Dame, die vorhin ihr Beisammensein im Hause des Meleager gestört, und durch das Geständnis, daß diese die erste gewesen, die ihm vortrefflich gefallen hat. Wenn Zoë dann einen kühlen Abschied mit der Bemerkung nehmen will: jetzt sei ja alles wieder zur Vernunft gekommen, sie selbst nicht am wenigsten: er könne Gisa Hartleben, oder wie sie jetzt heiße, wieder aufsuchen, um ihr bei dem Zweck ihres Aufenthaltes in Pompeji wissenschaftlich behilflich zu sein; sie aber müsse jetzt in den *Albergo del Sole,* wo der Vater mit dem Mittagessen auf sie warte; vielleicht sähen sie sich beide noch einmal in einer Gesellschaft in Deutschland oder auf dem Monde: so mag er wieder die lästige Fliege zum Vorwand nehmen, um sich zuerst ihrer Wange und dann ihrer Lippen zu bemächtigen und die Aggression, die nun einmal Pflicht des Mannes im Liebesspiel ist, ins Werk zu setzen. Ein einziges Mal noch scheint ein Schatten auf ihr Glück zu fallen, als Zoë mahnt, jetzt müsse sie aber wirklich zu ihrem Vater, der sonst im Sole verhungert. »Dein Vater – was wird der –?« (G. S. 147.) Aber das kluge Mädchen weiß die Sorge rasch zu beschwichtigen: »Wahrscheinlich wird er nichts, ich bin kein unentbehrliches Stück in seiner zoologischen Sammlung; wär' ich das, hätte sich mein Herz vielleicht nicht so unklug an dich gehängt.« Sollte der Vater aber ausnahmsweise anderer Meinung sein wollen als sie, so gäbe es ein sicheres Mittel. Hanold brauchte nur nach Capri hinüberzufahren, dort eine *lacerta faraglionensis zu fangen,* wofür er die Technik an ihrem kleinen Finger einüben könne, das Tier dann hier freizulassen, vor den Augen des Zoologen wieder einzufangen und ihm die Wahl zu lassen zwischen der *faraglionensis* auf dem Festlande und der Tochter. Ein Vorschlag, in dem der Spott, wie man leicht merkt, mit Bitterkeit vermengt ist, eine Mahnung gleichsam an den Bräutigam, sich nicht allzu getreu an das Vorbild zu halten, nach dem ihn die Geliebte ausgewählt hat. Norbert Hanold beruhigt uns auch hierüber, indem er die große Umwandlung, die mit ihm vorgefallen ist, in allerlei scheinbar kleinen Anzeichen zum Ausdruck bringt. Er spricht den Vorsatz aus, die Hochzeitsreise mit seiner Zoë nach Italien und nach Pompeji zu machen, als hätte er sich niemals über die Hochzeitsreisenden August und Grete entrüstet. Es ist ihm ganz aus dem Gedächtnis geschwunden, was er gegen diese glücklichen Paare gefühlt hat, die sich so überflüssigerweise mehr als hundert Meilen von ihrer deutschen Heimat entfernt haben. Gewiß hat der Dichter recht, wenn er solche Gedächtnisschwächung als das wertvollste Zeichen einer Sinnesänderung aufführt. Zoë erwidert auf den kundgegebenen Reisezielwunsch ihres »*gewissermaßen gleichfalls aus der Verschüttung wieder ausgegrabenen Kindheitsfreundes*« (G. S. 150), sie fühle sich zu solcher geographischen Entscheidung doch noch nicht völlig lebendig genug.

Die schöne Wirklichkeit hat nun den Wahn besiegt, doch harrt des letzteren, ehe die beiden Pompeji verlassen, noch eine Ehrung. An dem Herkulestor angekommen, wo am Anfang der *Strada consolare* alte Trittsteine die Straße überkreuzen, hält Norbert Hanold an und bittet das Mädchen voranzugehen. Sie versteht ihn, »und mit der Linken das Kleid ein wenig raffend, schreitet die Gradiva *rediviva* Zoë Bertgang von ihm mit traumhaft dreinblickenden Augen umfaßt, in ihrer ruhigbehenden Gangart durch den Sonnenglanz über die Trittsteine zur anderen Straßenseite hinüber.« Mit dem Triumph der Erotik kommt jetzt zur Anerkennung, was auch am Wahne schön und wertvoll war.

Mit dem letzten Gleichnis von dem »aus der Verschüttung ausgegrabenen Kindheitsfreunde« hat uns aber der Dichter den Schlüssel zur Symbolik in die Hand gegeben, dessen sich der Wahn des Helden bei der Verkleidung der verdrängten Erinnerung bediente. Es gibt wirklich

keine bessere Analogie für die Verdrängung, die etwas Seelisches zu-
gleich unzugänglich macht und konserviert, als die Verschüttung, wie sie
Pompeji zum Schicksal geworden ist und aus der die Stadt durch die
Arbeit des Spatens wieder erstehen konnte. Darum mußte der junge
Archäologe das Urbild des Reliefs, welches ihn an seine vergessene
Jugendgeliebte mahnte, in der Phantasie nach Pompeji versetzen. Der
Dichter aber hatte ein gutes Recht, bei der wertvollen Ähnlichkeit zu
verweilen, die sein feiner Sinn zwischen einem Stück des seelischen Ge-
schehens beim Einzelnen und einem vereinzelten historischen Vorgang
in der Geschichte der Menschheit aufgespürt [1].

---

[1] [Freud selber zog mehr als einmal das Schicksal Pompejis als Gleichnis für die Verdrängung heran, so z. B. in der Fallgeschichte des »Rattenmannes« (1909 *d*, Kapitel I
(D)), die er nicht lange nach der vorliegenden Studie schrieb.]

II. KAPITEL

Es war doch eigentlich nur unsere Absicht, die zwei oder drei Träume, die sich in der Erzählung *Gradiva* eingestreut finden, mit Hilfe gewisser analytischer Methoden zu untersuchen; wie kam es denn, daß wir uns zur Zergliederung der ganzen Geschichte und zur Prüfung der seelischen Vorgänge bei den beiden Hauptpersonen fortreißen ließen? Nun, das war kein überflüssiges Stück Arbeit, sondern eine notwendige Vorarbeit. Auch wenn wir die wirklichen Träume einer realen Person verstehen wollen, müssen wir uns intensiv um den Charakter und die Schicksale dieser Person kümmern, nicht nur ihre Erlebnisse kurz vor dem Traume, sondern auch solche in entlegener Vergangenheit in Erfahrung bringen. Ich meine sogar, wir sind noch immer nicht frei, uns unserer eigentlichen Aufgabe zuzuwenden, müssen noch bei der Dichtung selbst verweilen und weitere Vorarbeiten erledigen.

Unsere Leser werden gewiß mit Befremden bemerkt haben, daß wir Norbert Hanold und Zoë Bertgang in allen ihren seelischen Äußerungen und Tätigkeiten bisher behandelt haben, als wären sie wirkliche Individuen und nicht Geschöpfe eines Dichters, als wäre der Sinn des Dichters ein absolut durchlässiges, nicht ein brechendes oder trübendes Medium. Und um so befremdender muß unser Vorgehen erscheinen, als der Dichter auf die Wirklichkeitsschilderung ausdrücklich verzichtet, indem er seine Erzählung ein »Phantasiestück« benennt. Wir finden aber alle seine Schilderungen der Wirklichkeit so getreulich nachgebildet, daß wir keinen Widerspruch äußern würden, wenn die *Gradiva* nicht ein Phantasiestück, sondern eine psychiatrische Studie hieße. Nur in zwei Punkten hat sich der Dichter der ihm zustehenden Freiheit bedient, um Voraussetzungen zu schaffen, die nicht im Boden der realen Gesetzmäßigkeit zu wurzeln scheinen. Das erstemal, indem er den jungen Archäologen ein unzweifelhaft antikes Reliefbildnis finden läßt, welches nicht nur in der Besonderheit der Fußstellung beim Schreiten, sondern in allen Details der Gesichtsbildung und Körperhaltung eine so viel später lebende Person nachahmt, so daß er die liebliche Erscheinung dieser Person für das lebend gewordene Steinbild halten kann. Das zweitemal, indem er ihn die Lebende gerade in Pompeji treffen läßt, wohin nur seine Phantasie die Verstorbene versetzte, während er sich eben durch die Reise nach Pompeji von der Lebenden, die er auf der Straße seines Wohnortes bemerkt hatte, entfernte. Allein diese zweite Verfügung des Dichters ist keine gewaltsame Abweichung von der Lebensmöglichkeit; sie nimmt eben nur den Zufall zu Hilfe, der unbestritten bei so vielen menschlichen Schicksalen mitspielt, und verleiht ihm überdies einen guten Sinn, da dieser Zufall das Verhängnis widerspiegelt, welches bestimmt hat, daß man gerade durch das Mittel der Flucht sich dem ausliefert, vor dem man flieht. Phantastischer und völlig der Willkür des Dichters entsprungen erscheint die erste Voraussetzung, welche alle weiteren Begebenheiten trägt, die so weitgehende Ähnlichkeit des Steinbildes mit dem lebenden Mädchen, wo die Nüchternheit die Übereinstimmung auf den einen Zug der Fußhaltung beim Schreiten einschränken möchte. Man wäre versucht, hier zur Anknüpfung an die Realität die eigene Phantasie spielen zu lassen. Der Name *Bertgang* könnte darauf deuten, daß sich die Frauen dieser Familie schon in alten Zeiten durch solche Eigentümlichkeit des schönen Ganges ausgezeichnet haben, und durch Geschlechtsabfolge hingen die germanischen Bertgang mit jenen Griechen zusammen, von deren Stamm eine Frau den antiken Künstler veranlaßt hatte, die Eigentümlichkeit ihres Ganges im Steinbild festzuhalten. Da aber die einzelnen Variationen der menschlichen Gestaltung nicht unabhängig voneinander sind und tatsächlich auch in unserer Mitte immer wieder die antiken Typen auftauchen, die wir in den Sammlungen antreffen, so wäre es nicht ganz unmöglich, daß eine moderne Bertgang die Gestalt ihrer antiken Ahnfrau auch in allen anderen Zügen ihrer körperlichen Bildung wiederholte. Klüger als solche Spekulation dürfte wohl sein, sich bei dem Dichter selbst nach den Quellen zu erkundigen, aus denen ihm dieses Stück seiner Schöpfung erflossen ist; es ergäbe sich uns dann eine gute Aussicht, wiederum ein Stück vermeintlicher Willkür in Gesetzmäßigkeit aufzulösen. Da uns aber der Zugang zu den Quellen im Seelenleben des Dichters nicht frei steht[1], so lassen wir ihm das Recht ungeschmälert, eine durchaus lebenswahre Entwicklung auf eine unwahrscheinliche Voraussetzung aufzubauen, ein Recht, das z. B. auch Shakespeare im *King Lear* in Anspruch genommen hat[2]. Sonst aber, das wollen wir wiederholen, hat uns der Dichter eine völlig korrekte psychiatrische Studie geliefert, an welcher wir unser Verständ-

---

[1] [Vgl. den Nachtrag zu dieser Arbeit, unten auf S. 84.]
[2] [Weitere Bemerkungen über die »unwahrscheinliche Voraussetzung« zu *König Lear* finden sich am Schluß der Arbeit ›Das Motiv der Kästchenwahl‹ (1913 *f*), im vorliegenden Band, unten S. 192.]

nis des Seelenlebens messen dürfen, eine Kranken- und Heilungs-
geschichte, wie zur Einschärfung gewisser fundamentaler Lehren der
ärztlichen Seelenkunde bestimmt. Sonderbar genug, daß der Dichter
dies getan haben sollte! Wie nun, wenn er auf Befragen diese Absicht
ganz und gar in Abrede stellte? Es ist so leicht anzugleichen und unter-
zulegen; sind es nicht vielmehr wir, die in die schöne poetische Erzählung einen Sinn hineingeheimnissen, der dem Dichter sehr ferne liegt?
Möglich; wir wollen später noch darauf zurückkommen. Vorläufig aber
haben wir versucht, uns vor solch tendenziöser Ausdeutung selbst zu
bewahren, indem wir die Erzählung fast durchwegs aus den eigenen
Worten des Dichters wiedergaben, Text wie Kommentar von ihm
selbst besorgen ließen. Wer unsere Reproduktion mit dem Wortlaut der
Gradiva vergleichen will, wird uns dies zugestehen müssen.

Vielleicht erweisen wir unserem Dichter auch einen schlechten Dienst
im Urteil der allermeisten, wenn wir sein Werk für eine psychiatrische
Studie erklären. Der Dichter soll der Berührung mit der Psychiatrie aus
dem Wege gehen, hören wir sagen, und die Schilderung krankhafter
Seelenzustände den Ärzten überlassen. In Wahrheit hat kein richtiger
Dichter je dieses Gebot geachtet. Die Schilderung des menschlichen Seelenlebens ist ja seine eigentlichste Domäne; er war jederzeit der Vorläufer der Wissenschaft und so auch der wissenschaftlichen Psychologie.
Die Grenze aber zwischen den normal und krankhaft benannten Seelen-
zuständen ist zum Teil eine konventionelle, zum anderen eine so flie-
ßende, daß wahrscheinlich jeder von uns sie im Laufe eines Tages mehrmals überschreitet. Anderseits täte die Psychiatrie unrecht, wenn sie sich
dauernd auf das Studium jener schweren und düsteren Erkrankungen
einschränken wollte, die durch grobe Beschädigungen des feinen Seelen-
apparats entstehen. Die leiseren und ausgleichsfähigen Abweichungen
vom Gesunden, die wir heute nicht weiter als bis zu Störungen im psychischen Kräftespiel zurückverfolgen können, fallen nicht weniger unter
ihr Interesse; ja erst mittels dieser kann sie die Gesundheit wie die Erscheinungen der schweren Krankheit verstehen. So kann der Dichter
dem Psychiater, der Psychiater dem Dichter nicht ausweichen, und die
poetische Behandlung eines psychiatrischen Themas darf ohne Einbuße
an Schönheit korrekt ausfallen [1].

---

[1] [Eine Erörterung über die Verwendung psychopathologischen Materials in der Literatur findet sich ferner in dem posthum erschienenen Essay ›Psychopathische Personen
auf der Bühne‹ (1942 *a*), den Freud wahrscheinlich ein oder zwei Jahre vor der
Gradiva-Arbeit schrieb; in diesem Bande, unten S. 163.]

Korrekt ist nun wirklich diese dichterische Darstellung einer Krank-
heits- und Behandlungsgeschichte, die wir nach Abschluß der Erzählung
und Sättigung der eigenen Spannung besser übersehen können und nun
mit den technischen Ausdrücken unserer Wissenschaft reproduzieren
wollen, wobei uns die Nötigung zur Wiederholung von bereits Ge-
sagtem nicht stören soll.

Der Zustand Norbert Hanolds wird vom Dichter oft genug ein »Wahn«
genannt, und auch wir haben keinen Grund, diese Bezeichnung zu verwerfen. Zwei Hauptcharaktere können wir vom »Wahn« angeben,
durch welche er zwar nicht erschöpfend beschrieben, aber doch von
anderen Störungen kenntlich gesondert ist. Er gehört erstens zu jener
Gruppe von Krankheitszuständen, denen eine unmittelbare Einwirkung aufs Körperliche nicht zukommt, sondern die sich nur durch seelische Anzeichen ausdrücken, und er ist zweitens durch die Tatsache gekennzeichnet, daß bei ihm »Phantasien« zur Oberherrschaft gelangt
sind, d. h. Glauben gefunden und Einfluß auf das Handeln genommen
haben. Erinnern wir uns der Reise nach Pompeji, um in der Asche nach
den besonders gestalteten Fußabdrücken der Gradiva zu suchen, so haben wir in ihr ein prächtiges Beispiel einer Handlung unter der Herrschaft des Wahnes. Der Psychiater würde den Wahn Norbert Hanolds
vielleicht der großen Gruppe Paranoia zurechnen und etwa als eine
»fetischistische Erotomanie« bezeichnen, weil ihm die Verliebtheit in das
Steinbild das Auffälligste wäre und weil seiner alles vergröbernden
Auffassung das Interesse des jungen Archäologen für die Füße und Fuß-
stellungen weiblicher Personen als »Fetischismus« verdächtig erscheinen
muß. Indes haben alle solche Benennungen und Einteilungen der verschiedenen Arten von Wahn nach ihrem Inhalt etwas Mißliches und Un-
fruchtbares an sich[1].

Der gestrenge Psychiater würde ferner unseren Helden als Person, die
fähig ist, auf Grund so sonderbarer Vorliebe einen Wahn zu entwik-
keln, sofort zum *dégénéré* stempeln und nach der Heredität forschen,
die ihn unerbittlich in solches Schicksal getrieben hat. Hierin folgt ihm
aber der Dichter nicht; mit gutem Grunde. Er will uns ja den Helden
näherbringen, uns die »Einfühlung« erleichtern; mit der Diagnose
dégénéré, mag sie nun wissenschaftlich zu rechtfertigen sein oder nicht,
ist uns der junge Archäologe sofort ferne gerückt; denn wir Leser sind
ja die Normalmenschen und das Maß der Menschheit. Auch die here-

---

[1] Der Fall N. H. müßte in Wirklichkeit als hysterischer, nicht als paranoischer Wahn
bezeichnet werden. Die Kennzeichen der Paranoia werden hier vermißt.

ditären und konstitutionellen Vorbedingungen des Zustandes kümmern den Dichter wenig; dafür vertieft er sich in die persönliche seelische Verfassung, die einem solchen Wahn den Ursprung geben kann.

Norbert Hanold verhält sich in einem wichtigen Punkte ganz anders als ein gewöhnliches Menschenkind. Er hat kein Interesse für das lebende Weib; die Wissenschaft, der er dient, hat ihm dieses Interesse genommen und es auf die Weiber von Stein oder Bronze verschoben. Man halte dies nicht für eine gleichgültige Eigentümlichkeit; sie ist vielmehr die Grundvoraussetzung der erzählten Begebenheit, denn eines Tages ereignet es sich, daß ein einzelnes solches Steinbild alles Interesse für sich beansprucht, das sonst nur dem lebenden Weib gebührt, und damit ist der Wahn gegeben. Vor unseren Augen entrollt sich dann, wie dieser Wahn durch eine glückliche Fügung geheilt, das Interesse vom Stein wieder auf eine Lebende zurückgeschoben wird. Durch welche Einwirkungen unser Held in den Zustand der Abwendung vom Weibe geraten ist, läßt uns der Dichter nicht verfolgen; er gibt uns nur an, solches Verhalten sei nicht durch seine Anlage erklärt, die vielmehr ein Stück phantastisches – wir dürfen ergänzen: erotisches – Bedürfnis mit einschließt. Auch ersehen wir von später her, daß er in seiner Kindheit nicht von anderen Kindern abwich; er hielt damals eine Kinderfreundschaft mit einem kleinen Mädchen, war unzertrennlich von ihr, teilte mit ihr seine kleinen Mahlzeiten, puffte sie auch und ließ sich von ihr zausen. In solcher Anhänglichkeit, solcher Vereinigung von Zärtlichkeit und Aggression äußert sich die unfertige Erotik des Kinderlebens, die ihre Wirkungen erst nachträglich, aber dann unwiderstehlich äußert und die während der Kinderzeit selbst nur der Arzt und der Dichter als Erotik zu erkennen pflegen. Unser Dichter gibt uns deutlich zu verstehen, daß auch er es nicht anders meint, denn er läßt bei seinem Helden bei geeignetem Anlaß plötzlich ein lebhaftes Interesse für Gang und Fußhaltung der Frauen erwachen, das ihn bei der Wissenschaft wie bei den Frauen seines Wohnortes in den Verruf eines Fußfetischisten bringen muß, das sich uns aber notwendig aus der Erinnerung an diese Kindergespielin ableitet. Dieses Mädchen zeigte gewiß schon als Kind die Eigenheit des schönen Ganges mit fast senkrecht aufgestellter Fußspitze beim Schreiten, und durch die Darstellung eben dieses Ganges gewinnt später ein antikes Steinrelief für Norbert Hanold jene große Bedeutung. Fügen wir übrigens gleich hinzu, daß der Dichter sich bei der Ableitung der merkwürdigen Erscheinung des Fetischismus in voller Übereinstimmung mit der Wissenschaft befindet. Seit A. Binet [1888] versuchen wir wirklich, den Fetischismus auf erotische Kindheitseindrücke zurückzuführen[1].

Der Zustand der dauernden Abwendung vom Weibe ergibt die persönliche Eignung, wie wir zu sagen pflegen: die Disposition für die Bildung eines Wahnes. Die Entwicklung der Seelenstörung setzt mit dem Momente ein, da ein zufälliger Eindruck die vergessenen und wenigstens spurweise erotisch betonten Kindererlebnisse aufweckt. Aufweckt ist aber gewiß nicht die richtige Bezeichnung, wenn wir, was weiter erfolgt, in Betracht ziehen. Wir müssen die korrekte Darstellung des Dichters in kunstgerechter psychologischer Ausdrucksweise wiedergeben. Norbert Hanold erinnert sich nicht beim Anblick des Reliefs, daß er solche Fußstellung schon bei seiner Jugendfreundin gesehen hat; er erinnert sich überhaupt nicht, und doch rührt alle Wirkung des Reliefs von solcher Anknüpfung an den Eindruck in der Kindheit her. Der Kindheitseindruck wird also rege, wird aktiv gemacht, so daß er Wirkungen zu äußern beginnt, er kommt aber nicht zum Bewußtsein, er bleibt »unbewußt«, wie wir mit einem in der Psychopathologie unvermeidlich gewordenen Terminus heute zu sagen pflegen. Dieses Unbewußte möchten wir allen Streitigkeiten der Philosophen und Naturphilosophen, die oft nur etymologische Bedeutung haben, entzogen sehen. Für psychische Vorgänge, die sich aktiv benehmen und dabei doch nicht zum Bewußtsein der betreffenden Person gelangen, haben wir vorläufig keinen besseren Namen, und nichts anderes meinen wir mit unserem »Unbewußtsein«. Wenn manche Denker uns die Existenz eines solchen Unbewußten als widersinnig bestreiten wollen, so glauben wir, sie hätten sich niemals mit den entsprechenden seelischen Phänomenen beschäftigt, stünden im Banne der regelmäßigen Erfahrung, daß alles Seelische, was aktiv und intensiv wird, damit gleichzeitig auch bewußt wird, und hätten eben noch zu lernen, was unser Dichter sehr wohl weiß, daß es allerdings seelische Vorgänge gibt, die, trotzdem sie intensiv sind und energische Wirkungen äußern, dennoch dem Bewußtsein ferne bleiben.

Wir haben vorhin einmal ausgesprochen [S. 35 ff.], die Erinnerungen an den Kinderverkehr mit Zoë befänden sich bei Norbert Hanold im Zustande der »Verdrängung«; nun haben wir sie »unbewußte« Erinnerungen geheißen. Da müssen wir wohl dem Verhältnis der beiden Kunst-

---

[1] [Binets Ansichten über Fetischismus sind in Freuds *Drei Abhandlungen zur Sexualtheorie* (1905 *d*), 1. Abhandlung, Abschnitt 2 (A), beschrieben; im Jahre 1910 fügte Freud jedoch eine Fußnote an, in der er diese Ansichten in Frage stellt. Er widmete dem Thema Fetischismus später eine eigene Arbeit (1927 *e*).]

worte, die ja im Sinne zusammenzufallen scheinen, einige Aufmerksamkeit zuwenden. Es ist nicht schwer, darüber Aufklärung zu geben. »Unbewußt« ist der weitere Begriff, »verdrängt« der engere. Alles was verdrängt ist, ist unbewußt; aber nicht von allem Unbewußten können wir behaupten, daß es verdrängt sei. Hätte Hanold beim Anblick des Reliefs sich der Gangart seiner Zoë erinnert, so wäre eine früher unbewußte Erinnerung bei ihm gleichzeitig aktiv und bewußt geworden und hätte so gezeigt, daß sie früher nicht verdrängt war. »Unbewußt« ist ein rein deskriptiver, in mancher Hinsicht unbestimmter, ein sozusagen statischer Terminus; »verdrängt« ist ein dynamischer Ausdruck, der auf das seelische Kräftespiel Rücksicht nimmt und besagt, es sei ein Bestreben vorhanden, alle psychischen Wirkungen, darunter auch die des Bewußtwerdens, zu äußern, aber auch eine Gegenkraft, ein Widerstand, der einen Teil dieser psychischen Wirkungen, darunter wieder das Bewußtwerden, zu verhindern vermöge. Kennzeichen des Verdrängten bleibt eben, daß es sich trotz seiner Intensität nicht zum Bewußtsein zu bringen vermag. In dem Falle Hanolds handelt es sich also von dem Auftauchen des Reliefs an um ein verdrängtes Unbewußtes, kurzweg um ein Verdrängtes.

Verdrängt sind bei Norbert Hanold die Erinnerungen an seinen Kinderverkehr mit dem schön schreitenden Mädchen, aber dies ist noch nicht die richtige Betrachtung der psychologischen Sachlage. Wir bleiben an der Oberfläche, solange wir nur von Erinnerungen und Vorstellungen handeln. Das einzig Wertbare im Seelenleben sind vielmehr die Gefühle; alle Seelenkräfte sind nur durch ihre Eignung, Gefühle zu erwecken, bedeutsam. Vorstellungen werden nur verdrängt, weil sie an Gefühlsentbindungen geknüpft sind, die nicht zustande kommen sollen; es wäre richtiger zu sagen, die Verdrängung betreffe die Gefühle, nur sind uns diese nicht anders als in ihrer Bindung an Vorstellungen faßbar [1]. Verdrängt sind bei Norbert Hanold also die erotischen Gefühle, und da seine Erotik kein anderes Objekt kennt oder gekannt hat als in seiner Kindheit die Zoë Bertgang, so sind die Erinnerungen an diese vergessen. Das antike Reliefbild weckt die schlummernde Erotik in ihm auf und macht die Kindheitserinnerungen aktiv. Wegen eines in ihm bestehenden Widerstandes gegen die Erotik können diese Erinnerungen nur als unbewußte wirksam werden. Was sich nun weiter in ihm ab-

---

[1] [Dies ist von Freud später zum Teil anders formuliert worden, z. B. in den ausführlicheren Diskussionen der Verdrängung in den Abschnitten III und IV der Arbeit ›Das Unbewußte‹ (1915 *e*).]

spielt, ist ein Kampf zwischen der Macht der Erotik und den sie verdrängenden Kräften; was sich von diesem Kampfe äußert, ist ein
Wahn.

Unser Dichter hat zu motivieren unterlassen, woher die Verdrängung
des Liebeslebens bei seinem Helden rührt; die Beschäftigung mit der
Wissenschaft ist ja nur das Mittel, dessen sich die Verdrängung bedient;
der Arzt müßte hier tiefer gründen, vielleicht ohne in diesem Falle auf
den Grund zu geraten. Wohl aber hat der Dichter, wie wir mit Bewunderung hervorgehoben haben, uns darzustellen nicht versäumt, wie
die Erweckung der verdrängten Erotik gerade aus dem Kreise der zur
Verdrängung dienenden Mittel erfolgt. Es ist mit Recht eine Antike, das
Steinbild eines Weibes, durch welches unser Archäologe aus seiner Abwendung von der Liebe gerissen und gemahnt wird, dem Leben die
Schuld abzutragen, mit der wir von unserer Geburt an belastet sind.

Die ersten Äußerungen des nun in Hanold durch das Reliefbild an-
geregten Prozesses sind Phantasien, welche mit der so dargestellten Person spielen. Als etwas »Heutiges« im besten Sinne erscheint ihm das
Modell, als hätte der Künstler die auf der Straße Schreitende »nach dem
Leben« festgehalten. Den Namen »Gradiva« verleiht er dem antiken
Mädchen, den er nach dem Beiwort des zum Kampfe ausschreitenden
Kriegsgottes, des Mars Gradivus, gebildet; mit immer mehr Bestimmungen stattet er ihre Persönlichkeit aus. Sie mag die Tochter eines
angesehenen Mannes sein, vielleicht eines *Patriziers,* der mit dem *Tempeldienst* einer Gottheit in Verbindung stand, *griechische* Herkunft
glaubt er ihren Zügen abzusehen, und endlich drängt es ihn, sie ferne
vom Getriebe einer Großstadt in das stillere *Pompeji* zu versetzen, wo
er sie über die Lavatrittsteine schreiten läßt, die den Übergang von einer
Seite der Straße zur anderen ermöglichen. [S. 17.] Willkürlich genug
erscheinen diese Leistungen der Phantasie und doch wieder harmlos unverdächtig. Ja noch dann, als sich aus ihnen zum erstenmal ein Antrieb
zum Handeln ergibt, als der Archäologe, von dem Problem bedrückt, ob
solche Fußstellung auch der Wirklichkeit entspreche, Beobachtungen
nach dem Leben anzustellen beginnt, um den zeitgenössischen Frauen
und Mädchen auf die Füße zu sehen, deckt sich dieses Tun durch ihm bewußte wissenschaftliche Motive, als wäre alles Interesse für das Steinbild der Gradiva aus dem Boden seiner fachlichen Beschäftigung mit der
Archäologie entsprossen. [S. 17.] Die Frauen und Mädchen auf der
Straße, die er zu Objekten seiner Untersuchung nimmt, müssen freilich
eine andere, grob erotische Auffassung seines Treibens wählen, und wir

müssen ihnen recht geben. Für uns leidet es keinen Zweifel, daß Hanold die Motive seiner Forschung so wenig kennt wie die Herkunft seiner Phantasien über die Gradiva. Diese letzteren sind, wie wir später erfahren, Anklänge an seine Erinnerungen an die Jugendgeliebte, Abkömmlinge dieser Erinnerungen, Umwandlungen und Entstellungen derselben, nachdem es ihnen nicht gelungen ist, sich in unveränderter Form zum Bewußtsein zu bringen. Das vorgeblich ästhetische Urteil, das Steinbild stelle etwas »Heutiges« dar, ersetzt das Wissen, daß solcher Gang einem ihm bekannten, in der *Gegenwart* über die Straße schreitenden Mädchen angehöre; hinter dem Eindruck »nach dem Leben« und der Phantasie ihres Griechentums verbirgt sich die Erinnerung an ihren Namen *Zoë*, der auf Griechisch *Leben* bedeutet; Gradiva ist, wie uns der am Ende vom Wahn Geheilte aufklärt, eine gute Übersetzung ihres Familiennamens *Bertgang*, welcher so viel bedeutet wie »im Schreiten glänzend oder prächtig« [S. 37]; die Bestimmungen über ihren Vater stammen von der Kenntnis, daß Zoë Bertgang die Tochter eines angesehenen Lehrers der Universität sei, die sich wohl als Tempeldienst in die Antike übersetzen läßt. Nach Pompeji endlich versetzt sie seine Phantasie, nicht, »weil ihre ruhige, stille Art es zu fordern schien«, sondern weil sich in seiner Wissenschaft keine andere und keine bessere Analogie mit dem merkwürdigen Zustand finden läßt, in dem er durch eine dunkle Kundschaft seine Erinnerungen an seine Kinderfreundschaft verspürt. Hat er einmal, was ihm so naheliegt, die eigene Kindheit mit der klassischen Vergangenheit zur Deckung gebracht, so ergibt die Verschüttung Pompejis, dies Verschwinden mit Erhaltung des Vergangenen, eine treffliche Ähnlichkeit mit der *Verdrängung*, von der er durch sozusagen »endopsychische« Wahrnehmung Kenntnis hat. Es arbeitet dabei in ihm dieselbe Symbolik, die zum Schlusse der Erzählung der Dichter das Mädchen bewußterweise gebrauchen läßt.

»Ich sagte mir, irgendetwas Interessantes würde ich wohl schon allein hier ausgraben. Freilich auf den Fund, den ich gemacht, ... hatte ich mit keinem Gedanken gerechnet.« (G. S. 124 [S. 30].) – Zu Ende G. S. 150 [S. 39]) antwortet dann das Mädchen auf den Reisezielwunsch »ihres gewissermaßen gleichfalls aus der Verschüttung wieder ausgegrabenen Kindheitsfreundes«.

So finden wir also schon bei den ersten Leistungen von Hanolds Wahnphantasien und Handlungen eine zweifache Determinierung, eine Ableitbarkeit aus zwei verschiedenen Quellen. Die eine Determinierung ist die, welche Hanold selbst erscheint, die andere die, welche sich uns bei der Nachprüfung seiner seelischen Vorgänge enthüllt. Die eine ist, auf die Person Hanolds bezogen, die ihm bewußte, die andere die ihm völlig unbewußte. Die eine stammt ganz aus dem Vorstellungskreis der archäologischen Wissenschaft, die andere aber rührt von den in ihm rege gewordenen verdrängten Kindheitserinnerungen und den an ihnen haftenden Gefühlstrieben her. Die eine ist wie oberflächlich und verdeckt die andere, die sich gleichsam hinter ihr verbirgt. Man könnte sagen, die wissenschaftliche Motivierung diene der unbewußten erotischen zum Vorwand und die Wissenschaft habe sich ganz in den Dienst des Wahnes gestellt. Aber man darf auch nicht vergessen, daß die unbewußte Determinierung nichts anderes durchzusetzen vermag, als was gleichzeitig der bewußten wissenschaftlichen genügt. Die Symptome des Wahnes – Phantasien wie Handlungen – sind eben Ergebnisse eines Kompromisses zwischen den beiden seelischen Strömungen, und bei einem Kompromiß ist den Anforderungen eines jeden der beiden Teile Rechnung getragen worden; ein jeder Teil hat aber auch auf ein Stück dessen, was er durchsetzen wollte, verzichten müssen. Wo ein Kompromiß zustande gekommen, da gab es einen Kampf, hier den von uns angenommenen Konflikt zwischen der unterdrückten Erotik und den sie in der Verdrängung erhaltenden Mächten. Bei der Bildung eines Wahnes geht dieser Kampf eigentlich nie zu Ende. Ansturm und Widerstand erneuern sich nach jeder Kompromißbildung, die sozusagen niemals voll genügt. Dies weiß auch unser Dichter, und darum läßt er ein Gefühl der Unbefriedigung, eine eigentümliche Unruhe dieses Stadium der Störung bei seinem Helden beherrschen, als Vorläufer und als Bürgschaft weiterer Entwicklungen.

Diese bedeutsamen Eigentümlichkeiten der zweifachen Determinierung für Phantasien und Entschlüsse, der Bildung von bewußten Vorwänden für Handlungen, zu deren Motivierung das Verdrängte den größeren Beitrag geliefert hat, werden uns im weiteren Fortschritt der Erzählung noch öfters, vielleicht noch deutlicher, entgegentreten. Und dies mit vollem Rechte, denn der Dichter hat hiemit den niemals fehlenden Hauptcharakter der krankhaften Seelenvorgänge erfaßt und zur Darstellung gebracht.

Die Entwicklung des Wahnes bei Norbert Hanold schreitet mit einem Traume weiter, der, durch kein neues Ereignis veranlaßt, ganz aus seinem von einem Konflikt erfüllten Seelenleben zu rühren scheint. Doch halten wir ein, ehe wir daran gehen zu prüfen, ob der Dichter auch bei der Bildung seiner Träume unserer Erwartung eines tieferen Verständnisses entspricht. Fragen wir uns vorher, was die psychiatrische Wissenschaft zu seinen Voraussetzungen über die Entstehung eines Wahnes sagt, wie sie sich zur Rolle der Verdrängung und des Unbewußten, zum Konflikt und zur Kompromißbildung stellt. In kurzem, ob die dichterische Darstellung der Genese eines Wahnes vor dem Richtspruch der Wissenschaft bestehen kann.

Und da müssen wir die vielleicht unerwartete Antwort geben, daß es sich in Wirklichkeit leider ganz umgekehrt verhält: die Wissenschaft besteht nicht vor der Leistung des Dichters. Zwischen den hereditär-konstitutionellen Vorbedingungen und den als fertig erscheinenden Schöpfungen des Wahnes läßt sie eine Lücke klaffen, die wir beim Dichter ausgefüllt finden. Sie ahnt noch nicht die Bedeutung der Verdrängung, erkennt nicht, daß sie zur Erklärung der Welt psychopathologischer Erscheinungen durchaus des Unbewußten bedarf, sie sucht den Grund des Wahnes nicht in einem psychischen Konflikt und erfaßt die Symptome desselben nicht als Kompromißbildung. So stünde denn der Dichter allein gegen die gesamte Wissenschaft? Nein, dies nicht – wenn der Verfasser nämlich seine eigenen Arbeiten auch der Wissenschaft zurechnen darf. Denn er selbst vertritt seit einer Reihe von Jahren – und bis in die letzte Zeit ziemlich vereinsamt[1] – alle die Anschauungen, die er hier aus der *Gradiva* von W. Jensen herausgeholt und in den Fachausdrücken dargestellt hat. Er hat, am ausführlichsten für die als Hysterie und Zwangsvorstellen bekannten Zustände, als individuelle Bedingung[2] der psychischen Störung die Unterdrückung eines Stückes des Trieblebens und die Verdrängung der Vorstellungen, durch die der unterdrückte Trieb vertreten ist, aufgezeigt und die gleiche Auffassung bald darauf für manche Formen des Wahnes wiederholt[3]. Ob die für diese Verursachung in Betracht kommenden Triebe jedesmal Komponenten des Sexualtriebes sind oder auch andersartige sein können, das ist ein Problem, welches gerade für die Analyse der *Gradiva* gleichgültig bleiben darf, da es sich in dem vom Dichter gewählten Falle sicherlich um nichts als um die Unterdrückung des erotischen Empfindens handelt. Die Gesichtspunkte des psychischen Konflikts und der Symptombildung durch Kompro-

---

[1] Siehe die wichtige Schrift von E. Bleuler, *Affektivität, Suggestibilität, Paranoia* und die *Diagnostischen Assoziationsstudien* von C. G. Jung, beide aus Zürich, 1906. – [Zusatz 1912] (Der Verfasser darf heute – 1912 – die obige Darstellung als unzeitgemäß widerrufen. Die von ihm angeregte »psychoanalytische Bewegung« hat seither eine große Ausbreitung gewonnen und ist noch immer im Ansteigen.)
[2] [Vielleicht im Gegensatz zu einem allgemeineren, angeborenen Faktor.]
[3] Vgl. des Verfassers *Samml. kleiner Schrift. z. Neurosenlehre 1893–1906.*

misse zwischen den beiden miteinander ringenden Seelenströmungen hat der Verfasser an wirklich beobachteten und ärztlich behandelten Krankheitsfällen in ganz gleicher Weise zur Geltung gebracht, wie er es an den vom Dichter erfundenen Norbert Hanold tun konnte[1]. Die Rückführung der nervösen, speziell der hysterischen Krankheitsleistungen auf die Macht unbewußter Gedanken hatte vor dem Verfasser schon P[ierre] Janet, der Schüler des großen Charcot, und im Vereine mit dem Verfasser Josef Breuer in Wien unternommen[2].

Es war dem Verfasser, als er sich in den auf 1893 folgenden Jahren in solche Forschungen über die Entstehung der Seelenstörungen vertiefte, wahrlich nicht eingefallen, Bekräftigung seiner Ergebnisse bei Dichtern zu suchen, und darum war seine Überraschung nicht gering, als er an der 1903 veröffentlichten *Gradiva* merkte, daß der Dichter seiner Schöpfung das nämliche zugrunde lege, was er aus den Quellen ärztlicher Erfahrung als neu zu schöpfen vermeinte. Wie kam der Dichter nur zu dem gleichen Wissen wie der Arzt oder wenigstens zum Benehmen, als ob er das gleiche wisse? –

Der Wahn Norbert Hanolds, sagten wir, erfahre eine weitere Entwicklung durch einen Traum, der sich ihm mitten in seinen Bemühungen ereignet, eine Gangart wie die der Gradiva in den Straßen seines Heimatortes nachzuweisen. Den Inhalt dieses Traumes können wir leicht in Kürze darstellen. Der Träumer befindet sich in Pompeji an jenem Tage, welcher der unglücklichen Stadt den Untergang brachte, macht die Schrecknisse mit, ohne selbst in Gefahr zu geraten, sieht dort plötzlich die Gradiva schreiten und versteht mit einem Male als ganz natürlich, da sie ja eine Pompejanerin sei, lebe sie in ihrer Vaterstadt und »ohne daß er's geahnt habe, gleichzeitig mit ihm«. [S. 17.] Er wird von Angst um sie ergriffen, ruft sie an, worauf sie ihm flüchtig ihr Gesicht zuwendet. Doch geht sie, ohne auf ihn zu achten, weiter, legt sich an den Stufen des Apollotempels nieder und wird vom Aschenregen verschüttet, nachdem ihr Gesicht sich entfärbt, wie wenn es sich zu weißem Marmor umwandelte, bis es völlig einem Steinbild gleicht. Beim Erwachen deutet er noch den Lärm der Großstadt, der an sein Bett dringt, in das Hilfegeschrei der verzweifelten Bewohner Pompejis und in das Getöse des wild erregten Meeres um. Das Gefühl, daß das, was er geträumt, sich wirklich mit ihm zugetragen, will ihn noch längere Zeit nach dem Erwachen nicht verlassen, und die Überzeugung, daß die Gradiva in

---

[1] Vgl. ›Bruchstück einer Hysterie-Analyse‹ (1905 *e*).
[2] Vgl. Breuer und Freud, *Studien über Hysterie*, 1895, (Freud 1895 *d*).

Pompeji gelebt und an jenem Unglückstage gestorben sei, bleibt als neuer Ansatz an seinen Wahn von diesem Traume übrig.

Weniger bequem wird es uns zu sagen, was der Dichter mit diesem Traum gewollt und was ihn veranlaßt hat, die Entwicklung des Wahnes gerade an einen Traum zu knüpfen. Emsige Traumforscher haben zwar Beispiele genug gesammelt, wie Geistesstörung an Träume anknüpft und aus Träumen hervorgeht[1], und auch in der Lebensgeschichte einzelner hervorragender Menschen sollen Impulse zu wichtigen Taten und Entschließungen durch Träume erzeugt worden sein. Aber unser Verständnis gewinnt gerade nicht viel durch diese Analogien; bleiben wir darum bei unserem Falle, bei dem vom Dichter fingierten Falle des Archäologen Norbert Hanold. An welchem Ende muß man einen solchen Traum wohl anfassen, um ihn in den Zusammenhang einzuflechten, wenn er nicht ein unnötiger Zierat der Darstellung bleiben soll?

Ich kann mir etwa denken, daß ein Leser an dieser Stelle ausruft: Der Traum ist ja leicht zu erklären. Ein einfacher Angsttraum, veranlaßt durch den Lärm der Großstadt, der von dem mit seiner Pompejanerin beschäftigten Archäologen auf den Untergang Pompejis umgedeutet wird! Bei der allgemein herrschenden Geringschätzung für die Leistungen des Traumes pflegt man nämlich den Anspruch auf die Traumerklärung dahin einzuschränken, daß man für ein Stück des geträumten Inhaltes einen äußeren Reiz sucht, der sich etwa mit ihm deckt. Dieser äußere Anreiz zum Träumen wäre durch den Lärm gegeben, welcher den Schläfer weckt; das Interesse an diesem Traume wäre damit erledigt. Wenn wir nun einen Grund hätten anzunehmen, daß die Großstadt an diesem Morgen lärmender gewesen als sonst, wenn z. B. der Dichter nicht versäumt hätte uns mitzuteilen, daß Hanold diese Nacht gegen seine Gewohnheit bei geöffnetem Fenster geschlafen. Schade, daß der Dichter sich diese Mühe nicht gegeben hat! Und wenn ein Angsttraum nur etwas so Einfaches wäre! Nein, so einfach erledigt sich dies Interesse nicht.

Die Anknüpfung an einen äußeren Sinnesreiz ist nichts Wesentliches für die Traumbildung. Der Schläfer kann diesen Reiz aus der Außenwelt vernachlässigen, er kann sich durch ihn, ohne einen Traum zu bilden, wecken lassen, er kann ihn auch in seinen Traum verweben, wie es hier geschieht, wenn es ihm aus irgendwelchen anderen Motiven so taugt, und es gibt reichlich Träume, für deren Inhalt sich eine solche Determi-

---

[1] Sante de Sanctis, (1899). [Vgl. *Die Traumdeutung* (1900 a), Kapitel I, Abschnitt H.]

nierung durch einen an die Sinne des Schlafenden gelangenden Reiz nicht erweisen läßt [1]. Nein, versuchen wir's auf einem anderen Wege.

Vielleicht knüpfen wir an den Rückstand an, den der Traum im wachen Leben Hanolds zurückläßt. Es war bisher eine Phantasie von ihm gewesen, daß die Gradiva eine Pompejanerin gewesen sei. Jetzt wird ihm diese Annahme zur Gewißheit, und die zweite Gewißheit schließt sich daran, daß sie dort im Jahre 79 mit verschüttet worden sei [2]. Wehmütige Empfindungen begleiten diesen Fortschritt der Wahnbildung, wie ein Nachklang der Angst, die den Traum erfüllt hatte. Dieser neue Schmerz um die Gradiva will uns nicht recht begreiflich erscheinen; die Gradiva wäre doch heute auch seit vielen Jahrhunderten tot, selbst wenn sie im Jahre 79 ihr Leben vor dem Untergange gerettet hätte, oder sollte man in solcher Weise weder mit Norbert Hanold noch mit dem Dichter selbst rechten dürfen? Auch hier scheint kein Weg zur Aufklärung zu führen. Immerhin wollen wir uns anmerken, daß dem Zuwachs, den der Wahn aus diesem Traum bezieht, eine stark schmerzliche Gefühlsbetonung anhaftet.

Sonst aber wird an unserer Ratlosigkeit nichts gebessert. Dieser Traum erläutert sich nicht von selbst; wir müssen uns entschließen, Anleihen bei der *Traumdeutung* des Verfassers zu machen und einige der dort gegebenen Regeln zur Auflösung der Träume hier anzuwenden.

Da lautet eine dieser Regeln, daß ein Traum regelmäßig mit den Tätigkeiten am Tage vor dem Traum zusammenhängt [3]. Der Dichter scheint andeuten zu wollen, daß er diese Regel befolgt habe, indem er den Traum unmittelbar an die »pedestrischen Prüfungen« Hanolds anknüpft. Nun bedeuten letztere nichts anderes als ein Suchen nach der Gradiva, die er an ihrem charakteristischen Gange erkennen will. Der Traum sollte also einen Hinweis darauf, wo die Gradiva zu finden sei, enthalten. Er enthält ihn wirklich, indem er sie in Pompeji zeigt, aber das ist noch keine Neuigkeit für uns.

Eine andere Regel besagt: wenn nach einem Traum der Glaube an die Realität der Traumbilder ungewöhnlich lange anhält, so daß man sich nicht aus dem Traume losreißen kann, so ist dies nicht etwa eine Urteilstäuschung, hervorgerufen durch die Lebhaftigkeit der Traumbilder, sondern es ist ein psychischer Akt für sich, eine Versicherung, die sich auf den Trauminhalt bezieht, daß etwas darin wirklich so ist, wie man

---

[1] [Vgl. *Die Traumdeutung*, Kapitel V, ziemlich zu Anfang des Abschnitts C.]
[2] Vgl. den Text der *Gradiva*, S. 15.
[3] [*Die Traumdeutung*, Kapitel V, Abschnitt A.]

es geträumt hat [1], und man tut recht daran, dieser Versicherung Glauben zu schenken. Halten wir uns an diese beiden Regeln, so müssen wir schließen, der Traum gebe eine Auskunft über den Verbleib der gesuchten Gradiva, die sich mit der Wirklichkeit deckt. Wir kennen nun den Traum Hanolds; führt die Anwendung der beiden Regeln auf ihn zu irgendeinem vernünftigen Sinne?

Merkwürdigerweise ja. Dieser Sinn ist nur auf eine besondere Art verkleidet, so daß man ihn nicht gleich erkennt. Hanold erfährt im Traume, daß die Gesuchte in einer Stadt und gleichzeitig mit ihm lebe. Das ist ja von der Zoë Bertgang richtig, nur daß diese Stadt im Traum nicht die deutsche Universitätsstadt, sondern Pompeji, die Zeit nicht die Gegenwart, sondern das Jahr 79 unserer Zeitrechnung ist. Es ist wie eine Entstellung durch Verschiebung, nicht die Gradiva ist in die Gegenwart, sondern der Träumer ist in die Vergangenheit versetzt; aber das Wesentliche und Neue, *daß er mit der Gesuchten Ort und Zeit teile,* ist auch so gesagt. Woher wohl diese Verstellung und Verkleidung, die uns sowie den Träumer selbst über den eigentlichen Sinn und Inhalt des Traumes täuschen muß? Nun, wir haben bereits die Mittel in der Hand, um eine befriedigende Antwort auf diese Frage zu geben.

Erinnern wir uns an all das, was wir über die Natur und Abkunft der Phantasien, dieser Vorläufer des Wahnes, gehört haben [S. 44 ff.]. Daß sie Ersatz und Abkömmlinge von verdrängten Erinnerungen sind, denen ein Widerstand nicht gestattet, sich unverändert zum Bewußtsein zu bringen, die sich aber das Bewußtwerden dadurch erkaufen, daß sie durch Veränderungen und Entstellungen der Zensur des Widerstandes Rechnung tragen. Nachdem dieser Kompromiß vollzogen ist, sind jene Erinnerungen nun zu diesen Phantasien geworden, die von der bewußten Person leicht mißverstanden, d. h. im Sinne der herrschenden psychischen Strömung verstanden werden können. Nun stelle man sich vor, die Traumbilder seien die sozusagen physiologischen [d. h. nicht pathologischen] Wahnschöpfungen des Menschen, die Kompromißergebnisse jenes Kampfes zwischen Verdrängtem und Herrschendem, den es wahrscheinlich bei jedem, auch tagsüber völlig geistesgesunden Menschen gibt. Dann versteht man, daß man die Traumbilder als etwas Entstelltes zu betrachten hat, hinter dem etwas anderes, nicht Entstelltes, aber in gewissem Sinne Anstößiges zu suchen ist, wie die verdrängten Erinnerun-

---

[1] [Ibid., Kapitel V, Ende des Abschnitts A, und Kapitel VI, E, Abschnitt 9. Freud trifft dieselbe ausdrückliche Feststellung noch einmal im Fallbericht über den »Wolfsmann« (1918 *b*), *Studienausgabe,* Bd. 8, S. 153.]

gen Hanolds hinter seinen Phantasien. Dem so erkannten Gegensatz wird man etwa Ausdruck schaffen, indem man das, was der Träumer beim Erwachen erinnert, als *manifesten Trauminhalt* unterscheidet von dem, was die Grundlage des Traumes vor der Zensurenstellung ausmachte, den *latenten Traumgedanken*. Einen Traum deuten heißt dann so viel als den manifesten Trauminhalt in die latenten Traumgedanken übersetzen, die Entstellung rückgängig machen, welche sich letztere von der Widerstandszensur gefallen lassen mußten. Wenden wir diese Erwägungen auf den uns beschäftigenden Traum an, so finden wir, die latenten Traumgedanken können nur gelautet haben: Das Mädchen, das jenen schönen Gang hat, nach dem du suchst, lebt wirklich in dieser Stadt mit dir. Aber in dieser Form konnte der Gedanke nicht bewußt werden; es stand ihm ja im Wege, daß eine Phantasie als Ergebnis eines früheren Kompromisses festgestellt hatte, die Gradiva sei eine Pompejanerin, folglich blieb nichts übrig, wenn die wirkliche Tatsache des Lebens am gleichen Orte und zur gleichen Zeit gewahrt werden sollte, als die Entstellung vorzunehmen: du lebst ja in Pompeji zur Zeit der Gradiva, und dies ist dann die Idee, welcher der manifeste Trauminhalt realisiert, als eine Gegenwart, die man durchlebt, darstellt.

Ein Traum ist nur selten die Darstellung, man könnte sagen: Inszenierung eines einzigen Gedankens, meist einer Reihe von solchen, eines Gedankengewebes. Aus dem Traume Hanolds läßt sich noch ein anderer Bestandteil des Inhaltes hervorheben, dessen Entstellung leicht zu beseitigen ist, so daß man die durch ihn vertretene latente Idee erfährt. Es ist dies ein Stück des Traumes, auf welches man auch noch die Versicherung der Wirklichkeit ausdehnen kann, mit welcher der Traum abschloß. Im Traum verwandelt sich nämlich die schreitende Gradiva in ein Steinbild. Das ist ja nichts anderes als eine sinnreiche und poetische Darstellung des wirklichen Herganges. Hanold hatte in der Tat sein Interesse von der Lebenden auf das Steinbild übertragen; die Geliebte hatte sich ihm in ein steinernes Relief verwandelt. Die latenten Traumgedanken, die unbewußt bleiben müssen, wollen dies Bild in die Lebende zurückverwandeln; sie sagen ihm etwa im Zusammenhalt mit dem vorigen: Du interessierst dich doch nur für das Relief der Gradiva, weil es dich an die gegenwärtige, hier lebende Zoë erinnert. Aber diese Einsicht würde, wenn sie bewußt werden könnte, das Ende des Wahnes bedeuten.

Obliegt uns etwa die Verpflichtung, jedes einzelne Stück des manifesten

Trauminhaltes in solcher Weise durch unbewußte Gedanken zu ersetzen? Strenggenommen, ja; bei der Deutung eines wirklich geträumten Traumes würden wir uns dieser Pflicht nicht entziehen dürfen. Der Träumer müßte uns dann auch in ausgiebigster Weise Rede stehen. Es ist begreiflich, daß wir solche Forderung bei dem Geschöpf des Dichters nicht durchführen können; wir wollen aber doch nicht übersehen, daß wir den Hauptinhalt dieses Traumes noch nicht der Deutungs- oder Übersetzungsarbeit unterzogen haben.

Der Traum Hanolds ist ja ein Angsttraum. Sein Inhalt ist schreckhaft, Angst wird vom Träumer im Schlafe verspürt, und schmerzliche Empfindungen bleiben nach ihm übrig. Das ist nun gar nicht bequem für unseren Erklärungsversuch; wir sind wiederum zu großen Anleihen bei der Lehre von der Traumdeutung genötigt. Diese mahnt uns dann, doch ja nicht in den Irrtum zu verfallen, die Angst, die man in einem Traum empfindet, von dem Inhalt des Traumes abzuleiten, den Trauminhalt doch nicht so zu behandeln wie einen Vorstellungsinhalt des wachen Lebens. Sie macht uns darauf aufmerksam, wie oft wir die gräßlichsten Dinge träumen, ohne daß eine Spur von Angst dabei empfunden wird. Vielmehr sei der wahre Sachverhalt ein ganz anderer, der nicht leicht zu erraten, aber sicher zu beweisen ist. Die Angst des Angsttraumes entspreche einem sexuellen Affekt, einer libidinösen Empfindung, wie überhaupt jede nervöse Angst, und sei durch den Prozeß der Verdrängung aus der Libido hervorgegangen[1]. Bei der Deutung des Traumes müsse man also die Angst durch sexuelle Erregtheit ersetzen. Die so entstandene Angst übe nun – nicht regelmäßig, aber häufig – einen auswählenden Einfluß auf den Trauminhalt aus und bringe Vorstellungselemente in den Traum, welche für die bewußte und mißverständliche Auffassung des Traumes zum Angstaffekt passend erscheinen. Dies sei, wie gesagt, keineswegs regelmäßig der Fall, denn es gebe genug Angstträume, in denen der Inhalt gar nicht schreckhaft ist, wo man sich also die verspürte Angst nicht bewußterweise erklären könne.

Ich weiß, daß diese Aufklärung der Angst im Traume sehr befremdlich klingt und nicht leicht Glauben findet; aber ich kann nur raten, sich mit ihr zu befreunden. Es wäre übrigens recht merkwürdig, wenn der Traum Norbert Hanolds sich mit dieser Auffassung der Angst vereinen und aus

---

[1] ›Über die Berechtigung, von der Neurasthenie einen bestimmten Symptomenkomplex als »Angstneurose« abzutrennen‹ (1895 *b*). Vgl. *Traumdeutung*, 8. Aufl., S. 398 [d. i. im letzten Drittel des Kapitels VII (D); vgl. auch die Schlußabsätze des Kapitels IV. – In *Hemmung, Symptom und Angst* (1926 *d*) legt Freud jedoch eine modifizierte Ansicht über den Ursprung der Angst vor.].

ihr erklären ließe. Wir würden dann sagen, beim Träumer rühre sich nächtlicherweise die Liebessehnsucht, mache einen kräftigen Vorstoß, um ihm die Erinnerung an die Geliebte bewußt zu machen und ihn so aus dem Wahne zu reißen, erfahre aber neuerliche Ablehnung und Verwandlung in Angst, die nun ihrerseits die schreckhaften Bilder aus der Schulerinnerung des Träumers in den Trauminhalt bringe. Auf diese Weise werde der eigentliche unbewußte Inhalt des Traumes, die verliebte Sehnsucht nach der einst gekannten Zoë, in den manifesten Inhalt vom Untergang Pompejis und vom Verlust der Gradiva umgestaltet.

Ich meine, das klingt so weit ganz plausibel. Man könnte aber mit Recht die Forderung aufstellen, wenn erotische Wünsche den unentstellten Inhalt dieses Traumes bilden, so müsse man auch im umgeformten Traum wenigstens einen kenntlichen Rest derselben irgendwo versteckt aufzeigen können. Nun, vielleicht gelingt selbst dies mit Hilfe eines Hinweises aus der später folgenden Erzählung. Beim ersten Zusammentreffen mit der vermeintlichen Gradiva gedenkt Hanold dieses Traumes und richtet an die Erscheinung die Bitte, sich wieder so hinzulegen, wie er es damals gesehen [S. 23][1]. Daraufhin aber erhebt sich die junge Dame entrüstet und verläßt ihren sonderbaren Partner, aus dessen wahnbeherrschten Reden sie den unziemlichen erotischen Wunsch herausgehört hat. Ich glaube, wir dürfen uns die Deutung der Gradiva zu eigen machen; eine größere Bestimmtheit für die Darstellung des erotischen Wunsches wird man auch von einem realen Traume nicht immer fordern dürfen.

Somit hatte die Anwendung einiger Regeln der Traumdeutung auf den ersten Traum Hanolds den Erfolg gehabt, uns diesen Traum in seinen Hauptzügen verständlich zu machen und ihn in den Zusammenhang der Erzählung einzufügen. Er muß also wohl vom Dichter unter Beachtung dieser Regeln geschaffen worden sein? Man könnte nur noch eine Frage aufwerfen, warum der Dichter zur weiteren Entwicklung des Wahnes überhaupt einen Traum einführe. Nun, ich meine, das ist recht sinnreich komponiert und hält wiederum der Wirklichkeit die Treue. Wir haben schon gehört [S. 53], daß in realen Krankheitsfällen eine Wahnbildung recht häufig an einen Traum anschließt, brauchen aber nach unseren Aufklärungen über das Wesen des Traumes kein neues Rätsel in diesem Sachverhalt zu finden. Traum und Wahn stammen aus derselben Quelle,

---

[1] G. S. 70: »Nein, gesprochen nicht. Aber ich rief dir zu, als du dich zum Schlafen hinlegtest, und stand dann bei dir – dein Gesicht war so ruhig-schön wie von Marmor. Darf ich dich bitten – leg' es noch einmal wieder so auf die Stufe zurück.«

vom Verdrängten her; der Traum ist der sozusagen physiologische Wahn des normalen Menschen. [Vgl. S. 55.] Ehe das Verdrängte stark genug geworden ist, um sich im Wachleben als Wahn durchzusetzen, kann es leicht seinen ersten Erfolg unter den günstigeren Umständen des Schlafzustandes in Gestalt eines nachhaltig wirkenden Traumes errungen haben. Während des Schlafes tritt nämlich, mit der Herabsetzung der seelischen Tätigkeit überhaupt, auch ein Nachlaß in der Stärke des Widerstandes ein, den die herrschenden psychischen Mächte dem Verdrängten entgegensetzen. Dieser Nachlaß ist es, der die Traumbildung ermöglicht, und darum wird der Traum für uns der beste Zugang zur Kenntnis des unbewußten Seelischen. Nur daß für gewöhnlich mit der Herstellung der psychischen Besetzungen des Wachens der Traum wieder verfliegt, der vom Unbewußten gewonnene Boden wieder geräumt wird.

III. KAPITEL

Im weiteren Verlaufe der Erzählung findet sich noch ein anderer Traum, der uns vielleicht noch mehr als der erste verlocken kann, seine Übersetzung und Einfügung in den Zusammenhang des seelischen Geschehens beim Helden zu versuchen. Aber wir ersparen wenig, wenn wir hier die Darstellung des Dichters verlassen, um direkt zu diesem zweiten Traum zu eilen, denn wer den Traum eines anderen deuten will, der kann nicht umhin, sich möglichst ausführlich um alles zu bekümmern, was der Träumer äußerlich und innerlich erlebt hat. Somit wäre es fast das beste, wenn wir beim Faden der Erzählung verblieben und diese fortlaufend mit unseren Glossen versähen.

Die Wahnneubildung vom Tode der Gradiva beim Untergang Pompejis im Jahre 79 ist nicht die einzige Nachwirkung des von uns analysierten ersten Traumes. Unmittelbar nachher entschließt sich Hanold zu einer Reise nach Italien, die ihn endlich nach Pompeji bringt. Vorher aber begibt sich noch etwas anderes mit ihm; aus dem Fenster lehnend, glaubt er auf der Straße eine Gestalt mit der Haltung und dem Gange seiner Gradiva zu bemerken, eilt ihr trotz seiner mangelhaften Bekleidung nach, erreicht sie aber nicht, sondern wird durch den Spott der Leute auf der Straße zurückgetrieben. Nachdem er wieder in sein Zimmer zurückgekehrt ist, ruft das Singen eines Kanarienvogels, dessen Käfig an einem Fenster des Hauses gegenüber hängt, eine Stimmung in ihm hervor, als ob auch er aus der Gefangenschaft in die Freiheit wollte, und die Frühjahrsreise wird ebenso schnell beschlossen wie ausgeführt.

Der Dichter hat diese Reise Hanolds in ganz besonders scharfes Licht gerückt und ihm selbst teilweise Klarheit über seine inneren Vorgänge gegönnt. Hanold hat sich selbstverständlich einen wissenschaftlichen Vorwand für seine Reisen angegeben, aber dieser hält nicht vor. Er weiß doch eigentlich, daß »ihm der Antrieb zur Reise aus einer unnennbaren Empfindung entsprungen war«. Eine eigentümliche Unruhe heißt ihn mit allem, was er antrifft, unzufrieden sein und treibt ihn von Rom nach Neapel, von dort nach Pompeji, ohne daß er sich, auch nicht in dieser letzten Station, in seiner Stimmung zurechtfände. Er ärgert sich über die Torheit der Hochzeitsreisenden und ist empört über die Frechheit der Stubenfliegen, die Pompejis Gasthäuser bevölkern. Aber endlich täuscht er sich nicht darüber, »daß seine Unbefriedigung wohl nicht allein durch das um ihn herum Befindliche verursacht werde, sondern etwas ihren Ursprung auch aus ihm selbst schöpfe«. Er hält sich für überreizt, fühlt »daß er mißmutig sei, weil ihm etwas fehle, ohne daß er sich aufhellen könne, was. Und diese Mißstimmung bringt er überallhin mit sich.« In solcher Verfassung empört er sich sogar gegen seine Herrscherin, die Wissenschaft; wie er das erstemal in der Mittagssonnenglut durch Pompeji wandelt, »hatte seine ganze Wissenschaft ihn nicht allein verlassen, sondern ließ ihn auch ohne das geringste Begehren, sie wieder aufzufinden; er erinnerte sich ihrer nur wie aus einer weiten Ferne, und in seiner Empfindung war sie eine alte, eingetrocknete langweilige Tante gewesen, das ledernste und überflüssigste Geschöpf auf der Welt«. (G. S. 55.)

In diesem unerquicklichen und verworrenen Gemütszustand löst sich ihm dann das eine der Rätsel, welche an dieser Reise hängen, in dem Moment, da er zuerst die Gradiva durch Pompeji schreiten sieht. Es kommt ihm »zum erstenmal zum Bewußtwerden: Er sei, ohne selbst von dem Antrieb in seinem Innern zu wissen, deshalb nach Italien und ohne Aufenthalt von Rom und Neapel bis Pompeji weitergefahren, um danach zu suchen, ob er hier Spuren von ihr auffinden könne. Und zwar im wörtlichen Sinne, denn bei ihrer besonderen Gangart mußte sie in der Asche einen von allen übrigen sich unterscheidenden Abdruck der Zehen hinterlassen haben.« (G. S. 58 [S. 21].)

Da der Dichter so viel Sorgfalt auf die Darstellung dieser Reise verwendet, muß es auch uns der Mühe wert sein, deren Verhältnis zum Wahne Hanolds und deren Stellung im Zusammenhang der Begebenheiten zu erläutern. Die Reise ist ein Unternehmen aus Motiven, welche die Person zunächst nicht erkennt und erst später sich eingesteht, Motiven, welche der Dichter direkt als »unbewußte« bezeichnet. Dies ist gewiß dem Leben abgelauscht; man braucht nicht im Wahn zu sein, um so zu handeln; vielmehr ist es ein alltägliches Vorkommnis, selbst bei Gesunden, daß sie sich über die Motive ihres Handelns täuschen und ihrer erst nachträglich bewußt werden, wenn nur ein Konflikt mehrerer Gefühlsströmungen ihnen die Bedingung für solche Verworrenheit herstellt. Die Reise Hanolds war also von Anfang an darauf angelegt, dem Wahne zu dienen, und sollte ihn nach Pompeji bringen, um die Nachforschung nach der Gradiva dort fortzusetzen. Wir erinnern, daß

vor und unmittelbar nach dem Traum diese Nachforschung ihn erfüllte, und daß der Traum selbst nur eine von seinem Bewußtsein er-
stickte Antwort auf die Frage nach dem Aufenthalt der Gradiva war.
Irgendeine Macht, die wir nicht erkennen, hemmt aber zunächst auch
das Bewußtwerden des wahnhaften Vorsatzes, so daß zur bewußten
Motivierung der Reise nur unzulängliche, streckenweise zu erneuernde
Vorwände erübrigen. Ein anderes Rätsel gibt uns der Dichter auf,
indem er den Traum, die Entdeckung der vermeintlichen Gradiva auf
der Straße und die Entschließung zur Reise durch den Einfluß des
singenden Kanarienvogels wie Zufälligkeiten ohne innere Beziehung
aufeinander folgen läßt.

Mit Hilfe der Aufklärungen, die wir den späteren Reden der Zoë Bertgang entnehmen, wird dieses dunkle Stück der Erzählung für unser Verständnis erhellt. Es war wirklich das Urbild der Gradiva, Fräulein Zoë
selbst, das Hanold von seinem Fenster aus auf der Straße schreiten sah
(G. S. 89), und das er bald eingeholt hätte. Die Mitteilung des Traumes:
sie lebt ja am heutigen Tage in der nämlichen Stadt wie du, hätte so
durch einen glücklichen Zufall eine unwiderstehliche Bekräftigung erfahren, vor welcher sein inneres Sträuben zusammengebrochen wäre.
Der Kanarienvogel aber, dessen Gesang Hanold in die Ferne trieb,
gehörte Zoë, und sein Käfig stand an ihrem Fenster, dem Hause Hanolds
schräg gegenüber. (G. S. 135 [S. 31].) Hanold, der nach der Anklage des
Mädchens die Gabe der »negativen Halluzination« besaß, die Kunst
verstand, auch gegenwärtige Personen nicht zu sehen und nicht zu erkennen, muß von Anfang an die unbewußte Kenntnis dessen gehabt
haben, was wir erst spät erfahren. Die Zeichen der Nähe Zoës, ihr Erscheinen auf der Straße und der Gesang ihres Vogels so nahe seinem
Fenster, verstärken die Wirkung des Traumes, und in dieser für seinen
Widerstand gegen die Erotik so gefährlichen Situation – ergreift er die
Flucht. Die Reise entspringt einem Aufraffen des Widerstandes nach
jenem Vorstoß der Liebessehnsucht im Traum, einem Fluchtversuch von
der leibhaftigen und gegenwärtigen Geliebten weg. Sie bedeutet prak-
tisch einen Sieg der Verdrängung, die diesmal im Wahne die Oberhand
behält, wie bei seinem früheren Tun, den »pedestrischen Untersuchungen« an Frauen und Mädchen, die Erotik siegreich gewesen war. Überall
aber ist in diesem Schwanken des Kampfes die Kompromißnatur der
Entscheidungen gewahrt; die Reise nach Pompeji, die von der lebenden
Zoë wegführen soll, führt wenigstens zu ihrem Ersatz, zur Gradiva. Die
Reise, die den latenten Traumgedanken zum Trotze unternommen wird,

folgt doch der Weisung des manifesten Trauminhaltes nach Pompeji. So triumphiert der Wahn von neuem, jedesmal wenn Erotik und Widerstand von neuem streiten.

Diese Auffassung der Reise Hanolds als Flucht vor der in ihm erwachenden Liebessehnsucht nach der so nahen Geliebten harmoniert allein mit den bei ihm geschilderten Gemütszuständen während seines Aufenthalts in Italien. Die ihn beherrschende Ablehnung der Erotik drückt sich dort in seiner Verabscheuung der Hochzeitsreisenden aus. Ein kleiner Traum im *albergo* in Rom, veranlaßt durch die Nachbarschaft eines deutschen Liebespaares, »August und Grete«, deren Abendgespräch er durch die dünne Zwischenwand belauschen muß, wirft wie nachträglich ein Licht auf die erotischen Tendenzen seines ersten großen Traumes. Der neue Traum versetzt ihn wieder nach Pompeji, wo eben wieder der Vesuv ausbricht, und knüpft so an den während der Reise fortwirkenden Traum an. Aber unter den gefährdeten Personen gewahrt er diesmal – nicht wie früher sich und die Gradiva – sondern den Apoll von Belvedere und die kapitolinische Venus, wohl als ironische Erhöhungen des Paares im Nachbarraum. Apoll hebt die Venus auf, trägt sie fort und legt sie auf einen Gegenstand im Dunkeln hin, der ein Wagen oder Karren zu sein scheint, denn ein »knarrender Ton« schallt davon her. Der Traum bedarf sonst keiner besonderen Kunst zu seiner Deutung. (G. S. 31.)

Unser Dichter, dem wir längst zutrauen, daß er auch keinen einzelnen Zug müßig und absichtslos in seiner Schilderung aufträgt, hat uns noch ein anderes Zeugnis für die Hanold auf der Reise beherrschende asexuelle Strömung gegeben. Während des stundenlangen Umherwanderns in Pompeji kommt es ihm »merkwürdigerweise nicht ein einziges Mal in Erinnerung, daß er vor einiger Zeit einmal geträumt habe, bei der Verschüttung Pompejis durch den Kraterausbruch im Jahre 79 zugegen gewesen zu sein«. (G. S. 47.) Erst beim Anblick der Gradiva besinnt er sich plötzlich dieses Traumes, wie ihm auch gleichzeitig das wahnhafte Motiv seiner rätselhaften Reise bewußt wird. Was könnte nun dies Vergessen des Traumes, diese Verdrängungsschranke zwischen dem Traum und dem Seelenzustand auf der Reise anderes bedeuten, als daß die Reise nicht auf direkte Anregung des Traumes erfolgt ist, sondern in der Auflehnung gegen denselben, als Ausfluß einer seelischen Macht, die vom geheimen Sinne des Traumes nichts wissen will?

Anderseits aber wird Hanold dieses Sieges über seine Erotik nicht froh. Die unterdrückte seelische Regung bleibt stark genug, um sich durch

Mißbehagen und Hemmung an der unterdrückenden zu rächen. Seine Sehnsucht hat sich in Unruhe und Unbefriedigung verwandelt, die ihm die Reise sinnlos erscheinen läßt; gehemmt ist die Einsicht in die Motivierung der Reise im Dienste des Wahnes, gestört sein Verhältnis zu seiner Wissenschaft, die an solchem Orte all sein Interesse rege machen sollte. So zeigt uns der Dichter seinen Helden nach seiner Flucht vor der Liebe in einer Art von Krisis, in einem gänzlich verworrenen und zerfahrenen Zustand, in einer Zerrüttung, wie sie auf der Höhe der Krankheitszustände vorzukommen pflegt, wenn keine der beiden streitenden Mächte mehr um so viel stärker ist als die andere, daß die Differenz ein strammes seelisches Regime begründen könnte. Hier greift dann der Dichter helfend und schlichtend ein, denn an dieser Stelle läßt er die Gradiva auftreten, welche die Heilung des Wahnes unternimmt. Mit seiner Macht, die Schicksale der von ihm geschaffenen Menschen zum Guten zu lenken, trotz all der Notwendigkeiten, denen er sie gehorchen läßt, versetzt er das Mädchen, vor dem Hanold nach Pompeji geflohen ist, ebendahin und korrigiert so die Torheit, die der Wahn den jungen Mann begehen ließ, sich von dem Wohnort der leibhaftigen Geliebten zur Todesstätte der sie in der Phantasie ersetzenden zu begeben.

Mit dem Erscheinen der Zoë Bertgang als Gradiva, welches den Höhepunkt der Spannung in der Erzählung bezeichnet, tritt bald auch eine Wendung in unserem Interesse ein. Haben wir bisher die Entwicklung eines Wahnes miterlebt, so sollen wir jetzt Zeugen seiner Heilung werden und dürfen uns fragen, ob der Dichter den Hergang dieser Heilung bloß fabuliert oder im Anschluß an wirklich vorhandene Möglichkeiten gebildet hat. Nach Zoës eigenen Worten in der Unterhaltung mit der Freundin haben wir entschieden das Recht, ihr solche Heilungsabsicht zuzuschreiben. (G. S. 124 [S. 30].) Wie schickt sie sich aber dazu an? Nachdem sie die Entrüstung zurückgedrängt, welche die Zumutung, sich wieder wie »damals« zum Schlafen hinzulegen, bei ihr hervorgerufen, findet sie sich zur gleichen Mittagsstunde des nächsten Tages am nämlichen Orte ein und entlockt nun Hanold all das geheime Wissen, das ihr zum Verständnis seines Benehmens am Vortage gefehlt hat. Sie erfährt von seinem Traum, vom Reliefbild der Gradiva und von der Eigentümlichkeit des Ganges, welche sie mit diesem Bilde teilt. Sie akzeptiert die Rolle des für eine kurze Stunde zum Leben erwachten Gespenstes, welche, wie sie merkt, sein Wahn ihr zugeteilt, und weist ihm leise in mehrdeutigen Worten eine neue Stellung an, indem sie die Gräberblume von ihm annimmt, die er ohne bewußte Absicht mitgebracht, und das Bedauern ausspricht, daß er ihr nicht Rosen gegeben hat. (G. S. 90 [S. 25].)

Unser Interesse für das Benehmen des überlegen klugen Mädchens, welches beschlossen hat, sich den Jugendgeliebten zum Manne zu gewinnen, nachdem sie hinter seinem Wahn seine Liebe als treibende Kraft erkannt, wird aber an dieser Stelle wahrscheinlich von dem Befremden zurückgedrängt, welches dieser Wahn selbst bei uns erregen kann. Dessen letzte Ausgestaltung, daß die im Jahre 79 verschüttete Gradiva nun als Mittagsgespenst für eine Stunde mit ihm Rede tauschen könne, nach deren Ablauf sie versinke oder ihre Gruft wieder aufsuche, dieses Hirngespinst, welches weder durch die Wahrnehmung ihrer modernen Fußbekleidung noch durch ihre Unkenntnis der alten Sprachen und ihre Beherrschung des damals nicht existierenden Deutschen beirrt wird, scheint wohl die Bezeichnung des Dichters »Ein pompejanisches Phantasiestück« zu rechtfertigen, aber jedes Messen an der klinischen Wirklichkeit auszuschließen. Und doch scheint mir bei näherer Erwägung die Unwahrscheinlichkeit dieses Wahnes zum größeren Teile zu zergehen. Einen Teil der Verschuldung hat ja der Dichter auf sich genommen und in der Voraussetzung der Erzählung, daß Zoë in allen Zügen das Ebenbild des Steinreliefs sei, mitgebracht. Man muß sich also hüten, die Unwahrscheinlichkeit von dieser Voraussetzung auf deren Konsequenz, daß Hanold das Mädchen für die belebte Gradiva hält, zu verschieben. Die wahnhafte Erklärung wird hier dadurch im Wert gehoben, daß auch der Dichter uns keine rationelle zur Verfügung gestellt hat. In der Sonnenglut Kampaniens und in der verwirrenden Zauberkraft des Weines, der am Vesuv wächst, hat der Dichter ferner andere helfende und mildernde Umstände für die Ausschreitung des Helden herangezogen. Das wichtigste aller erklärenden und entschuldigenden Momente bleibt aber die Leichtigkeit, mit welcher unser Denkvermögen sich zur Annahme eines absurden Inhaltes entschließt, wenn stark affektbetonte Regungen dabei ihre Befriedigung finden. Es ist erstaunlich und findet meist viel zu geringe Würdigung, wie leicht und häufig selbst intelligenzstarke Personen unter solchen psychologischen Konstellationen die Reaktionen partiellen Schwachsinnes geben, und wer nicht allzu eingebildet ist, mag dies auch beliebig oft an sich selbst beobachten. Und nun erst dann, wenn ein Teil der in Betracht kommenden Denkvorgänge an unbewußten oder verdrängten Motiven haftet! Ich zitiere dabei gern die Worte eines Philosophen, der mir schreibt: »Ich habe auch angefangen, mir selbsterlebte Fälle von frappanten Irrtümern zu notieren, gedankenloser Handlungen, die man sich nachträglich motiviert (in sehr unvernünftiger Weise). Es ist erschreckend, aber typisch, wieviel Dummheit dabei zutage kommt.« Und nun nehme man dazu, daß der Glaube an Geister und Gespenster und wiederkehrende Seelen, der so viel Anlehnungen in den Religionen findet, denen wir alle wenigstens als Kinder angehängt haben, keineswegs bei allen Gebildeten untergegangen ist, daß so viele sonst Vernünftige die Beschäftigung mit dem Spiritismus mit der Vernunft vereinbar finden. Ja selbst der nüchtern und ungläubig Gewordene mag mit Beschämung wahrnehmen, wie leicht er sich für einen Moment zum Geisterglauben zurückwendet, wenn Ergriffenheit und Ratlosigkeit bei ihm zusammentreffen. Ich weiß von einem Arzt, der einmal eine seiner Patientinnen an der Basedowschen Krankheit verloren hatte und einen leisen Verdacht nicht bannen konnte, daß er durch unvorsichtige Medikation vielleicht zum unglücklichen Ausgange beigetragen habe. Eines Tages, mehrere Jahre später, trat ein Mädchen in sein ärztliches Zimmer, in dem er, trotz alles Sträubens, die Verstorbene erkennen mußte. Er konnte keinen anderen Gedanken fassen als: es sei doch wahr, daß die Toten wiederkommen können, und sein Schaudern wich erst der Scham, als die Besucherin sich als die Schwester jener an der gleichen Krankheit Verstorbenen vorstellte. Die Basedowsche Krankheit verleiht den von ihr Befallenen eine oft bemerkte, weitgehende Ähnlichkeit der Gesichtszüge, und in diesem Falle war die typische Ähnlichkeit über der schwesterlichen aufgetragen. Der Arzt aber, dem sich dies ereignet, war ich selbst, und darum bin gerade ich nicht geneigt, dem Norbert Hanold die klinische Möglichkeit seines kurzen Wahnes von der ins Leben zurückgekehrten Gradiva zu bestreiten. Daß in ernsten Fällen chronischer Wahnbildung (Paranoia) das Äußerste an geistreich ausgesponnenen und gut vertretenen Absurditäten geleistet wird, ist endlich jedem Psychiater wohlbekannt.

Nach der ersten Begegnung mit der Gradiva hatte Norbert Hanold zuerst in dem einen und dann im anderen der ihm bekannten Speisehäuser Pompejis seinen Wein getrunken, während die anderen Besucher mit der Hauptmahlzeit beschäftigt waren. »Selbstverständlich war ihm mit keinem Gedanken die widersinnige Annahme in den Sinn gekommen«, er tue so, um zu erfahren, in welchem Gasthof die Gradiva wohne und ihre Mahlzeiten einnehme, aber es ist schwer zu sagen, welchen anderen Sinn dies sein Tun sonst hätte haben können. Am Tage nach dem zweiten Beisammensein im Hause des Meleager erlebt er allerlei merkwürdige und scheinbar unzusammenhängende Dinge: er findet einen engen Spalt in der Mauer des Portikus, dort, wo die Gradiva verschwunden war, begegnet einem närrischen Eidechsenfänger, der ihn wie einen Bekannten anredet, entdeckt ein drittes, versteckt gelegenes Wirtshaus, den »*Albergo del Sole*«, dessen Besitzer ihm eine grünpatinierte Metallspange als Fundstück bei den Überresten eines pompejanischen Mädchens aufschwatzt, und wird endlich in seinem eigenen Gasthof auf ein neu angekommenes junges Menschenpaar aufmerksam, welches er als Geschwisterpaar diagnostiziert und dem er seine Sympathie schenkt. Alle diese Eindrücke verweben sich dann zu einem »merkwürdig unsinnigen« Traum, der folgenden Wortlaut hat: »Irgendwo in der Sonne sitzt die Gradiva, macht aus einem Grashalm eine Schlinge, um eine Eidechse darin zu fangen, und sagt dazu: ›Bitte, halte dich ganz ruhig – die Kollegin hat recht, das Mittel ist wirklich gut, und sie hat es mit bestem Erfolge angewendet.‹« [S. 27–8.] Gegen diesen Traum wehrt er sich noch im Schlafe mit der Kritik, das sei in der Tat vollständige Verrücktheit, und wirft sich herum, um von ihm loszukommen. Dies gelingt ihm auch mit Beihilfe eines unsichtbaren Vogels, der einen kurzen, lachenden Ruf ausstößt und die Lacerte im Schnabel fortträgt.

Wollen wir den Versuch wagen, auch diesen Traum zu deuten, d. h. ihn durch die latenten Gedanken zu ersetzen, aus deren Entstellung er hervorgegangen sein muß? Er ist so unsinnig, wie man es nur von einem Traume erwarten kann, und diese Absurdität der Träume ist ja die Hauptstütze der Anschauung, welche dem Traum den Charakter eines vollgültigen psychischen Aktes verweigert und ihn aus einer planlosen Erregung der psychischen Elemente hervorgehen läßt.

Wir können auf diesen Traum die Technik anwenden, welche als das reguläre Verfahren der Traumdeutung bezeichnet werden kann. Es besteht darin, sich um den scheinbaren Zusammenhang im manifesten Traum nicht zu bekümmern, sondern jedes Stück des Inhalts für sich ins Auge zu fassen und in den Eindrücken, Erinnerungen und freien Einfällen des Träumers die Ableitung desselben zu suchen. Da wir aber Hanold nicht examinieren können, werden wir uns mit der Beziehung auf seine Eindrücke zufrieden geben müssen, und nur ganz schüchtern unsere eigenen Einfälle an die Stelle der seinigen setzen dürfen.

»Irgendwo in der Sonne sitzt die Gradiva, fängt Eidechsen und spricht dazu« – an welchen Eindruck des Tages klingt dieser Teil des Traumes an? Unzweifelhaft an die Begegnung mit dem älteren Herrn, dem Eidechsenfänger, der also im Traum durch die Gradiva ersetzt ist. Der saß oder lag an »einem heißbesonnten« Abhang und sprach auch Hanold an. Auch die Reden der Gradiva im Traum sind nach der Rede jenes Mannes kopiert. Man vergleiche: »Das vom Kollegen Eimer angegebene Mittel ist wirklich gut, ich habe es schon mehrmals mit bestem Erfolg angewendet. Bitte, halten Sie sich ganz ruhig –.« [S. 26.] Ganz ähnlich spricht die Gradiva im Traum, nur daß der Kollege Eimer durch eine unbenannte Kollegin ersetzt ist; auch ist das »mehrmals« aus der Rede des Zoologen im Traume weggeblieben und die Bindung der Sätze etwas geändert worden. Es scheint also, daß dieses Erlebnis des Tages durch einige Abänderungen und Entstellungen zum Traume umgewandelt worden ist. Warum gerade dieses, und was bedeuten die Entstellungen, der Ersatz des alten Herrn durch die Gradiva und die Einführung der rätselhaften »Kollegin«?

Es gibt eine Regel der Traumdeutung, welche lautet: Eine im Traum gehörte Rede stammt immer von einer im Wachen gehörten oder selbst gehaltenen Rede ab[1]. Nun, diese Regel scheint hier befolgt, die Rede der Gradiva ist nur eine Modifikation der bei Tage gehörten Rede des alten Zoologen. Eine andere Regel der Traumdeutung würde uns sagen, die Ersetzung einer Person durch eine andere oder die Vermengung zweier Personen, indem etwa die eine in einer Situation gezeigt wird, welche die andere charakterisiert, bedeutet eine Gleichstellung der beiden Personen, eine Übereinstimmung zwischen denselben[2]. Wagen wir es, auch diese Regel auf unseren Traum anzuwenden, so ergäbe sich die Übersetzung: die Gradiva fängt Eidechsen wie jener Alte, versteht sich auf den Eidechsenfang wie er. Verständlich ist dieses Ergebnis gerade noch nicht, aber wir haben ja noch ein anderes Rätsel vor uns. Auf welchen Eindruck des Tages sollen wir die »Kollegin« beziehen, die im Traum den berühmten Zoologen Eimer ersetzt? Wir haben da zum Glück nicht viel Auswahl, es kann nur ein anderes Mädchen als Kollegin gemeint sein, also jene sympathische junge Dame, in der Hanold eine in Gesellschaft ihres Bruders reisende Schwester erkannt hatte. »Sie trug eine rote Sorrentiner Rose am Kleid, deren Anblick an etwas im Gedächtnis des aus seiner Stubenecke Hinüberschauenden rührte, ohne daß er sich darauf besinnen konnte, was es sei.« [S. 27.] Diese Bemerkung des Dichters gibt uns wohl das Recht, sie für die »Kollegin« im Traume in Anspruch zu nehmen. Das, was Hanold nicht erinnern konnte, war gewiß nichts anderes als das Wort der vermeintlichen Gradiva, glücklicheren

---

[1] [Vgl. *Die Traumdeutung*, Kapitel VI, letztes Drittel des Abschnitts F.]
[2] [Ibid., Kapitel VI (C).]

Mädchen bringe man im Frühling Rosen, als sie die weiße Gräberblume von ihm verlangte. [S. 25.] In dieser Rede lag aber eine Werbung verborgen. Was mag das nun für ein Eidechsenfang sein, der dieser glücklicheren Kollegin so gut gelungen?

Am nächsten Tage überrascht Hanold das vermeintliche Geschwisterpaar in zärtlicher Umarmung und kann so seinen Irrtum vom Vortage berichtigen. Es ist wirklich ein Liebespaar, und zwar auf der Hochzeitsreise begriffen, wie wir später erfahren, als die beiden das dritte Beisammensein Hanolds mit der Zoë so unvermutet stören. Wenn wir nun annehmen wollen, daß Hanold, der sie bewußt für Geschwister hält, in seinem Unbewußten sogleich ihre wirkliche Beziehung erkannt hat, die sich tags darauf so unzweideutig verrät, so ergibt sich allerdings ein guter Sinn für die Rede der Gradiva im Traume. Die rote Rose wird dann zum Symbol der Liebesbeziehung; Hanold versteht, daß die beiden das sind, wozu er und die Gradiva erst werden sollen, der Eidechsenfang bekommt die Bedeutung des Männerfanges, und die Rede der Gradiva heißt etwa: Laß mich nur machen, ich verstehe es ebenso gut, mir einen Mann zu gewinnen, wie dies andere Mädchen.

Warum mußte aber dieses Durchschauen der Absichten der Zoë durchaus in der Form der Rede des alten Zoologen im Traume erscheinen? Warum die Geschicklichkeit Zoës im Männerfang durch die des alten Herrn im Eidechsenfang dargestellt werden? Nun, wir haben es leicht, diese Frage zu beantworten; wir haben längst erraten, daß der Eidechsenfänger kein anderer ist als der Zoologieprofessor Bertgang, Zoës Vater, der ja auch Hanold kennen muß, so daß sich verstehen läßt, daß er Hanold wie einen Bekannten anredet. Nehmen wir von neuem an, daß Hanold im Unbewußten den Professor sofort erkannt habe, »Ihm war's dunkel, das Gesicht des Lacertenjägers sei schon einmal, wahrscheinlich in einem der beiden Gasthöfe, an seinen Augen vorübergegangen« – so erklärt sich die sonderbare Einkleidung des der Zoë beigelegten Vorsatzes. Sie ist die Tochter des Eidechsenfängers, sie hat diese Geschicklichkeit von ihm.

Die Ersetzung des Eidechsenfängers durch die Gradiva im Trauminhalt ist also die Darstellung für die im Unbewußten erkannte Beziehung der beiden Personen; die Einführung der »Kollegin« anstelle des Kollegen Eimer gestattet es dem Traum, das Verständnis ihrer Werbung um den Mann zum Ausdruck zu bringen. Der Traum hat bisher zwei der Erlebnisse des Tages zu einer Situation zusammengeschweißt, »verdichtet«, wie wir sagen, um zwei Einsichten, die nicht bewußt werden durften, einen allerdings sehr unkenntlichen Ausdruck zu verschaffen. Wir können aber weiter gehen, die Sonderbarkeit des Traumes noch mehr verringern und den Einfluß auch der anderen Tageserlebnisse auf die Gestaltung des manifesten Traumes nachweisen.

Wir könnten uns unbefriedigt durch die bisherige Auskunft erklären, weshalb gerade die Szene des Eidechsenfanges zum Kern des Traumes gemacht worden ist, und vermuten, daß noch andere Elemente in den Traumgedanken für die Auszeichnung der »Eidechse« im manifesten Traum mit ihrem Einfluß eingetreten sind. Es könnte wirklich leicht so sein. Erinnern wir uns [S. 26], daß Hanold einen Spalt in der Mauer entdeckt hatte, an der Stelle, wo ihm die Gradiva zu verschwinden schien, der »immerhin breit genug war, um eine Gestalt von ungewöhnlicher Schlankheit« durchschlüpfen zu lassen. Durch diese Wahrnehmung wurde er bei Tag zu einer Abänderung in seinem Wahn veranlaßt, die Gradiva versinke nicht im Boden, wenn sie seinen Blicken entschwinde, sondern begebe sich auf diesem Wege in ihre Gruft zurück. In seinem unbewußten Denken mochte er sich sagen, er habe jetzt die natürliche Erklärung für das überraschende Verschwinden des Mädchens gefunden. Muß aber nicht das sich durch enge Spalten Zwängen und das Verschwinden in solchen Spalten an das Benehmen von Lacerten erinnern? Verhält sich die Gradiva dabei nicht selbst wie ein flinkes Eidechslein? Wir meinen also, diese Entdeckung des Spaltes in der Mauer habe mitbestimmend auf die Auswahl des Elementes »Eidechse« für den manifesten Trauminhalt gewirkt, die Eidechsensituation des Traumes vertrete ebensowohl diesen Eindruck des Tages wie die Begegnung mit dem Zoologen, Zoës Vater.

Und wenn wir nun, kühn geworden, versuchen wollten, auch für das eine noch nicht verwertete Erlebnis des Tages, die Entdeckung des dritten *Albergo »del Sole«*, eine Vertretung im Trauminhalt zu finden? Der Dichter hat diese Episode so ausführlich behandelt und so vielerlei an sie geknüpft, daß wir uns verwundern müßten, wenn sie allein keinen Beitrag zur Traumbildung abgegeben hätte. Hanold tritt in dieses Wirtshaus, welches ihm wegen seiner abgelegenen Lage und Entfernung vom Bahnhofe unbekannt geblieben war, um sich eine Flasche kohlensauren Wassers gegen seinen Blutandrang geben zu lassen. Der Wirt benützt diese Gelegenheit, um seine Antiquitäten anzupreisen, und zeigt ihm eine Spange, die angeblich jenem pompejanischen Mädchen angehört hatte, das in der Nähe des Forums in inniger Umschlingung mit seinem Geliebten aufgefunden wurde. Hanold, der diese oft wiederholte Erzählung bisher niemals geglaubt, wird jetzt durch eine ihm unbekannte Macht genötigt, an die Wahrheit dieser rührenden Geschichte und an die Echtheit des Fundstückes zu glauben, erwirbt die Fibula und verläßt mit seinem Erwerb den Gasthof. Im Fortgehen sieht er an einem der Fenster einen in ein Wasserglas gestellten, mit weißen Blüten behängten Asphodelosschaft herabnicken und empfindet diesen Anblick als eine Beglaubigung der Echtheit seines neuen Besitztums. Die wahnhafte Überzeugung durchdringt ihn jetzt, die grüne Spange habe der Gradiva angehört, und sie sei das Mädchen gewesen, das in der Umarmung ihres Geliebten gestorben sei. Die quälende Eifersucht, die ihn dabei erfaßt, beschwichtigt er durch den Vorsatz, sich am nächsten Tage bei der Gradiva selbst durch das Vorzeigen der Spange Sicherheit wegen seines Argwohns zu holen. Dies ist doch ein sonderbares Stück neuer Wahnbildung, und es sollte keine Spur im Traume der nächstfolgenden Nacht darauf hinweisen!

Es wird uns wohl der Mühe wert sein, uns die Entstehung dieses Wahnzuwachses verständlich zu machen, das neue Stück unbewußter Einsicht aufzusuchen, das sich durch das neue Stück Wahn ersetzt. Der Wahn entsteht unter dem Einfluß des Wirtes vom Sonnenwirtshaus, gegen den sich Hanold so merkwürdig leichtgläubig benimmt, als hätte er eine Suggestion von ihm empfangen. Der Wirt zeigt ihm eine metallene Gewandfibel als echt und als Besitztum jenes Mädchens, das in den Armen seines Geliebten verschüttet aufgefunden wurde, und Hanold, der kritisch genug sein könnte, um die Wahrheit der Geschichte sowie die Echtheit der Spange zu bezweifeln, ist sofort gläubig gefangen und erwirbt die mehr als zweifelhafte Antiquität. Es ist ganz unverständlich, warum er sich so benehmen sollte, und es deutet nichts darauf, daß die Persönlichkeit des Wirtes selbst uns dieses Rätsel lösen könnte. Es ist aber noch ein anderes Rätsel in dem Vorfall, und zwei Rätsel lösen sich gern miteinander. Beim Verlassen des *albergo* erblickt er einen Asphodelosschaft im Glase an einem Fenster und findet in ihm eine Beglaubigung für die Echtheit der Metallspange. Wie kann das nur zugehen? Dieser letzte Zug ist zum Glück der Lösung leicht zugänglich. Die weiße Blume ist wohl dieselbe, die er zu Mittag der Gradiva geschenkt, und es ist ganz richtig, daß durch ihren Anblick an einem der Fenster dieses Gasthofes etwas bekräftigt wird. Freilich nicht die Echtheit der Spange, aber etwas anderes, was ihm schon bei der Entdeckung dieses bisher übersehenen *albergo* klar geworden. Er hatte bereits am Vortage sich so benommen, als suchte er in den beiden Gasthöfen Pompejis, wo die Person wohne, die ihm als Gradiva erscheine. Nun, da er so unvermuteterweise auf einen dritten stößt, muß er sich im Unbewußten sagen: Also hier wohnt sie; und dann beim Weggehen: Richtig, da ist ja die Asphodelosblume, die ich ihr gegeben; das ist also ihr Fenster. Dies wäre also die neue Einsicht, die sich durch den Wahn ersetzt, die nicht bewußt werden kann, weil ihre Voraussetzung, die Gradiva sei eine Lebende, eine von ihm einst gekannte Person, nicht bewußt werden konnte.

Wie soll nun aber die Ersetzung der neuen Einsicht durch den Wahn vor sich gegangen sein? Ich meine so, daß das Überzeugungsgefühl, welches der Einsicht anhaftete, sich behaupten konnte und erhalten blieb, während für die bewußtseinsunfähige Einsicht selbst ein anderer, aber durch Denkverbindung mit ihr verknüpfter Vorstellungsinhalt eintrat. So geriet nun das Überzeugungsgefühl in Verbindung mit einem ihm eigentlich fremden Inhalt, und dieser letztere gelangte als Wahn zu einer ihm selbst nicht gebührenden Anerkennung. Hanold überträgt seine Überzeugung, daß die Gradiva in diesem Hause wohne, auf andere Eindrücke, die er in diesem Hause empfängt, wird auf solche Weise gläubig für die Reden des Wirts, die Echtheit der Metallspange und die Wahrheit der Anekdote von dem in Umarmung aufgefundenen Liebespaar, aber nur auf dem Wege, daß er das in diesem Hause Gehörte mit der Gradiva in Beziehung bringt. Die in ihm bereitliegende Eifersucht bemächtigt sich dieses Materials, und es entsteht, selbst im Widerspruch mit seinem ersten Traum, der Wahn, daß die Gradiva jenes in den Armen ihres Liebhabers verstorbene Mädchen war und daß ihr jene von ihm erworbene Spange gehört hat.

Wir werden aufmerksam darauf, daß das Gespräch mit der Gradiva und ihre leise Werbung »durch die Blume« bereits wichtige Veränderungen bei Hanold hervorgerufen haben. Züge von männlicher Begehrlichkeit, Komponenten der Libido, sind bei ihm erwacht, die allerdings der Verhüllung durch bewußte Vorwände noch nicht entbehren können. Aber das Problem der »leiblichen Beschaffenheit« der Gradiva, das ihn diesen ganzen Tag über verfolgt [S. 24 und S. 26], kann doch seine Abstammung von der erotischen Wißbegierde des Jünglings nach dem Körper des Weibes nicht verleugnen, auch wenn es durch die bewußte Betonung des eigentümlichen Schwebens der Gradiva zwischen Tod und Leben ins Wissenschaftliche gezogen werden soll. Die Eifersucht ist ein weiteres Zeichen der erwachenden Aktivität Hanolds in der Liebe; er äußert diese Eifersucht zu Eingang der Unterredung am nächsten Tage und setzt es dann mit Hilfe eines neuen Vorwandes durch, den Körper des Mädchens zu berühren und sie, wie in längst vergangenen Zeiten, zu schlagen.

Nun aber ist es Zeit, uns zu fragen, ob denn der Weg der Wahnbildung, den wir aus der Darstellung des Dichters erschlossen haben, ein sonst bekannter oder ein überhaupt möglicher sei. Aus unserer ärztlichen Kenntnis können wir nur die Antwort geben, es sei gewiß der richtige Weg, vielleicht der einzige, auf dem überhaupt der Wahn zu der unerschütterlichen Anerkennung gelangt, die zu seinen klinischen Charakteren gehört. Wenn der Kranke so fest an seinen Wahn glaubt, so geschieht das nicht durch eine Verkehrung seines Urteilsvermögens und rührt nicht von dem her, was am Wahne irrig ist. Sondern in jedem Wahn steckt auch ein Körnchen Wahrheit [1], es ist etwas an ihm, was wirklich den Glauben verdient, und dieses ist die Quelle der also so weit berechtigten Überzeugung des Kranken. Aber dieses Wahre war lange Zeit verdrängt; wenn es ihm endlich gelingt, diesmal in entstellter Form, zum Bewußtsein durchzudringen, so ist das ihm anhaftende Überzeugungsgefühl wie zur Entschädigung überstark, haftet nun am Entstellungsersatz des verdrängten Wahren und schützt denselben gegen jede kritische Anfechtung. Die Überzeugung verschiebt sich gleichsam von dem unbewußten Wahren auf das mit ihm verknüpfte, bewußte Irrige und bleibt gerade infolge dieser Verschiebung dort fixiert. Der Fall von Wahnbildung, der sich aus Hanolds erstem Traum ergab, ist nichts als ein ähnliches, wenn auch nicht identisches Beispiel einer solchen Verschiebung. Ja, die geschilderte Entstehungsweise der Überzeugung beim Wahne ist nicht einmal grundsätzlich von der Art verschieden, wie sich Überzeugung in normalen Fällen bildet, wo die Verdrängung nicht im Spiele ist. Wir alle heften unsere Überzeugung an Denkinhalte, in denen Wahres mit Falschem vereint ist, und lassen sie vom ersteren aus sich über das letztere erstrecken. Sie diffundiert gleichsam von dem Wahren her über das assoziierte Falsche und schützt dieses, wenn auch nicht so unabänderlich wie beim Wahn, gegen die verdiente Kritik. Beziehungen, Protektion gleichsam, können auch in der Normalpsychologie den eigenen Wert ersetzen.

Ich will nun zum Traum zurückkehren und einen kleinen, aber nicht uninteressanten Zug hervorheben, der zwischen zwei Anlässen des Traumes eine Verbindung herstellt. Die Gradiva hatte die weiße Asphodelos-

---

[1] [Freud hat diese Ansicht an vielen Stellen seines Werkes vertreten, zuletzt in der Arbeit *Der Mann Moses und die monotheistische Religion* (1939 a), Aufsatz III, Teil II, Abschnitt G.]

blüte in einen gewissen Gegensatz zur roten Rose gebracht; das Wieder-
finden des Asphodels am Fenster des *Albergo del Sole* wird zu einem
wichtigen Beweisstück für die unbewußte Einsicht Hanolds, die sich im
neuen Wahn ausdrückt, und dem reiht sich an, daß die rote Rose am
Kleid des sympathischen jungen Mädchens Hanold im Unbewußten zur
richtigen Würdigung ihres Verhältnisses zu ihrem Begleiter verhilft, so
daß er sie im Traum als »Kollegin« auftreten lassen kann.

Wo findet sich nun aber im manifesten Trauminhalt die Spur und Vertretung jener Entdeckung Hanolds, welche wir durch den neuen Wahn
ersetzt fanden, der Entdeckung, daß die Gradiva mit ihrem Vater in
dem dritten, versteckten Gasthof Pompejis, im *Albergo del Sole*, wohne?
Nun, es steht ganz und nicht einmal sehr entstellt im Traume drin; ich
scheue mich nur darauf hinzuweisen, denn ich weiß, selbst bei den Lesern,
deren Geduld so weit bei mir ausgehalten hat, wird sich nun ein starkes
Sträuben gegen meine Deutungsversuche regen. Die Entdeckung Hanolds
ist im Trauminhalt, wiederhole ich, voll mitgeteilt, aber so geschickt
versteckt, daß man sie notwendig übersehen muß. Sie ist dort hinter
einem Spiel mit Worten, einer Zweideutigkeit, geborgen. »Irgendwo in
der Sonne sitzt die Gradiva«, das haben wir mit Recht auf die Örtlichkeit bezogen, an welcher Hanold den Zoologen, ihren Vater, traf.
Aber soll es nicht auch heißen können: in der »Sonne«, das ist im
Albergo del Sole, im Gasthaus zur Sonne wohnt die Gradiva? Und
klingt das »Irgendwo«, welches auf die Begegnung mit dem Vater keinen Bezug hat, nicht gerade darum so heuchlerisch unbestimmt, weil es
die bestimmte Auskunft über den Aufenthalt der Gradiva einleitet? Ich
bin nach meiner sonstigen Erfahrung in der Deutung realer Träume eines
solchen Verständnisses der Zweideutigkeit ganz sicher, aber ich getraute
mich wirklich nicht, dieses Stückchen Deutungsarbeit meinen Lesern
vorzulegen, wenn der Dichter mir nicht hier seine mächtige Hilfe leihen
würde. Am nächsten Tage legt er dem Mädchen beim Anblick der Metallspange das nämliche Wortspiel in den Mund, welches wir für die
Deutung der Stelle im Trauminhalt annehmen. »Hast du sie vielleicht
in der *Sonne* gefunden, die macht hier solche Kunststücke.« [S. 29.]
Und da Hanold diese Rede nicht versteht, erläutert sie, sie meine den
Gasthof zur *Sonne,* die sie hier *»Sole«* heißen, von woher auch ihr das
angebliche Fundstück bekannt ist.

Und nun möchten wir den Versuch wagen, den »merkwürdig unsinnigen« Traum Hanolds durch die hinter ihm verborgenen, ihm möglichst
unähnlichen, unbewußten Gedanken zu ersetzen. Etwa so: »Sie wohnt

ja in der Sonne mit ihrem Vater, warum spielt sie solches Spiel mit mir? Will sie ihren Spott mit mir treiben? Oder sollte es möglich sein, daß sie mich liebt und mich zum Manne nehmen will?« – Auf diese letztere Möglichkeit erfolgt wohl noch im Schlaf die abweisende Antwort: das sei ja die reinste Verrücktheit, die sich scheinbar gegen den ganzen manifesten Traum richtet.

Kritische Leser haben nun das Recht, nach der Herkunft jener bisher nicht begründeten Einschaltung zu fragen, die sich auf das Verspottet-werden durch die Gradiva bezieht. Darauf gibt die *Traumdeutung* die Antwort, wenn in den Traumgedanken Spott, Hohn, erbitterter Widerspruch vorkommt, so wird dies durch die unsinnige Gestaltung des manifesten Traumes, durch die Absurdität im Traume ausgedrückt[1]. Letztere bedeutet also kein Erlahmen der psychischen Tätigkeit, sondern ist eines der Darstellungsmittel, deren sich die Traumarbeit bedient. Wie immer an besonders schwierigen Stellen kommt uns auch hier der Dichter zu Hilfe. Der unsinnige Traum hat noch ein kurzes Nachspiel, in dem ein Vogel einen lachenden Ruf ausstößt und die Lacerte im Schnabel davonträgt. Einen solchen lachenden Ruf hatte Hanold aber nach dem Verschwinden der Gradiva gehört [S. 25]. Er kam wirklich von der Zoë her, die den düsteren Ernst ihrer Unterweltsrolle mit diesem Lachen von sich abschüttelte. Die Gradiva hatte ihn wirklich ausgelacht. Das Traumbild aber, wie der Vogel die Lacerte davonträgt, mag an jenes andere in einem früheren Traum erinnern, in dem der Apoll von Belvedere die kapitolinische Venus davontrug [S. 63].

Vielleicht besteht noch bei manchem Leser der Eindruck, daß die Übersetzung der Situation des Eidechsenfanges durch die Idee der Liebeswerbung nicht genügend gesichert sei. Da mag denn der Hinweis zur Unterstützung dienen, daß Zoë in dem Gespräch mit der Kollegin das nämliche von sich bekennt, was Hanolds Gedanken von ihr vermuten, indem sie mitteilt, sie sei sicher gewesen, sich in Pompeji etwas Interessantes »auszugraben«. Sie greift dabei in den archäologischen Vorstellungskreis, wie er mit seinem Gleichnis vom Eidechsenfang in den zoologischen, als ob sie einander entgegenstreben würden und jeder die Eigenart des anderen annehmen wollte.

So hätten wir die Deutung auch dieses zweiten Traumes erledigt. Beide sind unserem Verständnis zugänglich geworden unter der Voraussetzung, daß der Träumer in seinem unbewußten Denken all das weiß, was er

---

[1] [*Die Traumdeutung*, Kapitel VI (G), am Schluß der Diskussion über »Absurde Träume«.]

im bewußten vergessen hat, all das dort richtig beurteilt, was er hier wahnhaft verkennt. Dabei haben wir freilich manche Behauptung aufstellen müssen, die dem Leser, weil fremd, auch befremdlich klang, und wahrscheinlich oft den Verdacht erweckt, daß wir für den Sinn des Dichters ausgeben, was nur unser eigener Sinn ist. Wir sind alles zu tun bereit, um diesen Verdacht zu zerstreuen, und wollen darum einen der heikelsten Punkte – ich meine die Verwendung zweideutiger Worte und Reden wie im Beispiele: Irgendwo in der *Sonne* sitzt die Gradiva – gern ausführlicher in Betracht ziehen.

Es muß jedem Leser der *Gradiva* auffallen, wie häufig der Dichter seinen beiden Hauptpersonen Reden in den Mund legt, die zweierlei Sinn ergeben. Bei Hanold sind diese Reden eindeutig gemeint, und nur seine Partnerin, die Gradiva, wird von deren anderem Sinn ergriffen. So, wenn er nach ihrer ersten Antwort ausruft: Ich wußte es, so klänge deine Stimme [S. 23], und die noch unaufgeklärte Zoë fragen muß, wie das möglich sei, da er sie noch nicht sprechen gehört habe. In der zweiten Unterredung wird das Mädchen für einen Augenblick an seinem Wahne irre, da er versichert, er habe sie sofort erkannt [S. 24]. Sie muß diese Worte in dem Sinne verstehen, der für sein Unbewußtes richtig ist als Anerkennung ihrer in die Kindheit zurückreichenden Bekanntschaft, während er natürlich von dieser Tragweite seiner Rede nichts weiß und sie auch nur durch Beziehung auf den ihn beherrschenden Wahn erläutert. Die Reden des Mädchens hingegen, in deren Person die hellste Geistesklarheit dem Wahn entgegengestellt wird, sind mit Absicht zweideutig gehalten. Der eine Sinn derselben schmiegt sich dem Wahne Hanolds an, um in sein bewußtes Verständnis dringen zu können, der andere erhebt sich über den Wahn und gibt uns in der Regel die Übersetzung desselben in die von ihm vertretene unbewußte Wahrheit. Es ist ein Triumph des Witzes, den Wahn und die Wahrheit in der nämlichen Ausdrucksform darstellen zu können.

Durchsetzt von solchen Zweideutigkeiten ist die Rede der Zoë, in welcher sie der Freundin die Situation aufklärt und sich gleichzeitig von ihrer störenden Gesellschaft befreit [S. 30]; sie ist eigentlich aus dem Buche herausgesprochen, mehr für uns Leser als für die glückliche Kollegin berechnet. In den Gesprächen mit Hanold ist der Doppelsinn meist dadurch hergestellt, daß Zoë sich der Symbolik bedient, welche wir im ersten Traume Hanolds befolgt fanden, der Gleichstellung von Verschüttung und Verdrängung, Pompeji und Kindheit. So kann sie mit ihren Reden einerseits in der Rolle verbleiben, die ihr der Wahn Hanolds anweist, anderseits an die wirklichen Verhältnisse rühren und im Unbewußten Hanolds das Verständnis für dieselben wecken. »Ich habe mich schon lange daran gewöhnt, tot zu sein.« (G. S. 90 [S. 25].) – »Für mich ist die Blume der Vergessenheit aus deiner Hand die richtige.« (G. S. 90 [ibid.].) In diesen Reden meldet sich leise der Vorwurf, der dann in ihrer letzten Strafpredigt deutlich genug hervorbricht, wo sie ihn mit dem Archäopteryx vergleicht. [S. 33 f.] »Daß jemand erst sterben muß, um lebendig zu werden. Aber für die Archäologen ist das wohl notwendig« (G. S. 141 [S. 37]), sagt sie noch nachträglich nach der Lösung des Wahnes, wie um den Schlüssel zu ihren zweideutigen Reden zu geben. Die schönste Anwendung ihrer Symbolik gelingt ihr aber in der Frage: (G. S. 118 [S. 29]) »Mir ist's, als hätten wir schon vor zweitausend Jahren einmal so zusammen unser Brot gegessen. Kannst du dich nicht darauf besinnen?« in welcher Rede die Ersetzung der Kindheit durch die historische Vorzeit und das Bemühen, die Erinnerung an die erstere zu erwecken, ganz unverkennbar sind.

Woher nun diese auffällige Bevorzugung der zweideutigen Reden in der *Gradiva?* Sie erscheint uns nicht als Zufälligkeit, sondern als notwendige Abfolge aus den Voraussetzungen der Erzählung. Sie ist nichts anderes als das Seitenstück zur zweifachen Determinierung der Symptome, insofern die Reden selbst Symptome sind und wie diese aus Kompromissen zwischen Bewußtem und Unbewußtem hervorgehen. Nur daß man den Reden diesen doppelten Ursprung leichter anmerkt als etwa den Handlungen, und wenn es gelingt, was die Schmiegsamkeit des Materials der Rede oftmals ermöglicht, in der nämlichen Fügung von Worten jedem der beiden Redeabsichten guten Ausdruck zu verschaffen, dann liegt das vor, was wir eine »Zweideutigkeit« heißen.

Während der psychotherapeutischen Behandlung eines Wahnes oder einer analogen Störung entwickelt man häufig solche zweideutige Reden beim Kranken, als neue Symptome von flüchtigem Bestand, und kann auch selbst in die Lage kommen, sich ihrer zu bedienen, wobei man mit dem für das Bewußtsein des Kranken bestimmten Sinn nicht selten das Verständnis für den im Unbewußten gültigen anregt. Ich weiß aus Erfahrung, daß diese Rolle der Zweideutigkeit bei den Uneingeweihten den größten Anstoß zu erregen und die gröbsten Mißverständnisse zu verursachen pflegt, aber der Dichter hatte jedenfalls recht, auch diesen charakteristischen Zug der Vorgänge bei der Traum- und Wahnbildung in seiner Schöpfung zur Darstellung zu bringen.

IV. KAPITEL

Mit dem Auftreten der Zoë als Arzt erwache bei uns, sagten wir bereits, ein neues Interesse. Wir würden gespannt sein zu erfahren, ob eine solche Heilung, wie sie von ihr an Hanold vollzogen wird, begreiflich oder überhaupt möglich ist, ob der Dichter die Bedingungen für das Schwinden eines Wahnes ebenso richtig erschaut hat wie die seiner Entstehung.

Ohne Zweifel wird uns hier eine Anschauung entgegentreten, die dem vom Dichter geschilderten Falle solches prinzipielle Interesse abspricht und kein der Aufklärung bedürftiges Problem anerkennt. Dem Hanold bleibe nichts anderes übrig, als seinen Wahn wieder aufzulösen, nachdem das Objekt desselben, die vermeintliche »Gradiva« selbst, ihn der Unrichtigkeit all seiner Aufstellungen überführe und ihm die natürlichsten Erklärungen für alles Rätselhafte, zum Beispiel woher sie seinen Namen wisse, gebe. Damit wäre die Angelegenheit logisch erledigt; da aber das Mädchen ihm in diesem Zusammenhang ihre Liebe gestanden, lasse der Dichter, gewiß zur Befriedigung seiner Leserinnen, die sonst nicht uninteressante Erzählung mit dem gewöhnlichen glücklichen Schluß, der Heirat, enden. Konsequenter und ebenso möglich wäre der andere Schluß gewesen, daß der junge Gelehrte nach der Aufklärung seines Irrtums mit höflichem Danke von der jungen Dame Abschied nehme und die Ablehnung ihrer Liebe damit motiviere, daß er zwar für antike Frauen aus Bronze oder Stein und deren Urbilder, wenn sie dem Verkehr erreichbar wären, ein intensives Interesse aufbringen könne, mit einem zeitgenössischen Mädchen aus Fleisch und Bein aber nichts anzufangen wisse. Das archäologische Phantasiestück sei eben vom Dichter recht willkürlich mit einer Liebesgeschichte zusammengekittet worden.

Indem wir diese Auffassung als unmöglich abweisen, werden wir erst aufmerksam gemacht, daß wir die an Hanold eintretende Veränderung nicht nur in den Verzicht auf den Wahn zu verlegen haben. Gleichzeitig, ja noch vor der Auflösung des letzteren, ist das Erwachen des Liebesbedürfnisses bei ihm unverkennbar, das dann wie selbstverständlich in die Werbung um das Mädchen ausläuft, welches ihn von seinem Wahn befreit hat. Wir haben bereits hervorgehoben, unter welchen Vorwänden und Einkleidungen die Neugierde nach ihrer leiblichen Beschaffenheit, die Eifersucht und der brutale männliche Bemächtigungstrieb sich bei ihm mitten im Wahne äußern, seitdem die verdrängte Liebessehnsucht ihm den ersten Traum eingegeben hat. Nehmen wir als weiteres Zeugnis hinzu, daß am Abend nach der zweiten Unterredung mit der Gradiva ihm zuerst ein lebendes weibliches Wesen sympathisch erscheint, obwohl er noch seinem früheren Abscheu vor Hochzeitsreisenden die Konzession macht, die Sympathische nicht als Neuvermählte zu erkennen. Am nächsten Vormittag aber macht ihn ein Zufall zum Zeugen des Austausches von Zärtlichkeiten zwischen diesem Mädchen und seinem vermeintlichen Bruder, und da zieht er sich scheu zurück, als hätte er eine heilige Handlung gestört [S. 28]. Der Hohn auf »August und Grete« ist vergessen, der Respekt vor dem Liebesleben bei ihm hergestellt.

So hat der Dichter die Lösung des Wahnes und das Hervorbrechen des Liebesbedürfnisses innigst miteinander verknüpft, den Ausgang in eine Liebeswerbung als notwendig vorbereitet. Er kennt das Wesen des Wahnes eben besser als seine Kritiker, er weiß, daß eine Komponente von verliebter Sehnsucht mit einer Komponente des Sträubens zur Entstehung des Wahnes zusammengetreten sind, und er läßt das Mädchen, welches die Heilung unternimmt, die ihr genehme Komponente im Wahne Hanolds herausfühlen. Nur diese Einsicht kann sie bestimmen, sich einer Behandlung zu widmen, nur die Sicherheit, sich von ihm geliebt zu wissen, sie bewegen, ihm ihre Liebe zu gestehen. Die Behandlung besteht darin, ihm die verdrängten Erinnerungen, die er von innen her nicht freimachen kann, von außen her wiederzugeben; sie würde aber keine Wirkung äußern, wenn die Therapeutin dabei nicht auf die Gefühle Rücksicht nehmen und die Übersetzung des Wahnes nicht schließlich lauten würde: Sieh', das bedeutet doch alles nur, daß du mich liebst.

Das Verfahren, welches der Dichter seine Zoë zur Heilung des Wahnes bei ihrem Jugendfreunde einschlagen läßt, zeigt eine weitgehende Ähnlichkeit, nein, eine volle Übereinstimmung im Wesen, mit einer therapeutischen Methode, welche Dr. J. Breuer und der Verfasser im Jahre 1895 in die Medizin eingeführt haben und deren Vervollkommnung sich der letztere seitdem gewidmet hat. Diese Behandlungsweise, von Breuer zuerst die »kathartische« genannt, vom Verfasser mit Vorliebe als »psychoanalytische« bezeichnet, besteht darin, daß man bei den Kranken, die an analogen Störungen wie der Wahn Hanolds leiden, das

Unbewußte, unter dessen Verdrängung sie erkrankt sind, gewissermaßen gewaltsam zum Bewußtsein bringt, ganz so wie es die Gradiva mit den verdrängten Erinnerungen an ihre Kinderbeziehungen tut. Freilich, die Gradiva hat die Erfüllung dieser Aufgabe leichter als der Arzt, sie befindet sich dabei in einer nach mehreren Richtungen ideal zu nennenden Position. Der Arzt, der seinen Kranken nicht von vornherein durchschaut und nicht als bewußte Erinnerung in sich trägt, was in jenem unbewußt arbeitet, muß eine komplizierte Technik zu Hilfe nehmen, um diesen Nachteil auszugleichen. Er muß es lernen, aus den bewußten Einfällen und Mitteilungen des Kranken mit großer Sicherheit auf das Verdrängte in ihm zu schließen, das Unbewußte zu erraten, wo es sich hinter den bewußten Äußerungen und Handlungen des Kranken verrät. Er bringt dann Ähnliches zustande, wie es Norbert Hanold am Ende der Erzählung selbst versteht, indem er sich den Namen »Gradiva« in »Bertgang« rückübersetzt [S. 37]. Die Störung schwindet dann, während sie auf ihren Ursprung zurückgeführt wird; die Analyse bringt auch gleichzeitig die Heilung.

Die Ähnlichkeit zwischen dem Verfahren der Gradiva und der analytischen Methode der Psychotherapie beschränkt sich aber nicht auf diese beiden Punkte, das Bewußtmachen des Verdrängten und das Zusammenfallen von Aufklärung und Heilung. Sie erstreckt sich auch auf das, was sich als das Wesentliche der ganzen Veränderung herausstellt, auf die Erweckung der Gefühle. Jede dem Wahne Hanolds analoge Störung, die wir in der Wissenschaft als Psychoneurose zu bezeichnen gewohnt sind, hat die Verdrängung eines Stückes des Trieblebens, sagen wir getrost des Sexualtriebes, zur Voraussetzung, und bei jedem Versuch, die unbewußte und verdrängte Krankheitsursache ins Bewußtsein einzuführen, erwacht notwendig die betreffende Triebkomponente zu erneutem Kampf mit den sie verdrängenden Mächten, um sich mit ihnen oft unter heftigen Reaktionserscheinungen zum endlichen Ausgang abzugleichen. In einem Liebesrezidiv vollzieht sich der Prozeß der Genesung, wenn wir alle die mannigfaltigen Komponenten des Sexualtriebes als »Liebe« zusammenfassen, und dieses Rezidiv ist unerläßlich, denn die Symptome, wegen deren die Behandlung unternommen wurde, sind nichts anderes als Niederschläge früherer Verdrängungs- und Wiederkehrkämpfe und können nur von einer neuen Hochflut der nämlichen Leidenschaften gelöst und weggeschwemmt werden. Jede psychoanalytische Behandlung ist ein Versuch, verdrängte Liebe zu befreien, die in einem Symptom einen kümmerlichen Kompromißausweg gefunden hatte. Ja, die Überein-

Relief der ›Gradiva‹

Leonardo da Vinci: Mona Lisa

stimmung mit dem vom Dichter geschilderten Heilungsvorgang in der *Gradiva* erreicht ihre Höhe, wenn wir hinzufügen, daß auch in der analytischen Psychotherapie die wiedergeweckte Leidenschaft, sei sie Liebe oder Haß, jedesmal die Person des Arztes zu ihrem Objekte wählt. Dann setzen freilich die Unterschiede ein, welche den Fall der Gradiva zum Idealfall machen, den die ärztliche Technik nicht erreichen kann. Die Gradiva kann die aus dem Unbewußten zum Bewußtsein durchdringende Liebe erwidern, der Arzt kann es nicht; die Gradiva ist selbst das Objekt der früheren, verdrängten Liebe gewesen, ihre Person bietet der befreiten Liebesstrebung sofort ein begehrenswertes Ziel. Der Arzt ist ein Fremder gewesen und muß trachten, nach der Heilung wieder ein Fremder zu werden; er weiß den Geheilten oft nicht zu raten, wie sie ihre wiedergewonnene Liebesfähigkeit im Leben verwenden können. Mit welchen Auskunftsmitteln und Surrogaten sich dann der Arzt behilft, um sich dem Vorbild einer Liebesheilung, das uns der Dichter gezeichnet, mit mehr oder weniger Erfolg zu nähern, das anzudeuten, würde uns viel zu weit weg von der uns vorliegenden Aufgabe führen. Nun aber die letzte Frage, deren Beantwortung wir bereits einigemal aus dem Wege gegangen sind. [Vgl. S. 43 und S. 52.] Unsere Anschauungen über die Verdrängung, die Entstehung eines Wahnes und verwandter Störungen, die Bildung und Auflösung von Träumen, die Rolle des Liebeslebens und die Art der Heilung bei solchen Störungen sind ja keineswegs Gemeingut der Wissenschaft, geschweige denn bequemer Besitz der Gebildeten zu nennen. Ist die Einsicht, welche den Dichter befähigt, sein »Phantasiestück« so zu schaffen, daß wir es wie eine reale Krankengeschichte zergliedern können, von der Art einer Kenntnis, so wären wir begierig, die Quellen dieser Kenntnis kennenzulernen. Einer aus dem Kreise, der, wie eingangs ausgeführt, an den Träumen in der *Gradiva* und deren möglichen Deutung Interesse nahm[1], wandte sich an den Dichter mit der direkten Anfrage, ob ihm von den so ähnlichen Theorien in der Wissenschaft etwas bekannt geworden sei. Der Dichter antwortete, wie vorauszusehen war, verneinend und sogar etwas unwirsch[2]. Seine Phantasie habe ihm die *Gradiva* eingegeben, an der er seine Freude gehabt habe; wem sie nicht gefalle, der möge sie eben stehen lassen. Er ahnte nicht, wie sehr sie den Lesern gefallen hatte. Es ist sehr leicht möglich, daß die Ablehnung des Dichters nicht dabei haltmacht. Vielleicht stellt er überhaupt die Kenntnis der Regeln in

---

[1] [Vgl. die Anm. auf S. 15.]
[2] [S. jedoch die editorische Vorbemerkung, S. 11.]

Abrede, deren Befolgung wir bei ihm nachgewiesen haben, und verleugnet alle die Absichten, die wir in seiner Schöpfung erkannt haben. Ich halte dies nicht für unwahrscheinlich; dann aber sind nur zwei Fälle möglich. Entweder wir haben ein rechtes Zerrbild der Interpretation geliefert, indem wir in ein harmloses Kunstwerk Tendenzen verlegt haben, von denen dessen Schöpfer keine Ahnung hatte, und haben damit wieder einmal bewiesen, wie leicht es ist, das zu finden, was man sucht und wovon man selbst erfüllt ist, eine Möglichkeit, für die in der Literaturgeschichte die seltsamsten Beispiele verzeichnet sind. Mag nun jeder Leser selbst mit sich einig werden, ob er sich dieser Aufklärung anzuschließen vermag; wir halten natürlich an der anderen, noch erübrigenden Auffassung fest. Wir meinen, daß der Dichter von solchen Regeln und Absichten nichts zu wissen brauche, so daß er sie in gutem Glauben verleugnen könne, und daß wir doch in seiner Dichtung nichts gefunden haben, was nicht in ihr enthalten ist. Wir schöpfen wahrscheinlich aus der gleichen Quelle, bearbeiten das nämliche Objekt, ein jeder von uns mit einer anderen Methode, und die Übereinstimmung im Ergebnis scheint dafür zu bürgen, daß beide richtig gearbeitet haben. Unser Verfahren besteht in der bewußten Beobachtung der abnormen seelischen Vorgänge bei anderen, um deren Gesetze erraten und aussprechen zu können. Der Dichter geht wohl anders vor; er richtet seine Aufmerksamkeit auf das Unbewußte in seiner eigenen Seele, lauscht den Entwicklungsmöglichkeiten desselben und gestattet ihnen den künstlerischen Ausdruck, anstatt sie mit bewußter Kritik zu unterdrücken. So erfährt er aus sich, was wir bei anderen erlernen, welchen Gesetzen die Betätigung dieses Unbewußten folgen muß, aber er braucht diese Gesetze nicht auszusprechen, nicht einmal sie klar zu erkennen, sie sind infolge der Duldung seiner Intelligenz in seinen Schöpfungen verkörpert enthalten. Wir entwickeln diese Gesetze durch Analyse aus seinen Dichtungen, wie wir sie aus den Fällen realer Erkrankung herausfinden, aber der Schluß scheint unabweisbar, entweder haben beide, der Dichter wie der Arzt, das Unbewußte in gleicher Weise mißverstanden, oder wir haben es beide richtig verstanden. Dieser Schluß ist uns sehr wertvoll; um seinetwegen war es uns der Mühe wert, die Darstellung der Wahnbildung und Wahnheilung sowie die Träume in Jensens *Gradiva* mit den Methoden der ärztlichen Psychoanalyse zu untersuchen.

Wir wären am Ende angelangt. Ein aufmerksamer Leser könnte uns doch mahnen, wir hätten eingangs [S. 13] hingeworfen, Träume seien als erfüllt dargestellte Wünsche und wären dann den Beweis dafür schuldig geblieben. Nun, wir erwidern, unsere Ausführungen könnten wohl zeigen, wie ungerechtfertigt es wäre, die Aufklärungen, die wir über den Traum zu geben haben, mit der einen Formel, der Traum sei eine Wunscherfüllung, decken zu wollen. Aber die Behauptung besteht und ist auch für die Träume in der *Gradiva* leicht zu erweisen. Die latenten Traumgedanken – wir wissen jetzt, was darunter gemeint ist – können von der mannigfaltigsten Art sein; in der *Gradiva* sind es »Tagesreste«, Gedanken, die ungehört und unerledigt vom seelischen Treiben des Wachens übriggelassen sind. Damit aber aus ihnen ein Traum entstehe, wird die Mitwirkung eines – meist unbewußten – Wunsches erfordert; dieser stellt die Triebkraft für die Traumbildung her, die Tagesreste geben das Material dazu. Im ersten Traume Norbert Hanolds konkurrieren zwei Wünsche miteinander, um den Traum zu schaffen, der eine selbst ein bewußtseinsfähiger, der andere freilich dem Unbewußten angehörig und aus der Verdrängung wirksam. Der erste wäre der bei jedem Archäologen begreifliche Wunsch, Augenzeuge jener Katastrophe des Jahres 79 gewesen zu sein. Welches Opfer wäre einem Altertumsforscher wohl zu groß, wenn dieser Wunsch noch anders als auf dem Wege des Traumes zu verwirklichen wäre! Der andere Wunsch und Traumbildner ist erotischer Natur; dabei zu sein, wenn die Geliebte sich zum Schlafen hinlegt, könnte man ihn in grober oder auch unvollkommener Fassung aussprechen. Er ist es, dessen Ablehnung den Traum zum Angsttraum werden läßt. Minder augenfällig sind vielleicht die treibenden Wünsche des zweiten Traumes, aber wenn wir uns an dessen Übersetzung erinnern, werden wir nicht zögern, sie gleichfalls als erotische anzusprechen. Der Wunsch, von der Geliebten gefangen genommen zu werden, sich ihr zu fügen und zu unterwerfen, wie er hinter der Situation des Eidechsenfanges konstruiert werden darf, hat eigentlich passiven, masochistischen Charakter. Am nächsten Tag schlägt der Träumer die Geliebte, wie unter der Herrschaft der gegensätzlichen erotischen Strömung. Aber wir müssen hier innehalten, sonst vergessen wir vielleicht wirklich, daß Hanold und die Gradiva nur Geschöpfe des Dichters sind.

NACHTRAG ZUR ZWEITEN AUFLAGE

(1912)

In den fünf Jahren, die seit der Abfassung dieser Studie vergangen sind, hat die psychoanalytische Forschung den Mut gefaßt, sich den Schöpfungen der Dichter auch noch in anderer Absicht zu nähern. Sie sucht in ihnen nicht mehr bloß Bestätigungen ihrer Funde am unpoetischen, neurotischen Menschen, sondern verlangt auch zu wissen, aus welchem Material an Eindrücken und Erinnerungen der Dichter das Werk gestaltet hat und auf welchen Wegen, durch welche Prozesse dies Material in die Dichtung übergeführt wurde.

Es hat sich ergeben, daß diese Fragen am ehesten bei jenen Dichtern beantwortet werden können, die sich in naiver Schaffensfreude dem Drängen ihrer Phantasie zu überlassen pflegen wie unser W. Jensen († 1911). Ich hatte bald nach dem Erscheinen meiner analytischen Würdigung der *Gradiva* einen Versuch gemacht, den greisen Dichter für diese neuen Aufgaben der psychoanalytischen Untersuchung zu interessieren; aber er versagte seine Mitwirkung.

Ein Freund hat seither meine Aufmerksamkeit auf zwei andere Novellen des Dichters gelenkt, welche in genetischer Beziehung zur *Gradiva* stehen dürften, als Vorstudien oder als frühere Bemühungen, das nämliche Problem des Liebeslebens in poetisch befriedigender Weise zu lösen. Die erste dieser Novellen, ›Der rote Schirm‹ betitelt, erinnert an die *Gradiva* durch die Wiederkehr zahlreicher kleiner Motive wie: der weißen Totenblume, des vergessenen Gegenstands (das Skizzenbuch der »Gradiva«), des bedeutungsvollen kleinen Tieres (Schmetterling und Eidechse in der *Gradiva*), vor allem aber durch die Wiederholung der Hauptsituation, der Erscheinung des verstorbenen oder totgeglaubten Mädchens in der Sommermittagsglut. Den Schauplatz der Erscheinung gibt in der Erzählung ›Der rote Schirm‹ eine zerbröckelnde Schloßruine wie in der *Gradiva* die Trümmer des ausgegrabenen Pompeji.

Die andere Novelle ›Im gotischen Hause‹ weist in ihrem manifesten Inhalt keine derartigen Übereinstimmungen weder mit der *Gradiva* noch mit dem ›Roten Schirm‹ auf; es deutet aber unverkennbar auf nahe Verwandtschaft ihres latenten Sinnes hin, daß sie mit letzterer Erzählung durch einen gemeinsamen Titel zu einer äußerlichen Einheit verbunden ist. *(Übermächte.* Zwei Novellen von Wilhelm Jensen, Berlin, Emil Felber 1892.) Es ist leicht zu ersehen, daß alle drei Erzählungen das gleiche Thema behandeln, die Entwicklung einer Liebe (im ›Roten Schirm‹ einer Liebeshemmung) aus der Nachwirkung einer intimen, geschwisterähnlichen Gemeinschaft der Kinderjahre. .

Einem Referat von Eva Gräfin Baudissin (in der Wiener Tageszeitung *Die Zeit* vom 11. Februar 1912) entnehme ich noch, daß Jensens letzter Roman *(Fremdlinge unter den Menschen* [1]*)*, der viel aus des Dichters eigener Jugend enthält, das Schicksal eines Mannes schildert, der »in der Geliebten eine Schwester erkennt«.

Von dem Hauptmotiv der *Gradiva,* dem eigentümlich schönen Gang mit steilgestelltem Fuß, findet sich in den beiden früheren Novellen keine Spur.

Das von Jensen für römisch ausgegebene Relief des so schreitenden Mädchens, das er »Gradiva« benennen läßt, gehört in Wirklichkeit der Blüte der griechischen Kunst an. Es findet sich im Vatikan Museo Chiaramonti als Nr. 644 und hat von F. Hauser (›Disiecta membra neuattischer Reliefs‹ im Jahreshefte des österr. archäol. Instituts, Bd. VI, Heft 1) Ergänzung und Deutung erfahren [Hauser, 1903]. Durch Zusammensetzung der »Gradiva« mit anderen Bruchstücken in Florenz und München ergaben sich zwei Reliefplatten mit je drei Gestalten, in denen man die Horen, die Göttinnen der Vegetation und die ihnen verwandten Gottheiten des befruchtenden Taus erkennen durfte [2].

---

[1] [Dresden, C. Reissner, 1911.]

[2] [Hauser (l. c.) hält sie für römische Kopien von griechischen Originalen aus der zweiten Hälfte des 4. Jahrhunderts v. Chr. Das »Gradiva«-Relief befindet sich heute (1968) in Sektion VII/2 des Museo Chiaramonti und trägt die Katalognummer 1284.]

Eine Kindheitserinnerung des Leonardo da Vinci

(1910)

EDITORISCHE VORBEMERKUNG

Deutsche Ausgaben:
1910 Leipzig und Wien, Deuticke. 71 Seiten. (*Schriften zur angewandten Seelenkunde,* Heft 7.)
1919 2. Aufl. im gleichen Verlag. 76 Seiten (mit Zusätzen).
1923 3. Aufl. im gleichen Verlag. 78 Seiten (mit Zusätzen).
1925 *G. S.,* Bd. 9, 371–454.
1943 *G. W.,* Bd. 8, 128–211.

Wie weit Freuds Interesse an der Gestalt des Leonardo zurückreicht, zeigt ein Satz in einem Brief an Fließ vom 9. Oktober 1898 (Freud, 1950 *a*, Brief 98): »Leonardo, von dem kein Liebeshandel bekannt ist, war vielleicht der berühmteste Linkshänder.« Dieses Interesse war auch keineswegs nur vorübergehend, denn in seiner Antwort auf eine ›Rundfrage‹ nach Lieblingsbüchern (1906 *f*) nennt er neben anderen das Buch von Mereschkowski über Leonardo (1902). Der eigentliche Anstoß zur Abfassung der vorliegenden Arbeit ist jedoch offenbar im Herbst 1909 durch einen Patienten gegeben worden, der, wie Freud am 17. Oktober an Jung schrieb, die gleiche Konstitution wie Leonardo, aber nicht dessen Genie, zu haben schien. Er fügte hinzu, daß er aus Italien ein Buch über Leonardos Jugend kommen lassen wolle. Das war die Monographie von Scognamiglio, die auf S. 94, Anm. 3, erwähnt ist. Nachdem Freud dieses und mehrere andere Werke über Leonardo gelesen hatte, sprach er am 1. Dezember in der Wiener Psychoanalytischen Vereinigung über ihn; die Niederschrift der Studie schloß er jedoch erst Anfang April 1910 ab. Sie wurde Ende Mai publiziert.

In den späteren Ausgaben nahm Freud eine Reihe von Korrekturen vor und machte einige Zusätze. Von diesen ist besonders die kurze Anmerkung über die Beschneidung (S. 121), der Auszug aus Reitler (S. 97–9, Anm.) und das lange Zitat aus Pfister (S. 139–40, Anm.) zu nennen, alle aus dem Jahre 1919, ferner die Erwähnung des Londoner Kartons (S. 138–9, Anm.), die im Jahre 1923 hinzugefügt wurde.

Freuds Leonardo-Arbeit war nicht die erste Studie, in welcher der Versuch unternommen wurde, die Methode der klinischen Psychoanalyse auf eine historische Figur anzuwenden. So hatte z. B. Sadger ähnliche Forschungen über C. F. Meyer (1908), Lenau (1909) und Kleist (1910) veröffentlicht. Freud selber hatte bis dahin jedoch noch keine ausführliche biographische Untersuchung unternommen, lediglich einige fragmentarische Analysen von Schriftstellerpersönlichkeiten auf der Grundlage von Episoden aus deren Werken. Allerdings hatte er mehrere Jahre vorher, nämlich 1898, einmal eine Betrachtung der ›Richterin‹ (oben auf S. 11 erwähnt) von C. F. Meyer, in der er Rückschlüsse auf die frühe Jugend des Dichters zog, an Fließ gesandt (Freud 1950 a, Brief 91). Doch war die Leonardo-Arbeit nicht nur der erste ausführliche Exkurs Freuds in das Gebiet der Biographie; sie sollte auch der einzige bleiben. Die Schrift scheint mit noch schärferer Mißbilligung aufgenommen worden zu sein, als Freud sie bisher erlebt hatte, so daß es sich nachträglich als gerechtfertigt erwies, sich mit den Darlegungen zu Beginn von Kapitel VI (S. 152 f.) schon im voraus zu verteidigen – Darlegungen, die auch heute noch für die Verfasser und die Kritiker von Biographien Geltung haben dürften.

Es ist indessen bemerkenswert, daß bis in die jüngste Zeit keiner der Kritiker der vorliegenden Arbeit auf deren schwächsten Punkt gestoßen zu sein scheint. Eine bedeutsame Rolle spielt Leonardos Erinnerung oder Phantasie, daß ein Raubvogel ihn als Wiegenkind besucht habe. Dieser Vogel heißt in Leonardos Notizbüchern *»nibio«*, was (in der modernen Form *»nibbio«*) die gewöhnliche italienische Bezeichnung für »Milan« ist. Freud übersetzt jedoch in seiner Leonardo-Studie *»nibio«* mit »Geier«.[1]

Die Quelle dieses Fehlers scheint in einigen der deutschen Übersetzungen zu liegen, die Freud benutzte. So sagt Marie Herzfeld (1906) in einer ihrer Erwähnungen der Raubvogelphantasie »Geier« statt »Milan«. Aber den größten Einfluß hatte wahrscheinlich die deutsche Übersetzung von Mereschkowskis Leonardo-Buch, die, wie wir an dem mit vielen Randbemerkungen versehenen Exemplar in Freuds Bibliothek erkennen können, eine seiner wichtigsten Informationsquellen über Leonardo war; vermutlich hatte er die Raubvogelgeschichte dort zum erstenmal gelesen. Auch hier lautet das deutsche Wort, das in der Wiegenphantasie benutzt wird, »Geier«, obwohl Mereschkowski korrekt die russische Bezeichnung des Milans, nämlich *»korshun«*, wiedergab.

Angesichts dieses Irrtums könnten manche Leser geneigt sein, die ganze Studie für wertlos zu halten. Man sollte jedoch die Angelegenheit ohne Affekt betrachten und im einzelnen prüfen, in welchen Punkten Freuds Argumente und Schlußfolgerungen sich infolge dieses Mißverständnisses als unbegründet erweisen.

Zunächst muß das »Vexierbild eines Vogels« in dem Gemälde Leonardos (S. 138, Anm.) aufgegeben werden. Wenn man dort überhaupt einen Vogel erkennen will, so einen Geier; eine Ähnlichkeit mit einem Milan ist nicht gegeben. Die »Entdeckung« dieses Vexierbildes stammt jedoch von Pfister, nicht von Freud. Sie wurde erst in der zweiten Auflage der Schrift hinzugefügt, und Freud zitiert sie mit erheblichen Vorbehalten.

[1] Auf diesen Fehler weist Irma Richter in einer Anmerkung ihrer Auswahl aus Leonardos Notizbüchern hin (1952, 286). Ebenso wie Pfister (S. 140 unten, Anm.) wertet sie Leonardos Kindheitserinnerung als einen »Traum«.

Wichtiger ist zweitens die Verknüpfung mit der ägyptischen Mythologie. Die Hieroglyphe für »*mut*«, das ägyptische Wort für »Mutter«, stellt mit Sicherheit einen Geier und nicht einen Milan dar. Die verbindliche ägyptische Grammatik Gardiners (2. Aufl., 1950, 469) identifiziert den Vogel als »*Gyps fulvus*«, den Gänsegeier. Hieraus folgt, daß Freuds Theorie, der Phantasievogel Leonardos stehe für seine Mutter, sich nicht unmittelbar mit dem ägyptischen Mythos belegen läßt; demnach ist auch die Frage, ob Leonardo diesen Mythos gekannt habe, unerheblich[1]. Die Vogelphantasie und der Mythos scheinen keine direkte Beziehung zueinander zu haben. Aber unabhängig voneinander betrachtet, stellen beide ein interessantes Problem. Wie kommt es, daß die alten Ägypter die Vorstellungen »Geier« und »Mutter« miteinander verbanden? Genügt die Erklärung der Ägyptologen, daß es sich um eine rein zufällige phonetische Koinzidenz handele? Wenn sie nicht ausreicht, muß Freuds Diskussion androgyner Mutter-Göttinnen auch unabhängig von der Verknüpfung mit Leonardo von Bedeutung sein. Zugleich verlangt aber auch Leonardos Phantasie von dem Vogel, der ihn in der Wiege besucht und ihm seinen Schwanz in den Mund gesteckt habe, nach einer Erklärung – ganz gleich, ob das Tier ein Geier oder ein Milan war. Und Freuds psychologische Analyse der Phantasie wird daher von dieser Richtigstellung durchaus nicht entwertet; es braucht nur ein einzelnes Beweisstück aufgegeben zu werden.

So wird denn trotz der Irrelevanz des Exkurses in die ägyptische Mythologie – der, für sich genommen, übrigens noch interessant genug ist – Freuds Studie durch den Fehler bei der Identifizierung des Vogels in den Grundzügen nicht entwertet: die eingehende Rekonstruktion des Seelenlebens Leonardos von seiner frühesten Kindheit an, die Darstellung des Konflikts zwischen seinen künstlerischen und seinen wissenschaftlichen Antrieben, die tiefreichende Analyse seiner psychosexuellen Lebensgeschichte sind nicht davon betroffen. Zusätzlich zu diesen Hauptthemen bietet die Studie noch eine ganze Reihe nicht weniger wichtiger Nebenthemen: eine allgemeinere Diskussion über Wesen und Wirken der Psyche des schaffenden Künstlers, eine Skizze der Entstehung eines bestimmten Typus der Homosexualität und – was besonders für die Geschichte der psychoanalytischen Theorie von Interesse ist – das erstmalige Auftreten des vollentwickelten Narzißmus-Begriffes.

---

[1] Auch das Märchen von der Eingeschlechtlichkeit der Geier und ihrer Fortpflanzung ohne männliche Befruchtung, das Freud als Bestätigung seiner Vermutung heranzieht, Leonardo habe in seiner Kindheit eine ausschließliche Mutterbindung gehabt, verliert seine Beweiskraft – andererseits wird durch das Wegfallen dieses Gleichnisses gegen das Vorhandensein dieser Bindung nichts Entscheidendes ausgesagt.

I. KAPITEL

Wenn die seelenärztliche Forschung, die sich sonst mit schwächlichem Menschenmaterial begnügt, an einen der Großen des Menschengeschlechts herantritt, so folgt sie dabei nicht den Motiven, die ihr von den Laien so häufig zugeschoben werden. Sie strebt nicht danach, »das Strahlende zu schwärzen und das Erhabene in den Staub zu ziehen«[1]; es bereitet ihr keine Befriedigung, den Abstand zwischen jener Vollkommenheit und der Unzulänglichkeit ihrer gewöhnlichen Objekte zu verringern. Sondern sie kann nicht anders, als alles des Verständnisses wert finden, was sich an jenen Vorbildern erkennen läßt, und sie meint, es sei niemand so groß, daß es für ihn eine Schande wäre, den Gesetzen zu unterliegen, die normales und krankhaftes Tun mit gleicher Strenge beherrschen.

Als einer der größten Männer der italienischen Renaissance ist Leonardo da Vinci (1452–1519) schon von den Zeitgenossen bewundert worden und doch bereits ihnen rätselhaft erschienen, wie auch jetzt noch uns. Ein allseitiges Genie, »dessen Umrisse man nur ahnen kann – nie ergründen«[2], übte er den maßgebendsten Einfluß auf seine Zeit als Maler aus; erst uns blieb es vorbehalten, die Größe des Naturforschers (und Technikers)[3] zu erkennen, der sich in ihm mit dem Künstler verband. Wenngleich er Meisterwerke der Malerei hinterlassen, während seine wissenschaftlichen Entdeckungen unveröffentlicht und unverwertet blieben, hat doch in seiner Entwicklung der Forscher den Künstler nie ganz freigelassen, ihn oftmals schwer beeinträchtigt und ihn vielleicht am Ende unterdrückt. Vasari legt ihm in seiner letzten Lebensstunde den Selbstvorwurf in den Mund, daß er Gott und die Menschen beleidigt, indem er in seiner Kunst nicht seine Pflicht getan[4]. Und wenn auch diese Er-

---

[1] [»Es liebt die Welt, das Strahlende zu schwärzen / Und das Erhabene in den Staub zu ziehn.« Aus dem Gedicht ›Das Mädchen von Orleans‹ von Schiller, das der *Jungfrau von Orleans* in der Ausgabe von 1801 als ein zusätzlicher Prolog beigegeben ist.]

[2] Nach dem Worte Jacob Burckhardts, zitiert bei Alexandra Konstantinowa (1907 [51]).

[3] [Die eingeklammerten Worte wurden 1923 hinzugefügt.]

[4] »*Egli per reverenza, rizzatosi a sedere sul letto, contando il mal suo e gli accidenti di quello, mostrava tuttavia, quanto aveva offeso Dio e gli uomini del mondo, non avendo operato nell' arte come si conveniva.*« Vasari, *Vite* etc. LXXXIII (1550 [herausgegeben von Poggi, 1919, 43]). [»Leonardo richtete sich ehrfurchtsvoll empor,

zählung Vasaris weder die äußere noch viel innere Wahrscheinlichkeit
für sich hat, sondern der Legende angehört, die sich um den geheimnisvollen Meister schon zu seinen Lebzeiten zu bilden begann, so verbleibt
ihr doch als Zeugnis für das Urteil jener Menschen und jener Zeiten ein
unbestreitbarer Wert.

Was war es, was die Persönlichkeit Leonardos dem Verständnis seiner
Zeitgenossen entrückte? Gewiß nicht die Vielseitigkeit seiner Anlagen
und Kenntnisse, die ihm gestattete, sich am Hofe des Lodovico Sforza,
zubenannt il Moro, Herzogs von Mailand, als Lautenspieler auf einem
von ihm neugeformten Instrumente einzuführen, oder ihn jenen merkwürdigen Brief an eben denselben schreiben ließ, in dem er sich seiner
Leistungen als Bau- und Kriegsingenieur berühmte. Denn an solche Vereinigung vielfältigen Könnens in einer Person waren die Zeiten der
Renaissance wohl gewöhnt; allerdings war Leonardo selbst eines der
glänzendsten Beispiele dafür. Auch gehörte er nicht jenem Typus genia-
ler Menschen an, die, von der Natur äußerlich karg bedacht, ihrerseits
keinen Wert auf die äußerlichen Formen des Lebens legen und in der
schmerzlichen Verdüsterung ihrer Stimmung den Verkehr der Menschen fliehen. Er war vielmehr groß und ebenmäßig gewachsen, von
vollendeter Schönheit des Gesichts und von ungewöhnlicher Körper-
kraft, bezaubernd in den Formen seines Umgangs, ein Meister der Rede,
heiter und liebenswürdig gegen alle; er liebte die Schönheit auch an den
Dingen, die ihn umgaben, trug gern prunkvolle Gewänder und schätzte
jede Verfeinerung der Lebensführung. In einer für seine heitere Genuß-
fähigkeit bedeutsamen Stelle des Traktats über Malerei[1] hat er die Malerei mit ihren Schwesterkünsten verglichen und die Beschwerden der
Arbeit des Bildhauers geschildert: »Da hat er das Gesicht ganz be-
schmiert und mit Marmorstaub eingepudert, so daß er wie ein Bäcker
ausschaut, und ist mit kleinen Marmorsplittern über und über bedeckt,
daß es aussieht, als hätte es ihm auf den Buckel geschneit, und seine Behausung, die ist voll Steinsplitter und Staub. Ganz das Gegenteil von
alle diesem ist beim Maler der Fall – ... denn der Maler sitzt mit großer
Bequemlichkeit vor seinem Werke, wohlgekleidet, und regt den ganz
leichten Pinsel mit den anmutigen Farben. Mit Kleidern ist er ge-

---

um im Bett zu sitzen, schilderte ihm sein Übel mit allen Umständen und klagte, daß er
gegen Gott und Menschen gefehlt habe, da er in der Kunst nichts getan habe, wie es
seine Pflicht gewesen wäre.« Vasari, *Künstler der Renaissance*, Ernst Vollmer Verlag
(o. J., 244).]
[1] *Traktat von der Malerei* [Leonardos *Trattato della Pittura*, übersetzt von Ludwig]
(1909 [36]). [Vgl. auch I. A. Richter (1952, 330 f.).]

schmückt, wie es ihm gefällt. Und seine Behausung, die ist voll heiterer Malereien und glänzend reinlich. Oft hat er Gesellschaft, von Musik, oder von Vorlesern verschiedener schöner Werke, und das wird ohne Hammergedröhn oder sonstigen Lärm mit großem Vergnügen angehört.«

Es ist ja sehr wohl möglich, daß die Vorstellung eines strahlend heiteren und genußfrohen Leonardo nur für die erste, längere Lebensperiode des Meisters recht hat. Von da an, als der Niedergang der Herrschaft des Lodovico Moro ihn zwang, Mailand, seinen Wirkungskreis und seine gesicherte Stellung zu verlassen, um ein unstetes, an äußeren Erfolgen wenig reiches Leben bis zum letzten Asyl in Frankreich zu führen, mag der Glanz seiner Stimmung verblichen und mancher befremdliche Zug seines Wesens stärker hervorgetreten sein. Auch die mit den Jahren zunehmende Wendung seiner Interessen von seiner Kunst zur Wissenschaft mußte dazu beitragen, die Kluft zwischen seiner Person und seinen Zeitgenossen zu erweitern. Alle die Versuche, mit denen er nach ihrer Meinung seine Zeit vertrödelte, anstatt emsig auf Bestellung zu malen und sich zu bereichern, wie etwa sein ehemaliger Mitschüler Perugino, erschienen ihnen als grillenhafte Spielereien oder brachten ihn selbst in den Verdacht, der »schwarzen Kunst« zu dienen. Wir verstehen ihn hierin besser, die wir aus seinen Aufzeichnungen wissen, welche Künste er übte. In einer Zeit, welche die Autorität der Kirche mit der der Antike zu vertauschen begann und voraussetzungslose Forschung noch nicht kannte, war er, der Vorläufer, ja ein nicht unwürdiger Mitbewerber von Bacon und Kopernikus, notwendig vereinsamt. Wenn er Pferde- und Menschenleichen zerlegte, Flugapparate baute, die Ernährung der Pflanzen und ihr Verhalten gegen Gifte studierte, rückte er allerdings weit ab von den Kommentatoren des Aristoteles und kam in die Nähe der verachteten Alchymisten, in deren Laboratorien die experimentelle Forschung wenigstens eine Zuflucht während dieser ungünstigen Zeiten gefunden hatte.

Für seine Malerei hatte dies die Folge, daß er ungern den Pinsel zur Hand nahm, immer weniger und seltener malte, das Angefangene meist unfertig stehenließ und sich um das weitere Schicksal seiner Werke wenig kümmerte. Das war es auch, was ihm seine Zeitgenossen zum Vorwurf machten, denen sein Verhältnis zur Kunst ein Rätsel blieb.

Mehrere der späteren Bewunderer Leonardos haben es versucht, den Makel der Unstetigkeit von seinem Charakter zu tilgen. Sie machen geltend, daß das, was man an Leonardo tadle, Eigentümlichkeit der großen

Künstler überhaupt sei. Auch der tatkräftige, sich in die Arbeit verbeißende Michelangelo habe viele seiner Werke unvollendet gelassen, und es sei so wenig seine Schuld gewesen wie die Leonardos im gleichen Falle. Auch sei so manches Bild nicht so sehr unfertig geblieben, als von ihm dafür erklärt worden. Was dem Laien schon ein Meisterwerk scheine, das sei für den Schöpfer des Kunstwerks immer noch eine unbefriedigende Verkörperung seiner Absichten; ihm schwebe eine Vollkommenheit vor, die er im Abbild wiederzugeben jedesmal verzage. Am wenigsten ginge es aber an, den Künstler für das endliche Schicksal verantwortlich zu machen, das seine Werke träfe.

So stichhaltig manche dieser Entschuldigungen auch sein mögen, so decken sie doch nicht den ganzen Sachverhalt, der uns bei Leonardo begegnet. Das peinliche Ringen mit dem Werke, die endliche Flucht vor ihm und die Gleichgültigkeit gegen sein weiteres Schicksal mag bei vielen anderen Künstlern wiederkehren; gewiß aber zeigte Leonardo dies Benehmen im höchsten Grade. Edm. Solmi zitiert (1910, 12) die Äußerung eines seiner Schüler: »*Pareva, che ad ogni ora tremasse, quando si poneva a dipingere, e però non diede mai fine ad alcuna cosa cominciata, considerando la grandezza dell' arte, tal che egli scorgeva errori in quelle cose, che ad altri parevano miracoli.*« [1] Seine letzten Bilder, die Leda, die Madonna di Sant' Onofrio, der Bacchus und der San Giovanni Battista giovane seien unvollendet geblieben »*come quasi intervenne di tutte le cose sue...*« [2] Lomazzo, der eine Kopie des Abendmahls anfertigte, berief sich auf die bekannte Unfähigkeit Leonardos, etwas fertig zu malen, in einem Sonett:

> »*Protogen che il penel di sue pitture*
> *Non levava, agguaglio il Vinci Divo,*
> *Di cui opra non è finita pure.*« [3]

Die Langsamkeit, mit welcher Leonardo arbeitete, war sprichwörtlich. Am Abendmahl im Kloster zu Santa Maria delle Grazie zu Mailand malte er nach den gründlichsten Vorstudien drei Jahre lang. Ein Zeitgenosse, der Novellenschreiber Matteo Bandelli, der damals als junger Mönch dem Kloster angehörte, erzählt, daß Leonardo häufig schon früh

---

[1] [»Er schien jedesmal zu zittern, wenn er den Pinsel ansetzte, um zu malen, und doch vollendete er keines der Werke, die er unternahm, denn er hatte von der Kunst eine so erhabene Meinung, daß er Fehler fand, wo andere Wunderwerke erblickten.«]

[2] [»Wie es mit fast allen seinen Werken geschah.«]

[3] [»Protogenes, der niemals den Pinsel von seinen Bildern absetzte, glich dem göttlichen Vinci, der niemals etwas vollenden konnte.«] Bei Scognamiglio (1900 [112]).

am Morgen das Gerüst bestiegen habe, um bis zur Dämmerung den Pinsel nicht aus der Hand zu legen, ohne an Essen und Trinken zu denken. Dann seien Tage verstrichen, ohne daß er Hand daran anlegte, bisweilen habe er stundenlang vor dem Gemälde verweilt und sich damit begnügt, es innerlich zu prüfen. Andere Male sei er aus dem Hofe des Mailänder Schlosses, wo er das Modell des Reiterstandbildes für Francesco Sforza formte, geradewegs ins Kloster gekommen, um ein paar Pinselstriche an einer Gestalt zu machen, dann aber unverzüglich aufgebrochen[1]. An dem Porträt der Mona Lisa, Gemahlin des Florentiners Francesco del Giocondo, malte er nach Vasaris Angabe vier Jahre lang, ohne es zur letzten Vollendung bringen zu können, wozu auch der Umstand stimmen mag, daß das Bild nicht dem Besteller abgeliefert wurde, sondern bei Leonardo verblieb, der es nach Frankreich mitnahm[2]. Von König Franz I. angekauft, bildet es heute einen der größten Schätze des Louvre.

Wenn man diese Berichte über die Arbeitsweise Leonardos mit dem Zeugnis der außerordentlich zahlreich von ihm erhaltenen Skizzen und Studienblätter zusammenhält, die jedes in seinen Bildern vorkommende Motiv auf das vielfältigste variieren, so muß man die Auffassung weit von sich weisen, als hätten Züge von Flüchtigkeit und Unbeständigkeit den mindesten Einfluß auf Leonardos Verhältnis zu seiner Kunst gewonnen. Man merkt im Gegenteile eine ganz außerordentliche Vertiefung, einen Reichtum an Möglichkeiten, zwischen denen die Entscheidung nur zögernd gefällt wird, Ansprüche, denen kaum zu genügen ist, und eine Hemmung in der Ausführung, die sich eigentlich auch durch das notwendige Zurückbleiben des Künstlers hinter seinem idealen Vorsatz nicht erklärt. Die Langsamkeit, die an Leonardos Arbeiten von jeher auffiel, erweist sich als ein Symptom dieser Hemmung, als der Vorbote der Abwendung von der Malerei, die später eintrat[3]. Sie war es auch, die das nicht unverschuldete Schicksal des Abendmahls bestimmte. Leonardo konnte sich nicht mit der Malerei al fresko befreunden, die ein rasches Arbeiten, solange der Malgrund noch feucht ist, erfordert; darum wählte er Ölfarben, deren Eintrocknen ihm gestattete, die Vollendung des Bildes nach Stimmung und Muße hinauszuziehen. Diese Farben lösten sich aber von dem Grunde, auf dem sie aufgetragen wurden

---

[1] W. v. Seidlitz (1909, Bd. 1, 203).   [2] v. Seidlitz (1909, Bd. 2, 48).
[3] W. Pater [1873, 100] *Die Renaissance*. Aus dem Englischen. Zweite Auflage 1906. »Doch sicher ist es, daß er in einem gewissen Abschnitt seines Lebens beinahe aufgehört hatte, Künstler zu sein.«

und der sie von der Mauer isolierte; die Fehler dieser Mauer und die
Schicksale des Raumes kamen hinzu, um die, wie es scheint, unabwendbare Verderbnis des Bildes zu entscheiden [1].

Durch das Mißglücken eines ähnlichen technischen Versuchs scheint das
Bild der Reiterschlacht bei Anghiari untergegangen zu sein, das er später in einer Konkurrenz mit Michelangelo an eine Wand der Sala del
Consiglio in Florenz zu malen begann und auch im unfertigen Zustand
im Stiche ließ. Es ist hier, als ob ein fremdes Interesse, das des Experi-
mentators, das künstlerische zunächst verstärkt habe, um dann das
Kunstwerk zu schädigen.

Der Charakter des Mannes Leonardo zeigte noch manche andere ungewöhnliche Züge und anscheinende Widersprüche. Eine gewisse Inaktivität und Indifferenz schien an ihm unverkennbar. Zu einer Zeit, da
jedes Individuum den breitesten Raum für seine Betätigung zu gewinnen suchte, was nicht ohne Entfaltung energischer Aggression gegen
andere abgehen kann, fiel er durch ruhige Friedfertigkeit, durch Ver-
meidung aller Gegnerschaften und Streitigkeiten auf. Er war mild und
gütig gegen alle, lehnte angeblich die Fleischnahrung ab, weil er es nicht
für gerechtfertigt hielt, Tieren das Leben zu rauben, und machte sich
einen besonderen Genuß daraus, Vögeln, die er auf dem Markte kaufte,
die Freiheit zu schenken [2]. Er verurteilte Krieg und Blutvergießen und
hieß den Menschen nicht so sehr den König der Tierwelt als vielmehr die
ärgste der wilden Bestien [3]. Aber diese weibliche Zartheit des Empfindens
hielt ihn nicht ab, verurteilte Verbrecher auf ihrem Wege zur Hinrichtung zu begleiten, um deren von Angst verzerrte Mienen zu studieren
und in seinem Taschenbuche abzuzeichnen, hinderte ihn nicht, die grau-
samsten Angriffswaffen zu entwerfen und als oberster Kriegsingenieur
in die Dienste des Cesare Borgia zu treten. Er erschien oft wie indifferent
gegen Gut und Böse, oder er verlangte mit einem besonderen Maße gemessen zu werden. In einer maßgebenden Stellung machte er den Feld-
zug des Cesare mit, der diesen rücksichtslosesten und treulosesten aller
Gegner in den Besitz der Romagna brachte. Nicht eine Zeile der Aufzeichnungen Leonardos verrät eine Kritik oder Anteilnahme an den
Vorgängen jener Tage. Der Vergleich mit Goethe während der Campagne in Frankreich ist hier nicht ganz abzuweisen.

---

[1] Vgl. bei v. Seidlitz (1909, Bd. 1 [205 ff.]) die Geschichte der Restaurations- und
Rettungsversuche.
[2] E. Müntz (1899, 18). (Ein Brief eines Zeitgenossen aus Indien an einen Medici spielt
auf diese Eigentümlichkeit Leonardos an. Nach J. P. Richter [1939, Bd. 2, 103–4,
Anm.].)   [3] F. Bottazzi (1910, 186).

Wenn ein biographischer Versuch wirklich zum Verständnis des Seelenlebens seines Helden durchdringen will, darf er nicht, wie dies in den meisten Biographien aus Diskretion oder aus Prüderie geschieht, die sexuelle Betätigung, die geschlechtliche Eigenart des Untersuchten mit Stillschweigen übergehen. Was hierüber bei Leonardo bekannt ist, ist wenig, aber dieses wenige bedeutungsvoll. In einer Zeit, die schrankenlose Sinnlichkeit mit düsterer Askese ringen sah, war Leonardo ein Beispiel von kühler Sexualablehnung, die man beim Künstler und Darsteller der Frauenschönheit nicht erwarten würde. Solmi[1] zitiert von ihm folgenden Satz, der seine Frigidität kennzeichnet: »Der Zeugungsakt und alles, was damit in Verbindung steht, ist so abscheulich, daß die Menschen bald aussterben würden, wäre es nicht eine althergebrachte Sitte und gäbe es nicht noch hübsche Gesichter und sinnliche Veranlagungen.« Seine hinterlassenen Schriften, die ja nicht nur die höchsten wissenschaftlichen Probleme behandeln, sondern auch Harmlosigkeiten enthalten, welche uns eines so großen Geistes kaum würdig erscheinen (eine allegorische Naturgeschichte, Tierfabeln, Schwänke, Prophezeiungen[2]), sind in einem Grade keusch – man möchte sagen: abstinent –, der in einem Werke der schönen Literatur auch heute wundernehmen würde. Sie weichen allem Sexuellen so entschieden aus, als wäre allein der Eros, der alles Lebende erhält, kein würdiger Stoff für den Wissensdrang des Forschers[3]. Es ist bekannt, wie häufig große Künstler sich darin gefallen, ihre Phantasie in erotischen und selbst derb obszönen Darstellungen auszutoben; von Leonardo besitzen wir zum Gegensatze nur einige anatomische Zeichnungen über die inneren Genitalien des Weibes, die Lage der Frucht im Mutterleibe und dgl.[4]

[1] Solmi (1908 [24]). [2] Marie Herzfeld (1906).
[3] Vielleicht machen hier die von ihm gesammelten Schwänke – *belle facezie* –, die nicht übersetzt vorliegen, eine, übrigens belanglose Ausnahme. Vgl. Herzfeld (1906, CLI). [Diese Erwähnung des Eros, »der alles Lebende erhält«, scheint eine Vorwegnahme des Terminus Eros zu sein, wie ihn Freud zehn Jahre später mit fast den gleichen Worten als allgemeine Bezeichnung der sexuellen Triebe im Gegensatz zum Todestrieb einführte. Siehe z. B. *Jenseits des Lustprinzips* (1920 g), in der Mitte des Kapitels VI.]
[4] [Die Anmerkung wurde 1919 hinzugefügt.] Eine Zeichnung von Leonardo, die den Geschlechtsakt in einem anatomischen Sagittaldurchschnitt darstellt und gewiß nicht obszön zu nennen ist, läßt einige merkwürdige Irrtümer erkennen, welche Dr. R. Reitler (1917) entdeckt und im Sinne der hier gegebenen Charakteristik Leonardos besprochen hat [vgl. Fig. 1]: »Und dieser übergroße Forschertrieb hat gerade bei der Darstellung des Zeugungsaktes – selbstverständlich nur infolge seiner noch größeren Sexualverdrängung – ganz und gar versagt. Der männliche Körper ist in ganzer Figur, der weibliche nur zum Teile gezeichnet. Wenn man einem unbefangenen Beschauer die hier wiedergegebene Zeichnung in der Weise zeigt, daß man mit Ausnahme des Kopfes alle unterhalb befindlichen Partien zudeckt, so kann mit Sicherheit erwartet werden,

Es ist zweifelhaft, ob Leonardo jemals ein Weib in Liebe umarmt hat; auch von einer intimen seelischen Beziehung zu einer Frau, wie die Michelangelos zur Vittoria Colonna, ist nichts bekannt. Als er noch als Lehrling im Hause seines Meisters Verrocchio lebte, traf ihn mit ande-

daß der Kopf für weiblich gehalten wird. Die welligen Locken sowohl am Vorderhaupte als auch die, welche den Rücken entlang beiläufig bis zum 4. oder 5. Dorsalwirbel herabwallen, kennzeichnen den Kopf entschieden als einen mehr femininen als virilen. Die weibliche Brust zeigt zwei Mängel, und zwar erstens in künstlerischer Beziehung, denn ihr Umriß bietet den Anblick einer unschön herabhängenden Schlappbrust, und zweitens auch in anatomischer Hinsicht, denn der Forscher Leonardo war offenbar durch seine Sexualabwehr verhindert worden, sich nur einmal die Brustwarze eines säugenden Weibes genau anzusehen. Hätte er das getan, so müßte er bemerkt haben, daß die Milch aus verschiedenen, voneinander getrennten Ausführungsgängen herausströmt. Leonardo aber zeichnete nur einen einzigen Kanal, der weit in den Bauchraum hinunterreicht und wahrscheinlich nach Leonardos Meinung die Milch aus der *Cysterna chyli* bezieht, vielleicht auch mit den Sexualorganen in irgendeiner Verbindung steht. Allerdings muß in Betracht gezogen werden, daß das Studium der inneren Organe des menschlichen Körpers in damaliger Zeit äußerst erschwert war, weil das Sezieren von Verstorbenen als Leichenschändung angesehen und strengstens bestraft wurde. Ob Leonardo, dem ja nur ein sehr kleines Sektionsmaterial zur Verfügung stand, von der Existenz eines Lymphreservoirs im Bauchraum überhaupt etwas gewußt hat, ist somit eigentlich recht fraglich, obzwar er in seiner Zeichnung zweifellos einen derart zu deutenden Hohlraum darstellt. Daß er aber den Milchkanal noch tiefer nach abwärts bis zu den inneren Sexualorganen reichend zeichnete, läßt vermuten, daß er das zeitliche Zusammenfallen des Beginnes der Milchabsonderung mit dem Ende der Schwangerschaft auch durch sinnfällige anatomische Zusammenhänge darzustellen suchte. Wenn wir nun auch des Künstlers mangelhafte Kenntnisse der Anatomie mit Rücksicht auf die Verhältnisse seiner Zeit gerne entschuldigen wollen, so ist es doch auffallend, daß Leonardo gerade das weibliche Genitale so vernachlässigt behandelt hat. Man kann wohl die Vagina und eine Andeutung der *Portio uteri* erkennen, die Gebärmutter selbst ist aber in ganz verworrenen Linien gezeichnet.
Das männliche Genitale hingegen hat Leonardo viel korrekter dargestellt. So zum Beispiel hat er sich nicht begnügt, den Testikel zu zeichnen, sondern hat auch ganz richtig die Epididymis in die Skizze aufgenommen.
Äußerst merkwürdig ist die Stellung, in welcher Leonardo den Koitus vollziehen läßt. Es gibt Bilder und Zeichnungen hervorragender Künstler, die den *coitus a tergo, a latere* usw. darstellen, aber einen Geschlechtsakt im Stehen zu zeichnen, da muß wohl eine ganz besonders starke Sexualverdrängung als Ursache dieser solitären, beinahe grotesken Darstellung vermutet werden. Wenn man genießen will, so pflegt man es sich so bequem als möglich zu machen. Das gilt natürlich für beide Urtriebe, für Hunger und Liebe. Die meisten Völker des Altertums nahmen beim Mahle eine liegende Stellung ein, und beim Koitus liegt man normalerweise heutzutage gerade so bequem, wie unsere Vorfahren es taten. Durch das Liegen wird gewissermaßen das Wollen ausgedrückt, in der erwünschten Situation längere Zeit hindurch zu verweilen.
Auch die Gesichtszüge des femininen Männerkopfes zeigen eine geradezu unwillige Abwehr. Die Brauen sind gerunzelt, der Blick ist mit einem Ausdrucke von Scheu seitwärts gerichtet, die Lippen sind zusammengepreßt und ihre Winkel nach unten verzogen. Dieses Gesicht läßt wahrlich weder die Lust des Liebespendens noch die Seligkeit des Gewährens erkennen; es drückt nur Unwillen und Abscheu aus.
Die gröbste Fehlleistung hat aber Leonardo bei der Zeichnung der beiden unteren Extremitäten begangen. Der Fuß des Mannes sollte nämlich der rechte sein; denn da

ren jungen Leuten eine Anzeige wegen verbotenen homosexuellen Umganges, die mit seinem Freispruch endete. Es scheint, daß er in diesen Verdacht geriet, weil er sich eines übel beleumundeten Knaben als Modells bediente[1]. Als Meister umgab er sich mit schönen Knaben und

Leonardo den Zeugungsakt in Form eines anatomischen Sagittaldurchschnittes darstellte, so müßte ja der linke männliche Fuß oberhalb der Bildfläche gedacht werden, und umgekehrt sollte aus demselben Grunde der weibliche Fuß der linken Seite angehören. Tatsächlich aber hat Leonardo weiblich und männlich vertauscht. Die Figur des Mannes besitzt einen linken, die des Weibes einen rechten Fuß. Bezüglich dieser Vertauschung orientiert man sich am leichtesten, wenn man bedenkt, daß die großen Zehen der Innenseite der Füße angehören.

Aus dieser anatomischen Zeichnung allein hätte man die den großen Künstler und Forscher beinahe verwirrende Libidoverdrängung erschließen können.«

[Hier ergänzte Freud 1923:] Diese Darstellung Reitlers hat allerdings die Kritik gefunden, es sei nicht zulässig, aus einer flüchtigen Zeichnung so ernste Schlüsse zu ziehen, und es stehe nicht einmal fest, ob die Stücke der Zeichnung wirklich zusammengehören.

[Die hier wiedergegebene, von Reitler analysierte und von ihm (wie infolgedessen auch von Freud) für das Leonardosche Original gehaltene anatomische Zeichnung ist in Wirklichkeit, wie sich inzwischen herausgestellt hat, eine Reproduktion einer Lithographie von Wehrt, die 1830 selbst als Kopie eines seinerseits 1812 herausgebrachten Kupferstichs von Bartolozzi veröffentlicht wurde. Bartolozzi ergänzte die Füße, die Leonardo fortgelassen hat, und Wehrt fügte im Antlitz des Mannes den mürrischen Ausdruck hinzu. Leonardos Originalzeichnung, die sich im Schloß

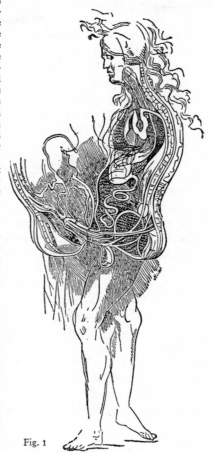

Fig. 1

von Windsor (*Quaderni d'Anatomia,* III folio, 3 v.) befindet, zeigt das Antlitz in ruhiger neutraler Stimmung.]

[1] Auf diesen Zwischenfall bezieht sich nach Scognamiglio (1900, 49) eine dunkle und selbst verschieden gelesene Stelle des *Codex Atlanticus: Quando io feci Domeneddio putto voi mi mettete in prigione, ora s'io lo fo grande, voimi farete peggio.* [Etwa:

Jünglingen, die er zu Schülern annahm. Der letzte dieser Schüler, Francesco Melzi, begleitete ihn nach Frankreich, blieb bis zu seinem Tode bei ihm und wurde von ihm zum Erben eingesetzt. Ohne die Sicherheit seiner modernen Biographen zu teilen, die die Möglichkeit eines sexuellen Verkehrs zwischen ihm und seinen Schülern natürlich als eine grundlose Beschimpfung des großen Mannes verwerfen, mag man es für weitaus wahrscheinlicher halten, daß die zärtlichen Beziehungen Leonardos zu den jungen Leuten, die nach damaliger Schülerart sein Leben teilten, nicht in geschlechtliche Betätigung ausliefen. Man wird ihm auch von sexueller Aktivität kein hohes Maß zumuten dürfen.

Die Eigenart dieses Gefühls- und Geschlechtslebens läßt sich im Zusammenhalt mit Leonardos Doppelnatur als Künstler und Forscher nur in einer Weise begreifen. Von den Biographen, denen psychologische Gesichtspunkte oft sehr ferne liegen, hat meines Wissens nur einer, Edm. Solmi, sich der Lösung des Rätsels genähert; ein Dichter aber, der Leonardo zum Helden eines großen historischen Romans gewählt hat, Dmitry Sergewitsch Mereschkowski, hat seine Darstellung auf solches Verständnis des ungewöhnlichen Mannes gegründet und seine Auffassung, wenn auch nicht in dürren Worten, so doch nach der Weise des Dichters in plastischem Ausdruck unverkennbar geäußert[1]. Solmi urteilt über Leonardo: »Aber das unstillbare Verlangen, alles ihn Umgebende zu erkennen und mit kalter Überlegenheit das tiefste Geheimnis alles Vollkommenen zu ergründen, hatte Leonardos Werke dazu verdammt, stets unfertig zu bleiben.«[2] In einem Aufsatze der *Conference Fiorentine* wird die Äußerung Leonardos zitiert, die sein Glaubensbekenntnis und den Schlüssel zu seinem Wesen ausliefert:

»*Nessuna cosa si può amare nè odiare, se prima non si ha cognition di quella.*«[3]

Also: Man hat kein Recht, etwas zu lieben oder zu hassen, wenn man sich nicht gründliche Erkenntnis seines Wesens verschafft hat. Und dasselbe wiederholt Leonardo an einer Stelle des Traktats von der Malerei, wo er sich gegen den Vorwurf der Irreligiosität zu verteidigen scheint:

»Als ich Gott, den Herrn, als Neugeborenes darstellte, warfst du mich ins Gefängnis; wenn ich ihn nun als erwachsen darstelle, wirst du mir Schlimmeres antun.«]

[1] Mereschkowski [1902]: *Leonardo da Vinci.* (Deutsche Übersetzung, 1903.) Das Mittelstück einer großen Romantrilogie, die *Christ und Antichrist* betitelt ist. Die beiden anderen Bände heißen *Julian Apostata* und *Peter der Große und Alexei.*

[2] Solmi (1908, 46).

[3] Bottazzi (1910, 193) [J. P. Richter (1939, Bd. 2, 244)].

»Solche Tadler mögen aber stillschweigen. Denn jenes (Tun) ist die Weise, den Werkmeister so vieler bewundernswerter Dinge kennenzulernen, und dies der Weg, einen so großen Erfinder zu lieben. Denn wahrlich, große Liebe entspringt aus großer Erkenntnis des geliebten Gegenstandes, und wenn du diesen wenig kennst, so wirst du ihn nur wenig oder gar nicht lieben können...«[1]

Der Wert dieser Äußerungen Leonardos kann nicht darin gesucht werden, daß sie eine bedeutsame psychologische Tatsache mitteilen, denn was sie behaupten, ist offenkundig falsch, und Leonardo mußte dies ebensogut wissen wie wir. Es ist nicht wahr, daß die Menschen mit ihrer Liebe oder ihrem Haß warten, bis sie den Gegenstand, dem diese Affekte gelten, studiert und in seinem Wesen erkannt haben, vielmehr lieben sie impulsiv auf Gefühlsmotive hin, die mit Erkenntnis nichts zu tun haben und deren Wirkung durch Besinnung und Nachdenken höchstens abgeschwächt wird. Leonardo konnte also nur gemeint haben, was die Menschen üben, das sei nicht die richtige, einwandfreie Liebe, man *sollte* so lieben, daß man den Affekt aufhalte, ihn der Gedankenarbeit unterwerfe und erst frei gewähren lasse, nachdem er die Prüfung durch das Denken bestanden hat. Und wir verstehen dabei, daß er uns sagen will, bei ihm sei es so; es wäre für alle anderen erstrebenswert, wenn sie es mit Liebe und Haß so hielten wie er selbst.

Und bei ihm scheint es wirklich so gewesen zu sein. Seine Affekte waren gebändigt, dem Forschertrieb unterworfen; er liebte und haßte nicht, sondern fragte sich, woher das komme, was er lieben oder hassen solle, und was es bedeute, und so mußte er zunächst indifferent erscheinen gegen Gut und Böse, gegen Schönes und Häßliches. Während dieser Forscherarbeit warfen Liebe und Haß ihre Vorzeichen ab und wandelten sich gleichmäßig in Denkinteresse um. In Wirklichkeit war Leonardo nicht leidenschaftslos, er entbehrte nicht des göttlichen Funkens, der mittelbar oder unmittelbar die Triebkraft – *il primo motore* – alles menschlichen Tuns ist. Er hatte die Leidenschaft nur in Wissensdrang verwandelt; er ergab sich nun der Forschung mit jener Ausdauer, Stetigkeit, Vertiefung, die sich aus der Leidenschaft ableiten, und auf der Höhe der geistigen Arbeit, nach gewonnener Erkenntnis, läßt er den lange zurückgehaltenen Affekt losbrechen, frei abströmen wie einen vom Strome abgeleiteten Wasserarm, nachdem er das Werk getrieben hat. Auf der Höhe einer Erkenntnis, wenn er ein großes Stück des Zu-

---

[1] Leonardo da Vinci, *Traktat von der Malerei* (übersetzt von Ludwig, 1909, 54).

sammenhanges überschauen kann, dann erfaßt ihn das Pathos und er preist in schwärmerischen Worten die Großartigkeit jenes Stückes der Schöpfung, das er studiert hat, oder – in religiöser Einkleidung – die Größe seines Schöpfers. Solmi hat diesen Prozeß der Umwandlung bei Leonardo richtig erfaßt. Nach dem Zitat einer solchen Stelle, in der Leonardo den hehren Zwang der Natur (*»O mirabile necessità*...*«*) gefeiert hat, sagt er: *Tale trasfigurazione della scienza della natura in emozione, quasi direi, religiosa, è uno dei tratti caratteristici de' manoscritti vinciani, e si trova cento e cento volte espressa*...[1]

Man hat Leonardo wegen seines unersättlichen und unermüdlichen Forscherdranges den italienischen Faust geheißen. Aber von allen Bedenken gegen die mögliche Rückverwandlung des Forschertriebs in Lebenslust abgesehen, die wir als die Voraussetzung der Fausttragödie annehmen müssen, möchte man die Bemerkung wagen, daß die Entwicklung Leonardos an spinozistische Denkweise streift.

Die Umsetzungen der psychischen Triebkraft in verschiedene Formen der Betätigung sind vielleicht ebensowenig ohne Einbuße konvertierbar wie die der physikalischen Kräfte. Das Beispiel Leonardos lehrt, wie vielerlei anderes an diesen Prozessen zu verfolgen ist. Aus dem Aufschub, erst zu lieben, nachdem man erkannt hat, wird ein Ersatz. Man liebt und haßt nicht mehr recht, wenn man zur Erkenntnis durchgedrungen ist; man bleibt jenseits von Liebe und Haß. Man hat geforscht, anstatt zu lieben. Und darum vielleicht ist Leonardos Leben so viel ärmer an Liebe gewesen als das anderer Großer und anderer Künstler. Die stürmischen Leidenschaften erhebender und verzehrender Natur, in denen andere ihr Bestes erlebten, scheinen ihn nicht getroffen zu haben.

Und noch andere Folgen. Man hat auch geforscht, anstatt zu handeln, zu schaffen. Wer die Großartigkeit des Weltzusammenhanges und dessen Notwendigkeiten zu ahnen begonnen hat, der verliert leicht sein eigenes kleines Ich. In Bewunderung versunken, wahrhaft demütig geworden, vergißt man zu leicht, daß man selbst ein Stück jener wirkenden Kräfte ist und es versuchen darf, nach dem Ausmaß seiner persönlichen Kraft ein Stückchen jenes notwendigen Ablaufes der Welt abzuändern, der Welt, in welcher das Kleine doch nicht minder wunderbar und bedeutsam ist als das Große.

Leonardo hatte vielleicht, wie Solmi meint, im Dienste seiner Kunst zu

---

[1] [»Eine solche Umformung der Naturwissenschaft in ein fast religiös zu nennendes Gefühl ist ein Charakteristikum der Manuskripte Leonardos, wie sich an hunderten und aber hunderten von Beispielen zeigen läßt.«] Solmi (1910, 11).

forschen begonnen[1], er bemühte sich um die Eigenschaften und Gesetze des Lichts, der Farben, Schatten, der Perspektive, um sich die Meisterschaft in der Nachahmung der Natur zu sichern und anderen den gleichen Weg zu weisen. Wahrscheinlich überschätzte er schon damals den Wert dieser Kenntnisse für den Künstler. Dann trieb es ihn, noch immer am Leitseil des malerischen Bedürfnisses, zur Erforschung der Objekte der Malerei, der Tiere und Pflanzen, der Proportionen des menschlichen Körpers, vom Äußeren derselben weg zur Kenntnis ihres inneren Baues und ihrer Lebensfunktionen, die sich ja auch in ihrer Erscheinung ausdrücken und von der Kunst Darstellung verlangen. Und endlich riß ihn der übermächtig gewordene Trieb fort, bis der Zusammenhang mit den Anforderungen seiner Kunst zerriß, so daß er die allgemeinen Gesetze der Mechanik auffand, daß er die Geschichte der Ablagerungen und Versteinerungen im Arnotal erriet und bis daß er in sein Buch mit großen Buchstaben die Erkenntnis eintragen konnte: *Il sole non si move*[2]. Auf so ziemlich alle Gebiete der Naturwissenschaft dehnte er seine Forschungen aus, auf jedem einzelnen ein Entdecker oder wenigstens Vorhersager und Pfadfinder[3]. Doch blieb sein Wissensdrang auf die Außenwelt gerichtet, von der Erforschung des Seelenlebens der Menschen hielt ihn etwas fern; in der »Academia Vinciana« [S. 150], für die er kunstvoll verschlungene Embleme zeichnete, war für die Psychologie wenig Raum.

Versuchte er dann von der Forschung zur Kunstübung zurückzukehren, von der er ausgegangen war, so erfuhr er an sich die Störung durch die neue Einstellung seiner Interessen und die veränderte Natur seiner psychischen Arbeit. Am Bild interessierte ihn vor allem ein Problem, und hinter diesem einen sah er ungezählte andere Probleme auftauchen, wie er es in der endlosen und unabschließbaren Naturforschung gewohnt war. Er brachte sich nicht mehr dazu, seinen Anspruch zu beschränken, das Kunstwerk zu isolieren, es aus dem großen Zusammenhang zu reißen, in

---

[1] Solmi (1910, 8): »Leonardo aveva posto, come regola al pittore, lo studio della natura..., poi la passione dello studio era divenuta dominante, egli aveva voluto acquistare non più la scienza per l'arte, ma la scienza per la scienza.« [»Leonardo hatte zunächst den Malern das Studium der Natur zur Regel gesetzt...; dann aber wurde der Wissensdrang allesbeherrschend, und er wollte nun nicht mehr um der Kunst willen Wissen erwerben, sondern um der Wissenschaft willen.«]

[2] [»Die Sonne bewegt sich nicht«. *Quaderni d'Anatomia*, 1–6, Royal Library, Windsor, V, 25.]

[3] Siehe die Aufzählung seiner wissenschaftlichen Leistungen in der schönen biographischen Einleitung der Marie Herzfeld (1906), in den einzelnen Essays der *Conferenze Fiorentine* (1910) und anderwärts.

den er es gehörig wußte. Nach den erschöpfendsten Bemühungen, alles in ihm zum Ausdruck zu bringen, was sich in seinen Gedanken daran knüpfte, mußte er es unfertig im Stiche lassen oder es für unvollendet erklären.

Der Künstler hatte einst den Forscher als Handlanger in seinen Dienst genommen, nun war der Diener der stärkere geworden und unterdrückte seinen Herrn.

Wenn wir im Charakterbilde einer Person einen einzigen Trieb überstark ausgebildet finden, wie bei Leonardo die Wißbegierde, so berufen wir uns zur Erklärung auf eine besondere Anlage, über deren wahrscheinlich organische Bedingtheit meist noch nichts Näheres bekannt ist. Durch unsere psychoanalytischen Studien an Nervösen werden wir aber zwei weiteren Erwartungen geneigt, die wir gern in jedem einzelnen Falle bestätigt finden möchten. Wir halten es für wahrscheinlich, daß jener überstarke Trieb sich bereits in der frühesten Kindheit der Person betätigt hat, und daß seine Oberherrschaft durch Eindrücke des Kinderlebens festgelegt wurde, und wir nehmen ferner an, daß er ursprünglich sexuelle Triebkräfte zu seiner Verstärkung herangezogen hat, so daß er späterhin ein Stück des Sexuallebens vertreten kann. Ein solcher Mensch würde also zum Beispiel forschen mit jener leidenschaftlichen Hingabe, mit der ein anderer seine Liebe ausstattet, und er könnte forschen anstatt zu lieben. Nicht nur beim Forschertrieb, sondern auch in den meisten anderen Fällen von besonderer Intensität eines Triebes würden wir den Schluß auf eine sexuelle Verstärkung desselben wagen.

Die Beobachtung des täglichen Lebens der Menschen zeigt uns, daß es den meisten gelingt, ganz ansehnliche Anteile ihrer sexuellen Triebkräfte auf ihre Berufstätigkeit zu leiten. Der Sexualtrieb eignet sich ganz besonders dazu, solche Beiträge abzugeben, da er mit der Fähigkeit der Sublimierung begabt, das heißt imstande ist, sein nächstes Ziel gegen andere, eventuell höher gewertete und nicht sexuelle, Ziele zu vertauschen. Wir halten diesen Vorgang für erwiesen, wenn uns die Kindergeschichte, also die seelische Entwicklungsgeschichte, einer Person zeigt, daß zur Kinderzeit der übermächtige Trieb im Dienste sexueller Interessen stand. Wir finden eine weitere Bestätigung darin, wenn sich im Sexualleben reifer Jahre eine auffällige Verkümmerung dartut, gleichsam als ob ein Stück der Sexualbetätigung nun durch die Betätigung des übermächtigen Triebes ersetzt wäre.

Die Anwendung dieser Erwartungen auf den Fall des übermächtigen Forschertriebes scheint besonderen Schwierigkeiten zu unterliegen, da

man gerade den Kindern weder diesen ernsthaften Trieb noch bemer-
kenswerte sexuelle Interessen zutrauen möchte. Indes sind diese Schwierigkeiten leicht zu beheben. Von der Wißbegierde der kleinen Kinder
zeugt deren unermüdliche Fragelust, die dem Erwachsenen rätselhaft
ist, solange er nicht versteht, daß alle diese Fragen nur Umschweife sind
und daß sie kein Ende nehmen können, weil das Kind durch sie nur eine
Frage ersetzen will, die es doch nicht stellt. Ist das Kind größer und
einsichtsvoller geworden, so bricht diese Äußerung der Wißbegierde oft
plötzlich ab. Eine volle Aufklärung gibt uns aber die psychoanalytische
Untersuchung, indem sie uns lehrt, daß viele, vielleicht die meisten,
jedenfalls die bestbegabten Kinder etwa vom dritten Lebensjahr an
eine Periode durchmachen, die man als die der *infantilen Sexualforschung* bezeichnen darf. Die Wißbegierde erwacht bei den Kindern dieses
Alters, soviel wir wissen, nicht spontan, sondern wird durch den Eindruck eines wichtigen Erlebnisses geweckt, durch die erfolgte oder nach
auswärtigen Erfahrungen gefürchtete Geburt eines Geschwisterchens, in
der das Kind eine Bedrohung seiner egoistischen Interessen erblickt. Die
Forschung richtet sich auf die Frage, woher die Kinder kommen, gerade-
so, als ob das Kind nach Mitteln und Wegen suchte, ein so unerwünsch-
tes Ereignis zu verhüten. Wir haben so mit Erstaunen erfahren, daß das
Kind den ihm gegebenen Auskünften den Glauben verweigert, zum Beispiel die mythologisch so sinnreiche Storchfabel energisch abweist, daß
es von diesem Akte des Unglaubens an seine geistige Selbständigkeit da-
tiert, sich oft in erstem Gegensatze zu den Erwachsenen fühlt und diesen
eigentlich niemals mehr verzeiht, daß es bei diesem Anlasse um die
Wahrheit betrogen wurde. Es forscht auf eigenen Wegen, errät den Aufenthalt des Kindes im Mutterleibe und schafft sich, von den Regungen
der eigenen Sexualität geleitet, Ansichten über die Herkunft des Kindes
vom Essen, über sein Geborenwerden durch den Darm, über die schwer
zu ergründende Rolle des Vaters, und es ahnt bereits damals die Existenz des sexuellen Aktes, der ihm als etwas Feindseliges und Gewalt-
tätiges erscheint. Aber wie seine eigene Sexualkonstitution der Aufgabe
der Kinderzeugung noch nicht gewachsen ist, so muß auch seine Forschung, woher die Kinder kommen, im Sande verlaufen und als unvoll-
endbar im Stiche gelassen werden. Der Eindruck dieses Mißglückens bei
der ersten Probe intellektueller Selbständigkeit scheint ein nachhaltiger
und tief deprimierender zu sein[1].

---

[1] Zur Erhärtung dieser unwahrscheinlich klingenden Behauptungen nehme man Einsicht
in die ›Analyse der Phobie eines fünfjährigen Knaben‹ (1909 *b*) und in ähnliche Beob-

Wenn die Periode der infantilen Sexualforschung durch einen Schub energischer Sexualverdrängung abgeschlossen worden ist, leiten sich für das weitere Schicksal des Forschertriebes drei verschiedene Möglichkeiten aus seiner frühzeitlichen Verknüpfung mit sexuellen Interessen ab. Entweder die Forschung teilt das Schicksal der Sexualität, die Wißbegierde bleibt von da an gehemmt und die freie Betätigung der Intelligenz vielleicht für Lebenszeit eingeschränkt, besonders da kurze Zeit nachher durch die Erziehung die mächtige religiöse Denkhemmung zur Geltung gebracht wird. Dies ist der Typus der neurotischen Hemmung. Wir verstehen sehr wohl, daß die so erworbene Denkschwäche dem Ausbruch einer neurotischen Erkrankung wirksamen Vorschub leistet. In einem zweiten Typus ist die intellektuelle Entwicklung kräftig genug, um der an ihr zerrenden Sexualverdrängung zu widerstehen. Einige Zeit nach dem Untergang der infantilen Sexualforschung, wenn die Intelligenz erstarkt ist, bietet sie eingedenk der alten Verbindung ihre Hilfe zur Umgehung der Sexualverdrängung, und die unterdrückte Sexualforschung kehrt als Grübelzwang aus dem Unbewußten zurück, allerdings entstellt und unfrei, aber mächtig genug, um das Denken selbst zu sexualisieren und die intellektuellen Operationen mit der Lust und der Angst der eigentlichen Sexualvorgänge zu betonen. Das Forschen wird hier zur Sexualbetätigung, oft zur ausschließlichen, das Gefühl der Erledigung in Gedanken, der Klärung, wird an die Stelle der sexuellen Befriedigung gesetzt; aber der unabschließbare Charakter der Kinderforschung wiederholt sich auch darin, daß dies Grübeln nie ein Ende findet und daß das gesuchte intellektuelle Gefühl der Lösung immer weiter in die Ferne rückt.

Der dritte, seltenste und vollkommenste, Typus entgeht kraft besonderer Anlage der Denkhemmung wie dem neurotischen Denkzwang. Die Sexualverdrängung tritt zwar auch hier ein, aber es gelingt ihr nicht, einen Partialtrieb der Sexuallust ins Unbewußte zu weisen, sondern die Libido entzieht sich dem Schicksal der Verdrängung, indem sie sich von Anfang an in Wißbegierde sublimiert und sich zu dem kräftigen Forschertrieb als Verstärkung schlägt. Auch hier wird das Forschen gewissermaßen zum Zwang und zum Ersatz der Sexualbetätigung, aber infolge

---

achtungen. [Vor 1924 lautete diese Zeile: »und die ähnliche Beobachtung im II. Band« (des *Jahrbuchs für psychoanalytische und psychopathologische Forschungen*) – ein Hinweis auf Jung (1910).] In einem Aufsatze über die ›Infantilen Sexualtheorien‹ (1908 c) schrieb ich: »Dieses Grübeln und Zweifeln wird aber vorbildlich für alle spätere Denkarbeit an Problemen, und der erste Mißerfolg wirkt für alle Zeiten lähmend fort.«

der völligen Verschiedenheit der zugrunde liegenden psychischen Prozesse (Sublimierung anstelle des Durchbruchs aus dem Unbewußten)
bleibt der Charakter der Neurose aus, die Gebundenheit an die ursprünglichen Komplexe der infantilen Sexualforschung entfällt, und der
Trieb kann sich frei im Dienste des intellektuellen Interesses betätigen.
Der Sexualverdrängung, die ihn durch den Zuschuß von sublimierter
Libido so stark gemacht hat, trägt er noch Rechnung, indem er die Beschäftigung mit sexuellen Themen vermeidet.

Wenn wir das Zusammentreffen des übermächtigen Forschertriebes bei
Leonardo mit der Verkümmerung seines Sexuallebens erwägen, welches
sich auf sogenannte ideelle [sublimierte] Homosexualität einschränkt,
werden wir geneigt sein, ihn als einen Musterfall unseres dritten Typus
in Anspruch zu nehmen. Daß es ihm nach infantiler Betätigung der Wißbegierde im Dienste sexueller Interessen dann gelungen ist, den größeren Anteil seiner Libido in Forscherdrang zu sublimieren, das wäre
der Kern und das Geheimnis seines Wesens. Aber freilich der Beweis
für diese Auffassung ist nicht leicht zu erbringen. Wir bedürften hiezu
eines Einblickes in die seelische Entwicklung seiner ersten Kinderjahre,
und es erscheint töricht, auf solches Material zu hoffen, wenn die Nachrichten über sein Leben so spärlich und so unsicher sind und wenn es
sich überdies um Auskünfte über Verhältnisse handelt, die sich noch bei
Personen unserer eigenen Generation der Aufmerksamkeit der Beobachter entziehen.

Wir wissen sehr wenig von der Jugend Leonardos. Er wurde 1452 in
dem kleinen Städtchen Vinci zwischen Florenz und Empoli geboren; er
war ein uneheliches Kind, was in jener Zeit gewiß nicht als schwerer
bürgerlicher Makel betrachtet wurde; sein Vater war Ser Piero da Vinci,
ein Notar und Abkömmling einer Familie von Notaren und Land-
bebauern, die ihren Namen nach dem Orte Vinci führten; seine Mutter
eine Caterina, wahrscheinlich ein Bauernmädchen, die später mit einem
anderen Einwohner von Vinci verheiratet war. Diese Mutter kommt in
der Lebensgeschichte Leonardos nicht mehr vor, nur der Dichter Mereschkowski glaubt ihre Spur nachweisen zu können. Die einzige sichere
Auskunft über Leonardos Kindheit gibt ein amtliches Dokument aus
dem Jahre 1457, ein Florentiner Steuerkataster, in welchem unter den
Hausgenossen der Familie Vinci Leonardo als fünfjähriges illegitimes
Kind des Ser Piero angeführt wird [1]. Die Ehe Ser Pieros mit einer Donna

---

[1] Scognamiglio (1900, 15).

Albiera blieb kinderlos, darum konnte der kleine Leonardo im Hause seines Vaters aufgezogen werden. Dies Vaterhaus verließ er erst, als er, unbekannt in welchem Alter, als Lehrling in die Werkstatt des Andrea del Verrocchio eintrat. Im Jahre 1472 findet sich Leonardos Name bereits im Verzeichnis der Mitglieder der »*Compagnia dei Pittori*«. Das ist alles.

II. KAPITEL

Ein einziges Mal, soviel mir bekannt ist, hat Leonardo in eine seiner wissenschaftlichen Niederschriften eine Mitteilung aus seiner Kindheit eingestreut. An einer Stelle, die vom Fluge des Geiers handelt, unterbricht er sich plötzlich, um einer in ihm auftauchenden Erinnerung aus sehr frühen Jahren zu folgen.

»Es scheint, daß es mir schon vorher bestimmt war, mich so gründlich mit dem Geier zu befassen, denn es kommt mir als eine ganz frühe Erinnerung in den Sinn, als ich noch in der Wiege lag, ist ein Geier zu mir herabgekommen, hat mir den Mund mit seinem Schwanz geöffnet und viele Male mit diesem seinen Schwanz gegen meine Lippen gestoßen.«[1]

Eine Kindheitserinnerung also, und zwar höchst befremdender Art. Befremdend wegen ihres Inhaltes und wegen der Lebenszeit, in die sie verlegt wird. Daß ein Mensch eine Erinnerung an seine Säuglingszeit bewahren könne, ist vielleicht nicht unmöglich, kann aber keineswegs als gesichert gelten. Was jedoch diese Erinnerung Leonardos behauptet, daß ein Geier dem Kinde mit seinem Schwanz den Mund geöffnet, das klingt so unwahrscheinlich, so märchenhaft, daß eine andere Auffassung, die beiden Schwierigkeiten mit einem Schlage ein Ende macht, sich unserem Urteile besser empfiehlt. Jene Szene mit dem Geier wird nicht eine Erinnerung Leonardos sein, sondern eine Phantasie, die er sich später gebildet und in seine Kindheit versetzt hat[2]. Die Kindheitserinne-

---

[1] »Questo scriver si distintamente del nibio par che sia mio destino, perchè nella mia prima ricordatione della mia infantia e' mi parea che, essendo io in culla, che un nibio venissi a me e mi aprissi la bocca colla sua coda e molte volte mi percuotesse con tal coda dentro alle labbra.« (Codex atlanticus, F. 65 V. nach Scognamiglio [1900, 22].) [Im oben zitierten Text führt Freud die Herzfeldsche Übersetzung des italienischen Originals an. Darin finden sich zwei Übersetzungsfehler: »nibio« müßte »Milan« und nicht »Geier« heißen (s. die editorische Vorbemerkung, S. 89 oben), und das Wort »dentro« ist nicht mitübersetzt; es müßte richtig heißen: »zwischen die Lippen«, nicht »gegen die Lippen«. Diesen zweiten Fehler hat Freud übrigens selbst berichtigt (S. 112 unten).]

[2] [1919 hinzugefügte Anm.:] Havelock Ellis hat in einer liebenswürdigen Besprechung dieser Schrift (1910) gegen die obenstehende Auffassung eingewendet, diese Erinnerung Leonardos könne sehr wohl eine reale Begründung gehabt haben, da Kindererinnerungen oft sehr viel weiter zurückreichen, als man gewöhnlich glaubt. Der große Vogel brauchte ja gerade kein Geier gewesen zu sein. Ich will dies gerne zugestehen und zur Verminderung der Schwierigkeit die Annahme beitragen, die Mutter habe den Besuch

rungen der Menschen haben oft keine andere Herkunft; sie werden überhaupt nicht, wie die bewußten Erinnerungen aus der Zeit der Reife,
vom Erlebnis an fixiert und wiederholt, sondern erst in späterer Zeit,
wenn die Kindheit schon vorüber ist, hervorgeholt, dabei verändert,
verfälscht, in den Dienst späterer Tendenzen gestellt, so daß sie sich
ganz allgemein von Phantasien nicht strenge scheiden lassen. Vielleicht
kann man sich ihre Natur nicht besser klarmachen, als indem man an die
Art und Weise denkt, wie bei den alten Völkern die Geschichtsschreibung entstanden ist. Solange das Volk klein und schwach war, dachte es
nicht daran, seine Geschichte zu schreiben; man bearbeitete den Boden des
Landes, wehrte sich seiner Existenz gegen die Nachbarn, suchte ihnen
Land abzugewinnen und zu Reichtum zu kommen. Es war eine heroi-
sche und unhistorische Zeit. Dann brach eine andere Zeit an, in der
man zur Besinnung kam, sich reich und mächtig fühlte, und nun ent-
stand das Bedürfnis zu erfahren, woher man gekommen und wie man
geworden war. Die Geschichtsschreibung, welche begonnen hatte, die
Erlebnisse der Jetztzeit fortlaufend zu verzeichnen, warf den Blick auch
nach rückwärts in die Vergangenheit, sammelte Traditionen und Sagen,
deutete die Überlebsel alter Zeiten in Sitten und Gebräuchen und schuf
so eine Geschichte der Vorzeit. Es war unvermeidlich, daß diese Vorgeschichte eher ein Ausdruck der Meinungen und Wünsche der Gegenwart als ein Abbild der Vergangenheit wurde, denn vieles war von dem
Gedächtnis des Volkes beseitigt, anderes entstellt worden, manche Spur
der Vergangenheit wurde mißverständlich im Sinne der Gegenwart gedeutet, und überdies schrieb man ja nicht Geschichte aus den Motiven
objektiver Wißbegierde, sondern weil man auf seine Zeitgenossen wirken, sie aneifern, erheben oder ihnen einen Spiegel vorhalten wollte. Das
bewußte Gedächtnis eines Menschen von den Erlebnissen seiner Reife-
zeit ist nun durchaus jener Geschichtsschreibung [die eine Chronik der
laufenden Ereignisse war] zu vergleichen, und seine Kindheitserinnerungen entsprechen nach ihrer Entstehung und Verläßlichkeit wirklich

---

des großen Vogels bei ihrem Kinde, den sie leicht für ein bedeutsames Vorzeichen
halten konnte, beobachtet und später dem Kinde wiederholt davon erzählt, so daß das
Kind die Erinnerung an diese Erzählung behalten und sie später, wie es so oft geschieht, mit einer Erinnerung an eigenes Erleben verwechseln konnte. Allein diese Abänderung tut der Verbindlichkeit meiner Darstellung keinen Abbruch. Die spät geschaffenen Phantasien der Menschen über ihre Kindheit lehnen sich sogar in der Regel
an kleine Wirklichkeiten dieser sonst vergessenen Vorzeit an. Es bedarf darum doch
eines geheimen Motivs, um die reale Nichtigkeit hervorzuholen und sie in solcher
Weise auszugestalten, wie es von Leonardo mit dem zum Geier ernannten Vogel und
seinem merkwürdigen Tun geschieht.

der spät und tendenziös zurechtgemachten Geschichte der Urzeit eines
Volkes.

Wenn die Erzählung Leonardos vom Geier, der ihn in der Wiege besucht, also nur eine spätgeborene Phantasie ist, so sollte man meinen, es
könne sich kaum verlohnen, länger bei ihr zu verweilen. Zu ihrer Erklärung könnte man sich ja mit der offen kundgegebenen Tendenz begnügen, seiner Beschäftigung mit dem Problem des Vogelfluges die
Weihe einer Schicksalsbestimmung zu leihen. Allein mit dieser Geringschätzung beginge man ein ähnliches Unrecht, wie wenn man das Material von Sagen, Traditionen und Deutungen in der Vorgeschichte eines
Volkes leichthin verwerfen würde. Allen Entstellungen und Mißverständnissen zum Trotze ist die Realität der Vergangenheit doch durch
sie repräsentiert; sie sind das, was das Volk aus den Erlebnissen seiner
Urzeit gestaltet hat, unter der Herrschaft einstens mächtiger und heute
noch wirksamer Motive, und könnte man nur durch die Kenntnis aller
wirkenden Kräfte diese Entstellungen rückgängig machen, so müßte
man hinter diesem sagenhaften Material die historische Wahrheit aufdecken können. Gleiches gilt für die Kindheitserinnerungen oder Phantasien der einzelnen. Es ist nicht gleichgültig, was ein Mensch aus seiner
Kindheit zu erinnern glaubt; in der Regel sind hinter den von ihm
selbst nicht verstandenen Erinnerungsresten unschätzbare Zeugnisse für
die bedeutsamsten Züge seiner seelischen Entwicklung verborgen[1]. Da

---

[1] [1919 hinzugefügte Anm.:] Ich habe eine solche Verwertung einer unverstandenen
Kindheitserinnerung seither auch noch bei einem anderen Großen versucht. In Goethes
etwa um sein sechzigstes Jahr verfaßter Lebensbeschreibung *(Dichtung und Wahrheit)*
wird auf den ersten Seiten mitgeteilt, wie er auf Anstiften der Nachbarn kleines und
großes Tongeschirr durchs Fenster auf die Straße schleuderte, so daß es zerschellte, und
zwar ist diese die einzige Szene, die er aus seinen frühesten Jahren berichtet. Die
völlige Beziehungslosigkeit ihres Inhalts, dessen Übereinstimmung mit Kindheitse. inne-
rungen einiger anderer Menschenkinder, die nichts besonders Großes geworden sind,
sowie der Umstand, daß Goethe des Brüderchens an dieser Stelle nicht gedenkt, bei
dessen Geburt er dreidreiviertel Jahre, bei dessen Tod er nahezu 10 Jahre alt war, haben
mich veranlaßt, die Analyse dieser Kindheitserinnerung zu unternehmen. (Er erwähnt
dieses Kind allerdings später, wo er bei den vielen Erkrankungen der Kinderjahre verweilt.) Ich hoffte dabei, sie durch etwas anderes ersetzen zu können, was sich besser in
den Zusammenhang der Goetheschen Darstellung einfügte und durch seinen Inhalt der
Erhaltung sowie des ihm angewiesenen Platzes in der Lebensgeschichte würdig wäre.
Die kleine Analyse (›Eine Kindheitserinnerung aus *Dichtung und Wahrheit*‹ (1917 b)
[in diesem Band, S. 257]) gestattete dann, das Hinauswerfen des Geschirrs als magische
Handlung zu erkennen, die gegen einen störenden Eindringling gerichtet war, und an
der Stelle, an der die Begebenheit berichtet wurde, sollte sie den Triumph darüber bedeuten, daß kein zweiter Sohn auf die Dauer Goethes inniges Verhältnis zu seiner
Mutter stören durfte. Daß die früheste, in solchen Verkleidungen erhaltene Kindheitserinnerung der Mutter gilt – bei Goethe wie bei Leonardo –, was wäre daran ver-

wir nun in den psychoanalytischen Techniken vortreffliche Hilfsmittel besitzen, um dies Verborgene ans Licht zu ziehen, wird uns der Versuch gestattet sein, die Lücke in Leonardos Lebensgeschichte durch die Analyse seiner Kindheitsphantasie auszufüllen. Erreichen wir dabei keinen befriedigenden Grad von Sicherheit, so müssen wir uns damit trösten, daß so vielen anderen Untersuchungen über den großen und rätselhaften Mann kein besseres Schicksal beschieden war.

Wenn wir aber die Geierphantasie Leonardos mit dem Auge des Psychoanalytikers betrachten, so erscheint sie uns nicht lange fremdartig; wir glauben uns zu erinnern, daß wir oftmals, zum Beispiel in Träumen, ähnliches gefunden haben, so daß wir uns getrauen können, diese Phantasie aus der ihr eigentümlichen Sprache in gemeinverständliche Worte zu übersetzen. Die Übersetzung zielt dann aufs Erotische. Schwanz, »coda«, ist eines der bekanntesten Symbole und Ersatzbezeichnungen des männlichen Gliedes, im Italienischen nicht minder als in anderen Sprachen; die in der Phantasie enthaltene Situation, daß ein Geier den Mund des Kindes öffnet und mit dem Schwanz tüchtig darin[1] herumarbeitet, entspricht der Vorstellung einer Fellatio, eines sexuellen Aktes, bei dem das Glied in den Mund der gebrauchten Person eingeführt wird. Sonderbar genug, daß diese Phantasie so durchwegs passiven Charakter an sich trägt; sie ähnelt auch gewissen Träumen und Phantasien von Frauen oder passiven Homosexuellen (die im Sexualverkehr die weibliche Rolle spielen).

Möge der Leser nun an sich halten und nicht in aufflammender Entrüstung der Psychoanalyse die Gefolgschaft verweigern, weil sie schon in ihren ersten Anwendungen zu einer unverzeihlichen Schmähung des Andenkens eines großen und reinen Mannes führt. Es ist doch offenbar, daß diese Entrüstung uns niemals wird sagen können, was die Kindheitsphantasie Leonardos bedeutet; anderseits hat sich Leonardo in unzweideutigster Weise zu dieser Phantasie bekannt, und wir lassen die Erwartung – wenn man will: das Vorurteil – nicht fallen, daß eine solche Phantasie wie jede psychische Schöpfung, wie ein Traum, eine Vision, ein Delirium, irgendeine Bedeutung haben muß. Schenken wir darum

---

wunderlich? – [In der Ausgabe von 1919 stand statt des Satzes »sowie der Umstand, daß Goethe des Brüderchens an dieser Stelle nicht gedenkt...«: »sowie der merkwürdige Umstand, daß Goethe eines Brüderchens überhaupt nicht gedenkt...«. 1923 erhielt der Satz seine gegenwärtige Form, und der folgende, in Klammern gesetzte Satz wurde eingefügt. Die Änderung wird in einer 1924 dem Goethe-Artikel beigefügten Anmerkung erklärt (weiter unten S. 261).]

[1] [S. die erste Anm., S. 109.]

lieber der analytischen Arbeit, die ja noch nicht ihr letztes Wort gesprochen hat, für eine Weile gerechtes Gehör.

Die Neigung, das Glied des Mannes in den Mund zu nehmen, um daran zu saugen, die in der bürgerlichen Gesellschaft zu den abscheulichen sexuellen Perversionen gerechnet wird, kommt doch bei den Frauen unserer Zeit – und, wie alte Bildwerke beweisen, auch früherer Zeiten – sehr häufig vor und scheint im Zustand der Verliebtheit ihren anstößigen Charakter völlig abzustreifen. Der Arzt begegnet Phantasien, die sich auf diese Neigung gründen, auch bei weiblichen Personen, die nicht durch die Lektüre der *Psychopathia sexualis* von v. Krafft-Ebing oder durch sonstige Mitteilung zur Kenntnis von der Möglichkeit einer derartigen Sexualbefriedigung gelangt sind. Es scheint, daß es den Frauen leicht wird, aus Eigenem solche Wunschphantasien zu schaffen [1]. Die Nachforschung lehrt uns denn auch, daß diese von der Sitte so schwer geächtete Situation die harmloseste Ableitung zuläßt. Sie ist nichts anderes als die Umarbeitung einer anderen Situation, in welcher wir uns einst alle behaglich fühlten, als wir im Säuglingsalter (*»essendo io in culla«*) [2] die Brustwarze der Mutter oder Amme in den Mund nahmen, um an ihr zu saugen. Der organische Eindruck dieses unseres ersten Lebensgenusses ist wohl unzerstörbar eingeprägt geblieben; wenn das Kind später das Euter der Kuh kennenlernt, das seiner Funktion nach einer Brustwarze, seiner Gestalt und Lage am Unterleib nach aber einem Penis gleichkommt, hat es die Vorstufe für die spätere Bildung jener anstößigen sexuellen Phantasie gewonnen [3].

Wir verstehen jetzt, warum Leonardo die Erinnerung an das angebliche Erlebnis mit dem Geier in seine Säuglingszeit verlegt. Hinter dieser Phantasie verbirgt sich doch nichts anderes als eine Reminiszenz an das Saugen – oder Gesäugtwerden – an der Mutterbrust, welche menschlich schöne Szene er wie so viele andere Künstler an der Mutter Gottes und ihrem Kinde mit dem Pinsel darzustellen unternommen hat. Allerdings wollen wir auch festhalten, was wir noch nicht verstehen, daß diese für beide Geschlechter gleich bedeutsame Reminiszenz von dem Manne Leonardo zu einer passiven homosexuellen Phantasie umgearbeitet worden ist. Wir werden die Frage vorläufig beiseite lassen, welcher Zusammenhang etwa die Homosexualität mit dem Saugen an der Mutter-

---

[1] Vgl. hiezu das ›Bruchstück einer Hysterieanalyse‹ (1905 *e*). [Etwa in der Mitte der zweiten Hälfte von Abschnitt I.]

[2] [»Als ich in der Wiege lag«. S. Anm. 1, S. 109 weiter oben.]

[3] [Vgl. die Analyse des »Kleinen Hans« (1909 *b*), *Studienausgabe*, Bd. 8, S. 15.]

brust verbindet, und uns bloß daran erinnern, daß die Tradition Leonardo wirklich als einen homosexuell Fühlenden bezeichnet. Dabei gilt es uns gleich, ob jene Anklage gegen den Jüngling Leonardo [S. 98–99] berechtigt war oder nicht; nicht die reale Betätigung, sondern die Einstellung des Gefühls entscheidet für uns darüber, ob wir irgend jemand die Eigentümlichkeit der Inversion [1] zuerkennen sollen.

Ein anderer unverstandener Zug der Kindheitsphantasie Leonardos nimmt unser Interesse zunächst in Anspruch. Wir deuten die Phantasie auf das Gesäugtwerden durch die Mutter und finden die Mutter ersetzt durch einen – Geier. Woher rührt dieser Geier, und wie kommt er an diese Stelle?

Ein Einfall bietet sich da, so fernab liegend, daß man versucht wäre, auf ihn zu verzichten. In der heiligen Bilderschrift der alten Ägypter wird die Mutter allerdings mit dem Bilde des Geiers geschrieben [2]. Diese Ägypter verehrten auch eine mütterliche Gottheit, die geierköpfig gebildet wurde oder mit mehreren Köpfen, von denen wenigstens einer der eines Geiers war [3]. Der Name dieser Göttin wurde *Mut* ausgesprochen; ob die Lautähnlichkeit mit unserem Worte »Mutter« nur eine zufällige ist? So steht der Geier wirklich in Beziehung zur Mutter, aber was kann uns das helfen? Dürfen wir Leonardo denn diese Kenntnis zumuten, wenn die Lesung der Hieroglyphen erst François Champollion (1790–1832) gelungen ist? [4]

Man möchte sich dafür interessieren, auf welchem Wege auch nur die alten Ägypter dazu gekommen sind, den Geier zum Symbol der Mütterlichkeit zu wählen. Nun war die Religion und Kultur der Ägypter bereits den Griechen und Römern Gegenstand wissenschaftlicher Neugierde, und lange, ehe wir selbst die Denkmäler Ägyptens lesen konnten, standen uns einzelne Mitteilungen darüber aus erhaltenen Schriften des klassischen Altertums zu Gebote, Schriften, die teils von bekannten Autoren herrühren, wie Strabo, Plutarch, Aminianus Marcellus, teils unbekannte Namen tragen und unsicher in ihrer Herkunft und Abfassungszeit sind wie die *Hieroglyphica* des Horapollo Nilus und das unter dem Götternamen des Hermes Trismegistos überlieferte Buch orientalischer Priesterweisheit. Aus diesen Quellen erfahren wir, daß der

---

[1] [In der Ausgabe von 1910 heißt es »der Homosexualität«.]
[2] Horapollo, *Hieroglyphica* 1, 11. Μητέρα δὲ γράφοντες... γῦπα ζωγραφοῦσιν. [»Um eine Mutter zu bezeichnen ... zeichnen sie einen Geier.«]
[3] Roscher (1894–97), Lanzone (1882).
[4] H. Hartleben (1906).

Geier als Symbol der Mütterlichkeit galt, weil man glaubte, es gäbe nur weibliche Geier und keine männlichen von dieser Vogelart [1]. Die Naturgeschichte der Alten kannte auch ein Gegenstück zu dieser Einschränkung; bei den Skarabäen, den von den Ägyptern als göttlich verehrten Käfern, meinten sie, gebe es nur Männchen [2].

Wie sollte nun die Befruchtung der Geier vor sich gehen, wenn sie alle nur Weibchen waren? Darüber gibt eine Stelle des Horapollo [3] guten Aufschluß. Zu einer gewissen Zeit halten diese Vögel im Fluge inne, öffnen ihre Scheide und empfangen vom Winde.

Wir sind jetzt unerwarteterweise dazu gelangt, etwas für recht wahrscheinlich zu halten, was wir vor kurzem noch als absurd zurückweisen mußten. Leonardo kann das wissenschaftliche Märchen, dem es der Geier verdankt, daß die Ägypter mit seinem Bilde den Begriff der Mutter schrieben, sehr wohl gekannt haben. Er war ein Vielleser, dessen Interesse alle Gebiete der Literatur und des Wissens umfaßte. Wir besitzen im *Codex atlanticus* ein Verzeichnis aller Bücher, die er zu einer gewissen Zeit besaß [4], dazu zahlreiche Notizen über andere Bücher, die er von Freunden entlehnt hatte, und nach den Exzerpten, die Fr. Richter [1883] [5] aus seinen Aufzeichnungen zusammengestellt hat, können wir den Umfang seiner Lektüre kaum überschätzen. Unter dieser Zahl fehlen auch ältere wie gleichzeitige Werke von naturwissenschaftlichem Inhalte nicht. Alle diese Bücher waren zu jener Zeit schon im Drucke vorhanden, und gerade Mailand war für Italien die Hauptstätte der jungen Buchdruckerkunst.

Wenn wir nun weitergehen, stoßen wir auf eine Nachricht, welche die Wahrscheinlichkeit, Leonardo habe das Geiermärchen gekannt, zur Sicherheit steigern kann. Der gelehrte Herausgeber und Kommentator des

---

[1] »γῦπα δὲ ἄρρενα οὔ φασι γινέσθαι ποτε, ἀλλὰ θηλείας ἁπάσας« [»Man sagt, daß es keine männlichen Geier gäbe, alle seien weiblichen Geschlechts.« Aelian, *De Natura Animalium*, II, 46.] bei v. Römer (1903, 732).

[2] Plutarch: *Veluti scarabaeos mares tantum esse putarunt Aegyptii sic inter vultures mares non inveniri statuerunt.* [»Wie sie glaubten, daß es nur männliche Skarabäen gäbe, so meinten die Ägypter auch, daß man keine männlichen Geier finde.« Freud hat hier versehentlich Plutarch einen Satz zugeschrieben; in Wirklichkeit handelt es sich um einen Kommentar von Leemans (1835, 171) zu Horapollo.]

[3] *Horapollinis Niloi Hieroglyphica*, edidit Conradus Leemans (1835). Die auf das Geschlecht der Geier bezüglichen Worte lauten (S. 14): μητέρα μέν ἐπειδὴ ἄρρεν ἐν τούτῳ τῷ γένει τῶν ζῴων οὐχ ὑπάρχει. [»(Sie verwenden das Bild des Geiers zur Bezeichnung) einer Mutter, weil es bei diesen Lebewesen keine männliche Form gibt.« – Hier scheint die falsche Stelle aus Horapollo zitiert zu sein. Der Satz im Text selbst legt nahe, daß hier der Mythos von der Befruchtung der Geier durch den Wind gemeint ist.]

[4] E. Müntz (1899, 282).   [5] Müntz, l. c.

Horapollo bemerkt zu dem bereits zitierten Text ([Leemans, 1835] 172): »*Caeterum hanc fabulam de vulturibus cupide amplexi sunt Patres Ecclesiastici, ut ita argumento ex rerum natura petito refutarent eos, qui Virginis partum negabant; itaque apud omnes fere hujus rei mentio occurrit.*« [1]

Also die Fabel von der Eingeschlechtigkeit und der Empfängnis der Geier war keineswegs eine indifferente Anekdote geblieben wie die analoge von den Skarabäen; die Kirchenväter hatten sich ihrer bemächtigt, um gegen die Zweifler an der heiligen Geschichte ein Argument aus der Naturgeschichte zur Hand zu haben. Wenn nach den besten Nachrichten aus dem Altertum die Geier darauf angewiesen waren, sich vom Winde befruchten zu lassen, warum sollte nicht auch einmal das gleiche mit einem menschlichen Weibe vorgegangen sein? Dieser Verwertbarkeit wegen pflegten die Kirchenväter »fast alle« die Geierfabel zu erzählen, und nun kann es kaum zweifelhaft sein, daß sie durch so mächtige Patronanz auch Leonardo bekannt geworden ist.

Die Entstehung der Geierphantasie Leonardos können wir uns nun in folgender Weise vorstellen. Als er einmal bei einem Kirchenvater oder in einem naturwissenschaftlichen Buche davon las, die Geier seien alle Weibchen und wüßten sich ohne Mithilfe von Männern fortzupflanzen, da tauchte in ihm eine Erinnerung auf, die sich zu jener Phantasie umgestaltete, die aber besagen wollte, er sei ja auch so ein Geierkind gewesen, das eine Mutter, aber keinen Vater gehabt habe, und dazu gesellte sich in der Art, wie so alte Eindrücke sich allein äußern können, ein Nachhall des Genusses, der ihm an der Mutterbrust zuteil geworden war. Die von den Autoren hergestellte Anspielung auf die jedem Künstler teure Vorstellung der heiligen Jungfrau mit dem Kinde mußte dazu beitragen, ihm diese Phantasie wertvoll und bedeutsam erscheinen zu lassen. Kam er doch so dazu, sich mit dem Christusknaben, dem Tröster und Erlöser nicht nur des einen Weibes, zu identifizieren.

Wenn wir eine Kindheitsphantasie zersetzen, streben wir danach, deren realen Erinnerungsinhalt von den späteren Motiven zu sondern, welche denselben modifizieren und entstellen. Im Falle Leonardos glauben wir jetzt den realen Inhalt der Phantasie zu kennen; die Ersetzung der Mutter durch den Geier weist darauf hin, daß das Kind den Vater ver-

---

[1] [»Aber diese Fabel über den Geier wurde von den Kirchenvätern mit Eifer aufgegriffen, um mittels eines Beweises aus der Naturlehre denjenigen entgegenzutreten, welche die jungfräuliche Geburt leugneten. Die Beweisführung kehrt daher bei fast allen von ihnen wieder.«]

mißt und sich mit der Mutter allein gefunden hat. Die Tatsache der illegitimen Geburt Leonardos stimmt zu seiner Geierphantasie; nur darum konnte er sich einem Geierkinde vergleichen. Aber wir haben als die nächste gesicherte Tatsache aus seiner Jugend erfahren, daß er im Alter von fünf Jahren in den Haushalt seines Vaters aufgenommen war; wann dies geschah, ob wenige Monate nach seiner Geburt, ob wenige Wochen vor der Aufnahme jenes Katasters [S. 107], ist uns völlig unbekannt. Da tritt nun die Deutung der Geierphantasie ein und will uns belehren, daß Leonardo die entscheidenden ersten Jahre seines Lebens nicht bei seinem Vater und seiner Stiefmutter, sondern bei der armen, verlassenen, echten Mutter verbrachte, so daß er Zeit hatte, seinen Vater zu vermissen. Dies scheint ein mageres und dabei noch immer gewagtes Ergebnis der psychoanalytischen Bemühung, allein es wird bei weiterer Vertiefung an Bedeutung gewinnen. Der Sicherheit kommt noch die Erwägung der tatsächlichen Verhältnisse in der Kindheit Leonardos zu Hilfe. Den Berichten nach heiratete sein Vater Ser Piero da Vinci noch im Jahre von Leonardos Geburt die vornehme Donna Albiera; der Kinderlosigkeit dieser Ehe verdankte der Knabe seine im fünften Jahre dokumentarisch bestätigte Aufnahme ins väterliche oder vielmehr großväterliche Haus. Nun ist es nicht gebräuchlich, daß man der jungen Frau, die noch auf Kindersegen rechnet, von Anfang an einen illegitimen Sprößling zur Pflege übergibt. Es mußten wohl erst Jahre von Enttäuschung hingegangen sein, ehe man sich entschloß, das wahrscheinlich reizend entwickelte uneheliche Kind zur Entschädigung für die vergeblich erhofften ehelichen Kinder anzunehmen. Es steht im besten Einklang mit der Deutung der Geierphantasie, wenn mindestens drei Jahre, vielleicht fünf, von Leonardos Leben verflossen waren, ehe er seine einsame Mutter gegen ein Elternpaar vertauschen konnte. Dann aber war es bereits zu spät geworden. In den ersten drei oder vier Lebensjahren fixieren sich Eindrücke und bahnen sich Reaktionsweisen gegen die Außenwelt an, die durch kein späteres Erleben mehr ihrer Bedeutung beraubt werden können.

Wenn es richtig ist, daß die unverständlichen Kindheitserinnerungen und die auf sie gebauten Phantasien eines Menschen stets das Wichtigste aus seiner seelischen Entwicklung herausheben, so muß die durch die Geierphantasie erhärtete Tatsache, daß Leonardo seine ersten Lebensjahre allein mit der Mutter verbracht hat, von entscheidendstem Einfluß auf die Gestaltung seines inneren Lebens gewesen sein. Unter den Wirkungen dieser Konstellation kann es nicht gefehlt haben, daß das Kind, welches in seinem jungen Leben ein Problem mehr vorfand als andere Kinder, mit besonderer Leidenschaft über diese Rätsel zu grübeln begann und so frühzeitig ein Forscher wurde, den die großen Fragen quälten, woher die Kinder kommen und was der Vater mit ihrer Entstehung zu tun habe[1]. Die Ahnung dieses Zusammenhanges zwischen seiner Forschung und seiner Kindheitsgeschichte hat ihm dann später den Ausruf entlockt, ihm sei es wohl von jeher bestimmt gewesen, sich in das Problem des Vogelfluges zu vertiefen, da er schon in der Wiege von einem Geier heimgesucht worden war. Die Wißbegierde, die sich auf den Vogelflug richtete, von der infantilen Sexualforschung abzuleiten, wird eine spätere, unschwer zu erledigende Aufgabe sein.

---

[1] [Vgl. ›Über infantile Sexualtheorien‹ (1908 c).]

III. KAPITEL

In der Kindheitsphantasie Leonardos repräsentierte uns das Element des Geiers den realen Erinnerungsinhalt; der Zusammenhang, in den Leonardo selbst seine Phantasie gestellt hatte, warf ein helles Licht auf die Bedeutung dieses Inhalts für sein späteres Leben. Bei fortschreitender Deutungsarbeit stoßen wir nun auf das befremdliche Problem, warum dieser Erinnerungsinhalt in eine homosexuelle Situation umgearbeitet worden ist. Die Mutter, die das Kind säugt – besser: an der das Kind saugt –, ist in einen Geiervogel verwandelt, der dem Kinde seinen Schwanz in den Mund steckt. Wir behaupten [S. 112], daß die »coda« des Geiers nach gemeinem substituierenden Sprachgebrauch gar nichts anderes als ein männliches Genitale, einen Penis, bedeuten kann. Aber wir verstehen nicht, wie die Phantasietätigkeit dazu gelangen kann, gerade den mütterlichen Vogel mit dem Abzeichen der Männlichkeit auszustatten, und werden angesichts dieser Absurdität an der Möglichkeit irre, dieses Phantasiegebilde auf einen vernünftigen Sinn zu reduzieren.

Indes wir dürfen nicht verzagen. Wieviel scheinbar absurde Träume haben wir nicht schon genötigt, ihren Sinn einzugestehen! Warum sollte es bei einer Kindheitsphantasie schwieriger werden als bei einem Traum!

Erinnern wir uns daran, daß es nicht gut ist, wenn sich eine Sonderbarkeit vereinzelt findet, und beeilen wir uns, ihr eine zweite, noch auffälligere, zur Seite zu stellen[1].

Die geierköpfig gebildete Göttin Mut der Ägypter, eine Gestalt von ganz unpersönlichem Charakter, wie Drexler in Roschers Lexikon urteilt, wurde häufig mit anderen mütterlichen Gottheiten von lebendigerer Individualität wie Isis und Hathor verschmolzen, behielt aber daneben ihre gesonderte Existenz und Verehrung. Es war eine besondere Eigentümlichkeit des ägyptischen Pantheons, daß die einzelnen Götter nicht im Synkretismus untergingen. Neben der Götterkomposition blieb die einfache Göttergestalt in ihrer Selbständigkeit bestehen. Diese geier-

---

[1] [Vgl. einige ähnliche Bemerkungen Freuds in der *Traumdeutung* (1900 a), ziemlich zu Anfang des Kapitels IV.]

köpfige mütterliche Gottheit wurde nun von den Ägyptern in den meisten Darstellungen phallisch gebildet[1]; ihr durch die Brüste als weiblich gekennzeichneter Körper trug auch ein männliches Glied im Zustande der Erektion.

Bei der Göttin Mut also dieselbe Vereinigung mütterlicher und männlicher Charaktere wie in der Geierphantasie Leonardos! Sollen wir dies Zusammentreffen durch die Annahme aufklären, Leonardo habe aus seinen Bücherstudien [vgl. S. 115] auch die androgyne Natur des mütterlichen Geiers gekannt? Solche Möglichkeit ist mehr als fraglich; es scheint, daß die ihm zugänglichen Quellen von dieser merkwürdigen Bestimmung nichts enthielten. Es liegt wohl näher, die Übereinstimmung auf ein gemeinsames, hier wie dort wirksames und noch unbekanntes Motiv zurückzuführen.

Die Mythologie kann uns berichten, daß die androgyne Bildung, die Vereinigung männlicher und weiblicher Geschlechtscharaktere, nicht nur der Mut zukam, sondern auch anderen Gottheiten wie der Isis und Hathor, aber diesen vielleicht nur, insofern sie auch mütterliche Natur hatten und mit der Mut verschmolzen wurden[2]. Sie lehrt uns ferner, daß andere Gottheiten der Ägypter, wie die Neith von Sais, aus der später die griechische Athene wurde, ursprünglich androgyn, d. i. hermaphroditisch aufgefaßt wurden und daß das gleiche für viele der *griechischen* Götter besonders aus dem Kreise des Dionysos, aber auch für die später zur weiblichen Liebesgöttin eingeschränkte Aphrodite galt. Sie mag dann die Erklärung versuchen, daß der dem weiblichen Körper angefügte Phallus die schöpferische Urkraft der Natur bedeuten solle und daß alle diese hermaphroditischen Götterbildungen die Idee ausdrücken, erst die Vereinigung von Männlichem und Weiblichem könne eine würdige Darstellung der göttlichen Vollkommenheit ergeben. Aber keine dieser Bemerkungen klärt uns das psychologische Rätsel, daß die Phantasie der Menschen keinen Anstoß daran nimmt, eine Gestalt, die ihr das Wesen der Mutter verkörpern soll, mit dem zur Mütterlichkeit gegensätzlichen Zeichen der männlichen Kraft zu versehen.

Die Aufklärung kommt von seiten der infantilen Sexualtheorien. Es hatte allerdings eine Zeit gegeben, in der das männliche Genitale mit der Darstellung der Mutter vereinbar gefunden wurde[3]. Wenn das männliche Kind seine Wißbegierde zuerst auf die Rätsel des Geschlechtslebens richtet, wird es von dem Interesse für sein eigenes Genitale be-

---

[1] Vgl. die Abbildungen bei Lanzone (1882, T. CXXXVI–VIII).
[2] v. Römer (1903).   [3] [Vgl. ›Über infantile Sexualtheorien‹ (1908 *c*).]

herrscht. Es findet diesen Teil seines Körpers zu wertvoll und zu wichtig, als daß es glauben könnte, er würde anderen Personen fehlen, denen es sich so ähnlich fühlt. Da es nicht erraten kann, daß es noch einen anderen, gleichwertigen Typus von Genitalbildung gibt, muß es zur Annahme greifen, daß alle Menschen, auch die Frauen, ein solches Glied wie er besitzen. Dieses Vorurteil setzt sich bei dem jugendlichen Forscher so fest, daß es auch durch die ersten Beobachtungen an den Genitalien kleiner Mädchen nicht zerstört wird. Die Wahrnehmung sagt ihm allerdings, daß da etwas anders ist als bei ihm, aber er ist nicht imstande, sich als Inhalt dieser Wahrnehmung einzugestehen, daß er beim Mädchen das Glied nicht finden könne. Daß das Glied fehlen könne, ist ihm eine unheimliche, unerträgliche Vorstellung, er versucht darum eine vermittelnde Entscheidung: das Glied sei auch beim Mädchen vorhanden, aber es sei noch sehr klein; es werde später wachsen [1]. Scheint sich diese Erwartung bei späteren Beobachtungen nicht zu erfüllen, so bietet sich ihm ein anderer Ausweg. Das Glied war auch beim kleinen Mädchen da, aber es ist abgeschnitten worden, an seiner Stelle ist eine Wunde geblieben. Dieser Fortschritt der Theorie verwertet bereits eigene Erfahrungen von peinlichem Charakter; er hat unterdes die Drohung gehört, daß man ihm das teure Organ wegnehmen wird, wenn er sein Interesse dafür allzu deutlich betätigt. Unter dem Einfluß dieser Kastrationsandrohung deutet er jetzt seine Auffassung des weiblichen Genitales um; er wird von nun an für seine Männlichkeit zittern, dabei aber die unglücklichen Geschöpfe verachten, an denen nach seiner Meinung die grausame Bestrafung bereits vollzogen worden ist [2].

Ehe das Kind unter die Herrschaft des Kastrationskomplexes geriet, zur Zeit, als ihm das Weib noch als vollwertig galt, begann eine intensive Schaulust als erotische Triebbetätigung sich bei ihm zu äußern. Es wollte die Genitalien anderer Personen sehen, ursprünglich wahrscheinlich, um

---

[1] Vgl. die Beobachtungen im *Jahrbuch für psychoanalyt. u. psychopath. Forschungen* [d. i. Freud, 1909 *b* (»Der kleine Hans«), *Studienausgabe,* Bd. 8, 17 f., und Jung, 1910. – 1919 fügte Freud hinzu:], in der *Internat. Zeitschr. f. ärztl. Psychoanalyse* und in [den kinderanalytischen Beiträgen in] der *Imago.*

[2] [1919 hinzugefügte Anm.:] Es scheint mir unabweisbar anzunehmen, daß hier auch eine Wurzel des bei abendländischen Völkern so elementar auftretenden und sich so irrationell gebärdenden Judenhasses zu suchen ist. Die Beschneidung wird von den Menschen unbewußterweise der Kastration gleichgesetzt. Wenn wir uns getrauen, unsere Vermutungen in die Urzeit des Menschengeschlechts zu tragen, kann uns ahnen, daß die Beschneidung ursprünglich ein Milderungsersatz, eine Ablösung, der Kastration sein sollte. [Dieses Thema wird auch in der Analyse des »kleinen Hans« (1909 *b*), *Studienausgabe,* Bd. 8, 36, Anm. 2, erörtert sowie in *Der Mann Moses und die monotheistische Religion* (1939 *a*), Aufsatz III, Teil I, Abschnitt D.]

sie mit den eigenen zu vergleichen. Die erotische Anziehung, die von der Person der Mutter ausging, gipfelte bald in der Sehnsucht nach ihrem für einen Penis gehaltenen Genitale. Mit der erst spät erworbenen Erkenntnis, daß das Weib keinen Penis besitzt, schlägt diese Sehnsucht oft in ihr Gegenteil um, macht einem Abscheu Platz, der in den Jahren der Pubertät zur Ursache der psychischen Impotenz, der Misogynie, der dauernden Homosexualität werden kann. Aber die Fixierung an das einst heißbegehrte Objekt, den Penis des Weibes, hinterläßt unauslöschliche Spuren im Seelenleben des Kindes, welches jenes Stück infantiler Sexualforschung mit besonderer Vertiefung durchgemacht hat. Die fetischartige Verehrung des weiblichen Fußes und Schuhes scheint den Fuß nur als Ersatzsymbol für das einst verehrte, seither vermißte Glied des Weibes zu nehmen; die »Zopfabschneider« spielen, ohne es zu wissen, die Rolle von Personen, die am weiblichen Genitale den Akt der Kastration ausführen.

Man wird zu den Betätigungen der kindlichen Sexualität kein richtiges Verhältnis gewinnen und wahrscheinlich zur Auskunft greifen, diese Mitteilungen für unglaubwürdig zu erklären, solange man den Standpunkt unserer kulturellen Geringschätzung der Genitalien und der Geschlechtsfunktionen überhaupt nicht verläßt. Zum Verständnis des kindlichen Seelenlebens bedarf es urzeitlicher Analogien. Für uns sind die Genitalien schon seit einer langen Reihe von Generationen die *Pudenda*, Gegenstände der Scham, und bei weiter gediehener Sexualverdrängung sogar des Ekels. Wirft man einen umfassenden Blick auf das Sexualleben unserer Zeit, besonders das der die menschliche Kultur tragenden Schichten, so ist man versucht zu sagen [1]: Widerwillig nur fügen sich die heute Lebenden in ihrer Mehrheit den Geboten der Fortpflanzung und fühlen sich dabei in ihrer menschlichen Würde gekränkt und herabgesetzt. Was an anderer Auffassung des Geschlechtslebens unter uns vorhanden ist, hat sich auf die roh gebliebenen, niedrigen Volksschichten zurückgezogen, versteckt sich bei den höheren und verfeinerten als kulturell minderwertig und wagt seine Betätigung nur unter den verbitternden Mahnungen eines schlechten Gewissens. Anders war es in den Urzeiten des Menschengeschlechts. Aus den mühseligen Sammlungen der Kulturforscher kann man sich die Überzeugung holen, daß die Genitalien ursprünglich der Stolz und die Hoffnung der Lebenden waren, göttliche Verehrung genossen und die Göttlichkeit ihrer Funktionen auf alle neu

---

[1] [Dieser Teil des Satzes wurde 1919 hinzugefügt.]

erlernten Tätigkeiten der Menschen übertrugen. Ungezählte Göttergestalten erhoben sich durch Sublimierung aus ihrem Wesen, und zur
Zeit, da der Zusammenhang der offiziellen Religionen mit der Geschlechtstätigkeit bereits dem allgemeinen Bewußtsein verhüllt war, be-
mühten sich Geheimkulte, ihn bei einer Anzahl von Eingeweihten lebend
zu erhalten. Endlich geschah es im Laufe der Kulturentwicklung, daß so
viel Göttliches und Heiliges aus der Geschlechtlichkeit extrahiert war,
bis der erschöpfte Rest der Verachtung verfiel. Aber bei der Unver-
tilgbarkeit, die in der Natur aller seelischen Spuren liegt, darf man
sich nicht verwundern, daß selbst die primitivsten Formen von An-
betung der Genitalien bis in ganz rezente Zeiten nachzuweisen sind
und daß Sprachgebrauch, Sitten und Aberglauben der heutigen Menschheit die Überlebsel von allen Phasen dieses Entwicklungsganges enthalten [1].

Wir sind durch gewichtige biologische Analogien darauf vorbereitet,
daß die seelische Entwicklung des Einzelnen den Lauf der Menschheits-
entwicklung abgekürzt wiederhole, und werden darum nicht unwahrscheinlich finden, was die psychoanalytische Erforschung der Kinder-
seele über die infantile Schätzung der Genitalien ergeben hat. Die kindliche Annahme des mütterlichen Penis ist nun die gemeinsame Quelle,
aus der sich die androgyne Bildung der mütterlichen Gottheiten wie der
ägyptischen Mut und die »coda« des Geiers in Leonardos Kindheitsphantasie ableiten. Wir heißen ja diese Götterdarstellungen nur mißverständlich hermaphroditisch im ärztlichen Sinne des Wortes. Keine
von ihnen vereinigt die wirklichen Genitalien beider Geschlechter, wie
sie in manchen Mißbildungen vereinigt sind zum Abscheu jedes menschlichen Auges; sie fügen bloß den Brüsten als Abzeichen der Mütterlichkeit das männliche Glied hinzu, wie es in der ersten Vorstellung des
Kindes vom Leibe der Mutter vorhanden war. Die Mythologie hat diese
ehrwürdige, uranfänglich phantasierte Körperbildung der Mutter für
die Gläubigen erhalten. Die Hervorhebung des Geierschwanzes in der
Phantasie Leonardos können wir nun so übersetzen: Damals, als sich
meine zärtliche Neugierde auf die Mutter richtete und ich ihr noch ein
Genitale wie mein eigenes zuschrieb. Ein weiteres Zeugnis für die frühzeitige Sexualforschung Leonardos, die nach unserer Meinung ausschlag-
gebend für sein ganzes späteres Leben wurde.

Eine kurze Überlegung mahnt uns jetzt, daß wir uns mit der Aufklä-

---

[1] Vgl. Richard Payne Knight [1786].

rung des Geierschwanzes in Leonardos Kindheitsphantasie nicht begnügen dürfen. Es scheint mehr in ihr enthalten, was wir noch nicht verstehen. Ihr auffälligster Zug war doch, daß sie das Saugen an der Mutterbrust in ein Gesäugtwerden, also in Passivität und damit in eine Situation von unzweifelhaft homosexuellem Charakter verwandelte. Eingedenk der historischen Wahrscheinlichkeit, daß sich Leonardo im Leben wie ein homosexuell Fühlender benahm, drängt sich uns die Frage auf, ob diese Phantasie nicht auf eine ursächliche Beziehung zwischen Leonardos Kinderverhältnis zu seiner Mutter und seiner späteren manifesten, wenn auch ideellen [sublimierten] Homosexualität hinweist. Wir würden uns nicht getrauen, eine solche aus der entstellten Reminiszenz Leonardos zu erschließen, wenn wir nicht aus den psychoanalytischen Untersuchungen von homosexuellen Patienten wüßten, daß eine solche besteht, ja daß sie eine innige und notwendige ist.

Die homosexuellen Männer, die in unseren Tagen eine energische Aktion gegen die gesetzliche Einschränkung ihrer Sexualbetätigung unternommen haben, lieben es, sich durch ihre theoretischen Wortführer als eine von Anfang an gesonderte geschlechtliche Abart, als sexuelle Zwischenstufen, als ein »drittes Geschlecht« hinstellen zu lassen. Sie seien Männer, denen organische Bedingungen vom Keime an das Wohlgefallen am Mann aufgenötigt, das am Weibe versagt hätten. So gerne man nun aus humanen Rücksichten ihre Forderungen unterschreibt, so zurückhaltend darf man gegen ihre Theorien sein, die ohne Berücksichtigung der psychischen Genese der Homosexualität aufgestellt worden sind. Die Psychoanalyse bietet die Mittel, diese Lücke auszufüllen und die Behauptungen der Homosexuellen der Probe zu unterziehen. Sie hat dieser Aufgabe erst bei einer geringen Zahl von Personen genügen können, aber alle bisher vorgenommenen Untersuchungen brachten das nämliche überraschende Ergebnis[1]. Bei allen unseren homosexuellen Männern gab es in der ersten, vom Individuum später vergessenen Kindheit eine sehr intensive erotische Bindung an eine weibliche Person, in der Regel an die Mutter, hervorgerufen oder begünstigt durch die Überzärtlichkeit der Mutter selbst, ferner unterstützt durch ein Zurücktreten des Vaters im kindlichen Leben. Sadger hebt hervor, daß die Mütter seiner homosexuellen Patienten häufig Mannweiber waren, Frauen mit energischen Charakterzügen, die den Vater aus der ihm gebührenden Stellung drän-

---

[1] Es sind dies vornehmlich Untersuchungen von I. Sadger, die ich aus eigener Erfahrung im wesentlichen bestätigen kann. Überdies ist mir bekannt, daß W. Stekel in Wien und S. Ferenczi in Budapest zu den gleichen Resultaten gekommen sind.

gen konnten; ich habe gelegentlich das gleiche gesehen, aber stärkeren
Eindruck von jenen Fällen empfangen, in denen der Vater von Anfang
an fehlte oder frühzeitig wegfiel, so daß der Knabe dem weiblichen Einfluß preisgegeben war. Sieht es doch fast so aus, als ob das Vorhandensein eines starken Vaters dem Sohne die richtige Entscheidung in der
Objektwahl für das entgegengesetzte Geschlecht versichern würde[1].

Nach diesem Vorstadium tritt eine Umwandlung ein, deren Mechanismus uns bekannt ist, deren treibende Kräfte wir noch nicht erfassen. Die
Liebe zur Mutter kann die weitere bewußte Entwicklung nicht mitmachen, sie verfällt der Verdrängung. Der Knabe verdrängt die Liebe
zur Mutter, indem er sich selbst an deren Stelle setzt, sich mit der Mutter
identifiziert und seine eigene Person zum Vorbild nimmt, in dessen
Ähnlichkeit er seine neuen Liebesobjekte auswählt. Er ist so homosexuell
geworden; eigentlich ist er in den Autoerotismus zurückgeglitten, da die
Knaben, die der Heranwachsende jetzt liebt, doch nur Ersatzpersonen
und Erneuerungen seiner eigenen kindlichen Person sind, die er so liebt,
wie die Mutter ihn als Kind geliebt hat. Wir sagen, er findet seine Liebesobjekte auf dem Wege des *Narzißmus*, da die griechische Sage einen
Jüngling Narzissus nennt, dem nichts so wohl gefiel wie das eigene Spie-
gelbild und der in die schöne Blume dieses Namens verwandelt
wurde[2].

Tieferreichende psychologische Erwägungen rechtfertigen die Behauptung, daß der auf solchem Wege homosexuell Gewordene im Unbewußten an das Erinnerungsbild seiner Mutter fixiert bleibt. Durch die Ver-

---

[1] [1919 hinzugefügte Anm.:] Die psychoanalytische Forschung hat zum Verständnis
der Homosexualität zwei jedem Zweifel entzogene Tatsachen beigebracht, ohne damit
die Verursachung dieser sexuellen Abirrung erschöpft zu glauben. Die erste ist die oben
erwähnte Fixierung der Liebesbedürfnisse an die Mutter, die andere ist in der Behauptung ausgedrückt, daß jedermann, auch der Normalste, der homosexuellen Objektwahl fähig ist, sie irgendeinmal im Leben vollzogen hat und sie in seinem Unbewußten
entweder noch festhält oder sich durch energische Gegeneinstellungen gegen sie versichert. Diese beiden Feststellungen machen sowohl dem Anspruch der Homosexuellen,
als ein »drittes Geschlecht« anerkannt zu werden, als auch der für bedeutsam gehaltenen
Unterscheidung zwischen angeborener und erworbener Homosexualität ein Ende. Das
Vorhandensein von somatischen Zügen des anderen Geschlechts (der Betrag von phy-
sischem Hermaphroditismus) ist für das Manifestwerden der homosexuellen Objektwahl sehr förderlich, aber nicht entscheidend. Man muß es mit Bedauern aussprechen,
daß die Vertreter der Homosexuellen in der Wissenschaft aus den gesicherten Ermitt-
lungen der Psychoanalyse nichts zu lernen verstanden.
[2] [Freuds erste veröffentlichte Erwähnung des Begriffs Narzißmus findet sich in
einer wenige Monate vorher der 2. Auflage der *Drei Abhandlungen* (1905 d), Abhandlung I, kurz vor Schluß des Abschnittes 1 (A), hinzugefügten Anmerkung. Eine
ausführliche Darstellung enthält die Arbeit ›Zur Einführung des Narzißmus‹ (1914 c).]

drängung der Liebe zur Mutter konserviert er dieselbe in seinem Unbewußten und bleibt von nun an der Mutter treu. Wenn er als Liebhaber Knaben nachzulaufen scheint, so läuft er in Wirklichkeit vor den anderen Frauen davon, die ihn untreu machen könnten. Wir haben auch durch direkte Einzelbeobachtung nachweisen können, daß der scheinbar nur für männlichen Reiz Empfängliche in Wahrheit der Anziehung, die vom Weibe ausgeht, unterliegt wie ein Normaler; aber er beeilt sich jedesmal, die vom Weibe empfangene Erregung auf ein männliches Objekt zu überschreiben, und wiederholt auf solche Weise immer wieder den Mechanismus, durch den er seine Homosexualität erworben hat.

Es liegt uns ferne, die Bedeutung dieser Aufklärungen über die psychische Genese der Homosexualität zu übertreiben. Es ist ganz unverkennbar, daß sie den offiziellen Theorien der homosexuellen Wortführer grell widersprechen, aber wir wissen, daß sie nicht umfassend genug sind, um eine endgültige Klärung des Problems zu ermöglichen. Was man aus praktischen Gründen Homosexualität heißt, mag aus mannigfaltigen psychosexuellen Hemmungsprozessen hervorgehen, und der von uns erkannte Vorgang ist vielleicht nur einer unter vielen und bezieht sich nur auf einen Typus von »Homosexualität«. Wir müssen auch zugestehen, daß bei unserem homosexuellen Typus die Anzahl der Fälle, in denen die von uns geforderten Bedingungen aufzeigbar sind, weitaus die jener Fälle übersteigt, in denen der abgeleitete Effekt wirklich eintritt, so daß auch wir die Mitwirkung unbekannter konstitutioneller Faktoren nicht abweisen können, von denen man sonst das Ganze der Homosexualität abzuleiten pflegt. Wir hätten überhaupt keinen Anlaß gehabt, auf die psychische Genese der von uns studierten Form von Homosexualität einzugehen, wenn nicht eine starke Vermutung dafür spräche, daß gerade Leonardo, von dessen Geierphantasie wir ausgegangen sind, diesem einen Typus der Homosexuellen angehört[1].

So wenig Näheres über das geschlechtliche Verhalten des großen Künstlers und Forschers bekannt ist, so darf man sich doch der Wahrscheinlichkeit anvertrauen, daß die Aussagen seiner Zeitgenossen nicht im gröbsten irregingen. Im Lichte dieser Überlieferungen erscheint er uns also als ein Mann, dessen sexuelle Bedürftigkeit und Aktivität außer-

---

1 [Eine allgemeinere Erörterung der Homosexualität und ihrer Ursprünge gibt Freud in der ersten der *Drei Abhandlungen*, vor allem in der langen (zwischen 1910 und 1920 hinzugefügten) Anmerkung, auf welche sich die letzte Anmerkung bezieht. Von anderen, späteren Diskussionen dieses Themas sei vor allem auf Freuds Darstellung eines Falles von weiblicher Homosexualität (1920 *a*) und die Arbeit ›Über einige neurotische Mechanismen bei Eifersucht, Paranoia und Homosexualität‹ (1922 *b*) hingewiesen.]

ordentlich herabgesetzt war, als hätte ein höheres Streben ihn über die gemeine animalische Not der Menschen erhoben. Es mag dahingestellt bleiben, ob er jemals und auf welchem Wege er die direkte sexuelle Befriedigung gesucht oder ob er ihrer gänzlich entraten konnte. Wir haben aber ein Recht, auch bei ihm nach jenen Gefühlsströmungen zu suchen, die andere gebieterisch zur sexuellen Tat drängen, denn wir können kein menschliches Seelenleben glauben, an dessen Aufbau nicht das sexuelle Begehren im weitesten Sinne, die Libido, ihren Anteil hätte, mag dasselbe sich auch weit vom ursprünglichen Ziel entfernt oder von der Ausführung zurückgehalten haben.

Anderes als Spuren von unverwandelter sexueller Neigung werden wir bei Leonardo nicht erwarten dürfen. Diese weisen aber nach einer Richtung und gestatten, ihn noch den Homosexuellen zuzurechnen. Es wurde von jeher hervorgehoben, daß er nur auffällig schöne Knaben und Jünglinge zu seinen Schülern nahm. Er war gütig und nachsichtig gegen sie, besorgte sie und pflegte sie selbst, wenn sie krank waren, wie eine Mutter ihre Kinder pflegt, wie seine eigene Mutter ihn betreut haben mochte. Da er sie nach ihrer Schönheit und nicht nach ihrem Talent ausgewählt hatte, wurde keiner von ihnen: Cesare da Sesto, G. Boltraffio, Andrea Salaino, Francesco Melzi und andere, ein bedeutender Maler. Meist brachten sie es nicht dazu, ihre Selbständigkeit vom Meister zu erringen, sie verschwanden nach seinem Tode, ohne der Kunstgeschichte eine bestimmtere Physiognomie zu hinterlassen. Die anderen, die sich nach ihrem Schaffen mit Recht seine Schüler nennen durften, wie Luini und Bazzi, genannt Sodoma, hat er wahrscheinlich persönlich nicht gekannt.

Wir wissen, daß wir der Einwendung zu begegnen haben, das Verhalten Leonardos gegen seine Schüler habe mit geschlechtlichen Motiven überhaupt nichts zu tun und gestatte keinen Schluß auf seine sexuelle Eigenart. Dagegen wollen wir mit aller Vorsicht geltend machen, daß unsere Auffassung einige sonderbare Züge im Benehmen des Meisters aufklärt, die sonst rätselhaft bleiben müßten. Leonardo führte ein Tagebuch; er machte in seiner kleinen, von rechts nach links geführten Schrift Aufzeichnungen, die nur für ihn bestimmt waren. In diesem Tagebuch redete er sich bemerkenswerterweise mit »du« an: »Lerne bei Meister Luca die Multiplikation der Wurzeln.« [1]
»Laß dir vom Meister d'Abacco die Quadratur des Zirkels zeigen.« [2] –

---

[1] Solmi (1908, 152).   [2] Ibid.

Oder bei Anlaß einer Reise[1]: »Ich gehe meiner Gartenangelegenheit wegen nach Mailand ... Lasse zwei Tragsäcke machen. Lasse dir die Drechselbank von Boltraffio zeigen und einen Stein darauf bearbeiten. – Lasse das Buch dem Meister Andrea il Todesco.«[2] Oder, ein Vorsatz von ganz anderer Bedeutung: »Du hast in deiner Abhandlung zu zeigen, daß die Erde ein Stern ist, wie der Mond oder ungefähr, und so den Adel unserer Welt zu erweisen.«[3]

In diesem Tagebuch, welches übrigens – wie die Tagebücher anderer Sterblicher – oft die bedeutsamsten Begebenheiten des Tages nur mit wenigen Worten streift oder völlig verschweigt, finden sich einige Eintragungen, die ihrer Sonderbarkeit wegen von allen Biographen Leonardos zitiert werden. Es sind Aufzeichnungen über kleine Ausgaben des Meisters von einer peinlichen Exaktheit, als sollten sie von einem philiströs gestrengen und sparsamen Hausvater herrühren, während die Nachweise über die Verwendung größerer Summen fehlen und nichts sonst dafür spricht, daß der Künstler sich auf Wirtschaft verstanden habe. Eine dieser Aufschreibungen betrifft einen neuen Mantel, den er dem Schüler Andrea Salaino gekauft[4]:

Silberbrokat	15 Lire	4 Soldi
Roten Samt zum Besatz	9 Lire	– Soldi
Schnüre	– Lire	9 Soldi
Knöpfe	– Lire	12 Soldi

Eine andere sehr ausführliche Notiz stellt alle die Ausgaben zusammen, die ihm ein anderer Schüler[5] durch seine schlechten Eigenschaften und seine Neigung zum Diebstahl verursacht: »Am Tage 21 des April 1490 begann ich dieses Buch und begann wieder das Pferd[6]. Jacomo kam zu mir am Magdalenentage tausend 490, im Alter von 10 Jahren. (Randbemerkung: diebisch, lügnerisch, eigensinnig, gefräßig.) Am zweiten Tage ließ ich ihm zwei Hemden schneiden, ein Paar Hosen und einen Wams, und als ich mir das Geld beiseite legte, um genannte Sachen zu bezahlen, stahl er mir das Geld aus der Geldtasche, und war es nie mög-

---

[1] L. c., 203.
[2] Leonardo benimmt sich dabei wie jemand, der gewöhnt war, einer anderen Person seine tägliche Beichte abzulegen, und der sich jetzt diese Person durch das Tagebuch ersetzt. Eine Vermutung, wer das gewesen sein mag, siehe bei Mereschkowski (1903, 367).
[3] Herzfeld (1906, CXLI).
[4] Der Wortlaut nach Mereschkowski, l. c., 282.
[5] oder Modell.
[6] Vom Reiterdenkmal des Francesco Sforza.

lich, ihn das beichten zu machen, obwohl ich davon eine wahre Sicherheit hatte (Randnote: 4 Lire...).« So geht der Bericht über die Missetaten des Kleinen weiter und schließt mit der Kostenrechnung: »Im ersten Jahr, ein Mantel, Lire 2; 6 Hemden, Lire 4; 3 Wämser, Lire 6; 4 Paar Strümpfe, Lire 7 usw.«[1]

Die Biographen Leonardos, denen nichts ferner liegt, als die Rätsel im Seelenleben ihres Helden aus seinen kleinen Schwächen und Eigenheiten ergründen zu wollen, pflegen an diese sonderbaren Verrechnungen eine Bemerkung anzuknüpfen, welche die Güte und Nachsicht des Meisters gegen seine Schüler betont. Sie vergessen daran, daß nicht Leonardos Benehmen, sondern die Tatsache, daß er uns diese Zeugnisse desselben hinterließ, einer Erklärung bedarf. Da man ihm unmöglich das Motiv zuschreiben kann, uns Belege für seine Gutmütigkeit in die Hände zu spielen, müssen wir die Annahme machen, daß ein anderes, affektives Motiv ihn zu diesen Niederschriften veranlaßt hat. Es ist nicht leicht zu erraten, welches, und wir würden keines anzugeben wissen, wenn nicht eine andere unter Leonardos Papieren gefundene Rechnung ein helles Licht auf diese seltsam kleinlichen Notizen über Schülerkleidungen u. dgl. würfe:

»Auslagen nach dem Tode zum Begräbnis der Katharina	27 florins
2 Pfund Wachs	18 „
Für das Tragen und Aufrichten des Kreuzes	12 „
Katafalk	4 „
Leichenträger	8 „
An 4 Geistliche und 4 Kleriker	20 „
Glockenläuten	2 „
Den Totengräbern	16 „
Für die Genehmigung – den Beamten	1 „
Summa	108 florins

Frühere Auslagen:

Dem Arzt	4 florins	
Für Zucker und Lichte	12 „	16 „
Summa Summarum		124 florins.«[2]

---

[1] Der volle Wortlaut bei Herzfeld (1906, XLV).

[2] Mereschkowski (1903, 372. – Als betrübenden Beleg für die Unsicherheit der ohnedies spärlichen Nachrichten über Leonardos intimes Leben erwähne ich, daß die gleiche Kostenrechnung bei Solmi (1908, 104) mit erheblichen Abänderungen wiedergegeben ist. Am bedenklichsten erscheint, daß die Florins in ihr durch Soldi ersetzt sind. Man darf

Der Dichter Mereschkowski ist der einzige, der uns zu sagen weiß, wer
diese Katharina war. Aus zwei anderen kurzen Notizen erschließt er,
daß die Mutter Leonardos, die arme Bäuerin aus Vinci, im Jahre 1493
nach Mailand gekommen war, um ihren damals 41jährigen Sohn zu besuchen, daß sie dort erkrankte, von Leonardo im Spital untergebracht,
und als sie starb, von ihm unter so ehrenvollem Aufwand zu Grabe gebracht worden sei[1].

Erweisbar ist diese Deutung des seelenkundigen Romanschreibers nicht,
aber sie kann auf so viel innere Wahrscheinlichkeit Anspruch machen,
stimmt so gut zu allem, was wir sonst von Leonardos Gefühlsbetätigung
wissen, daß ich mich nicht enthalten kann, sie als richtig anzuerkennen.
Er hatte es zustande gebracht, seine Gefühle unter das Joch der Forschung zu zwingen und den freien Ausdruck derselben zu hemmen; aber
es gab auch für ihn Fälle, in denen das Unterdrückte sich eine Äußerung
erzwang, und der Tod der einst so heiß geliebten Mutter war ein
solcher. In dieser Rechnung über die Begräbniskosten haben wir die bis
zur Unkenntlichkeit entstellte Äußerung der Trauer um die Mutter vor
uns. Wir verwundern uns, wie solche Entstellung zustande kommen
konnte, und können es auch unter den Gesichtspunkten der normalen
seelischen Vorgänge nicht verstehen. Aber unter den abnormen Bedingungen der Neurosen und ganz besonders der sogenannten *Zwangsneurose* ist uns ähnliches wohlbekannt. Dort sehen wir die Äußerung
intensiver, aber durch Verdrängung unbewußt gewordener Gefühle auf
geringfügige, ja läppische Verrichtungen verschoben. Es ist den wider-
strebenden Mächten gelungen, den Ausdruck dieser verdrängten Gefühle so sehr zu erniedrigen, daß man die Intensität dieser Gefühle für
eine höchst geringfügige einschätzen müßte; aber in dem gebieterischen
Zwang, mit dem sich diese kleinliche Ausdruckshandlung durchsetzt,

---

annehmen, daß in dieser Rechnung Florins nicht die alten »Goldgulden«, sondern die
später gebräuchliche Rechnungsgröße, die 1²/₃ Lire oder 33 ¹/₃ Soldi gleichkommt,
bedeuten. – Solmi macht daß die Katharina zu einer Magd, die Leonardos Hauswesen durch
eine gewisse Zeit geleitet hatte. Die Quelle, aus der die beiden Darstellungen dieser
Rechnung geschöpft haben, wurde mir nicht zugänglich. [Einige der Zahlen variieren
auch bei Freud in den verschiedenen Ausgaben seiner Werke. So lautet die Summe für
den Katafalk im Jahr 1910 »12«, 1919 und 1923 »19« und von 1925 an »4 florins«.
Vor 1925 lautete die Summe für das Tragen und Aufrichten des Kreuzes »4 florins«.
Eine neuere Fassung des gesamten Textes auf Italienisch (und Englisch) gibt J. P.
Richter (1939, Bd. 2, 397).]

[1] »Katharina ist am 16. Juli 1493 eingetroffen.« – »Giovannina – ein märchenhaftes
Gesicht – frage bei Katharina im Krankenhause nach.« [Tatsächlich hat Mereschkowski
die zweite Bemerkung nicht korrekt übersetzt. Sie müßte lauten: »Giovannina – ein
märchenhaftes Gesicht – hält sich im Krankenhaus von Santa Caterina auf.«]

verrät sich die wirkliche, im Unbewußten wurzelnde Macht der Regungen, die das Bewußtsein verleugnen möchte. Nur ein solcher Anklang an das Geschehen bei der Zwangsneurose kann die Leichenkostenrechnung Leonardos beim Tode seiner Mutter erklären. Im Unbewußten war er noch wie in Kinderzeiten durch erotisch gefärbte Neigung an sie gebunden; der Widerstreit der später eingetretenen Verdrängung dieser Kinderliebe gestattete nicht, daß ihr im Tagebuche ein anderes, würdigeres Denkmal gesetzt werde, aber was sich als Kompromiß aus diesem neurotischen Konflikt ergab, das mußte ausgeführt werden, und so wurde die Rechnung eingetragen und kam als Unbegreiflichkeit zur Kenntnis der Nachwelt.

Es scheint kein Wagnis, die an der Leichenrechnung gewonnene Einsicht auf die Schülerkostenrechnungen zu übertragen. Demnach wäre auch dies ein Fall, in dem sich bei Leonardo die spärlichen Reste libidinöser Regungen zwangsartig einen entstellten Ausdruck schufen. Die Mutter und die Schüler, die Ebenbilder seiner eigenen knabenhaften Schönheit, wären seine Sexualobjekte gewesen – soweit die sein Wesen beherrschende Sexualverdrängung eine solche Kennzeichnung zuläßt –, und der Zwang, die für sie gemachten Ausgaben mit peinlicher Ausführlichkeit zu notieren, wäre der befremdliche Verrat dieser rudimentären Konflikte. Es würde sich so ergeben, daß Leonardos Liebesleben wirklich dem Typus von Homosexualität angehört, dessen psychische Entwicklung wir aufdecken konnten, und das Auftreten der homosexuellen Situation in seiner Geierphantasie würde uns verständlich, denn es besagte nichts anderes, als was wir vorhin von jenem Typus behauptet haben. Es erforderte die Übersetzung: Durch diese erotische Beziehung zur Mutter bin ich ein Homosexueller geworden[1].

---

[1] Die Ausdrucksformen, in denen sich die verdrängte Libido bei Leonardo äußern darf, Umständlichkeit und Geldinteresse, gehören den aus der Analerotik hervorgegangenen Charakterzügen an. Vgl. ›Charakter und Analerotik‹ (1908 *b*).

IV. KAPITEL

Die Geierphantasie Leonardos hält uns noch immer fest. In Worten, welche nur allzu deutlich an die Beschreibung eines Sexualaktes anklingen (»und hat viele Male mit seinem Schwanz gegen[1] meine Lippen gestoßen«), betont Leonardo die Intensität der erotischen Beziehungen zwischen Mutter und Kind. Es hält nicht schwer, aus dieser Verbindung der Aktivität der Mutter (des Geiers) mit der Hervorhebung der Mundzone einen zweiten Erinnerungsinhalt der Phantasie zu erraten. Wir können übersetzen: Die Mutter hat mir ungezählte leidenschaftliche Küsse auf den Mund gedrückt. Die Phantasie ist zusammengesetzt aus der Erinnerung an das Gesäugtwerden und an das Geküßtwerden durch die Mutter.

Dem Künstler hat eine gütige Natur gegeben, seine geheimsten, ihm selbst verborgenen Seelenregungen durch Schöpfungen zum Ausdruck zu bringen, welche die anderen, dem Künstler Fremden, mächtig ergreifen, ohne daß sie selbst anzugeben wüßten, woher diese Ergriffenheit rührt. Sollte in dem Lebenswerk Leonardos nichts Zeugnis ablegen von dem, was seine Erinnerung als den stärksten Eindruck seiner Kindheit bewahrt hat? Man müßte es erwarten. Wenn man aber erwägt, was für tiefgreifende Umwandlungen ein Lebenseindruck des Künstlers durchzumachen hat, ehe er seinen Beitrag zum Kunstwerk stellen darf, wird man gerade bei Leonardo den Anspruch auf Sicherheit des Nachweises auf ein ganz bescheidenes Maß herabsetzen müssen.

Wer an Leonardos Bilder denkt, den wird die Erinnerung an ein merkwürdiges, berückendes und rätselhaftes Lächeln mahnen, das er auf die Lippen seiner weiblichen Figuren gezaubert hat. Ein stehendes Lächeln auf langgezogenen, geschwungenen Lippen; es ist für ihn charakteristisch geworden und wird vorzugsweise »leonardesk« genannt[2]. In dem fremdartig schönen Antlitz der Florentinerin Mona Lisa del Gio-

---

[1] [S. Anm. 1, S. 109.]

[2] [1919 hinzugefügte Anm.:] Der Kunstkenner wird hier an das eigentümliche starre Lächeln denken, welches die plastischen Werke der archaischen griechischen Kunst, z. B. die Aegineten, zeigen, vielleicht auch an den Figuren von Leonardos Lehrer Verrocchio ähnliches entdecken und darum den nachstehenden Ausführungen nicht ohne Bedenken folgen wollen.

condo hat es die Beschauer am stärksten ergriffen und in Verwirrung gebracht[1]. Dies Lächeln verlangte nach einer Deutung und fand die verschiedenartigsten, von denen keine befriedigte. *»Voilà quatre siècles bientôt que Monna Lisa fait perdre la tête à tous ceux qui parlent d'elle, après l'avoir longtemps regardée.«* [2]

Muther[3]: »Was den Betrachter namentlich bannt, ist der dämonische Zauber dieses Lächelns. Hunderte von Dichtern und Schriftstellern haben über dieses Weib geschrieben, das bald verführerisch uns anzulächeln, bald kalt und seelenlos ins Leere zu starren scheint, und niemand hat ihr Lächeln enträtselt, niemand ihre Gedanken gedeutet. Alles, auch die Landschaft ist geheimnisvoll traumhaft, wie in gewitterschwüler Sinnlichkeit zitternd.«

Die Ahnung, daß sich in dem Lächeln der Mona Lisa zwei verschiedene Elemente vereinigen, hat sich bei mehreren Beurteilern geregt. Sie erblicken darum in dem Mienenspiel der schönen Florentinerin die vollkommenste Darstellung der Gegensätze, die das Liebesleben des Weibes beherrschen, der Reserve und der Verführung, der hingebungsvollen Zärtlichkeit und der rücksichtslos heischenden, den Mann wie etwas Fremdes verzehrenden Sinnlichkeit. So äußert Müntz[4]: *»On sait quelle énigme indéchiffrable et passionnante Monna Lisa Gioconda ne cesse depuis bientôt quatre siècles, de proposer aux admirateurs pressés devant elle. Jamais artiste (j'emprunte la plume du délicat écrivain qui se cache sous le pseudonyme de Pierre de Corlay) ›a-t-il traduit ainsi l'essence même de la féminité: tendresse et coquetterie, pudeur et sourde volupté, tout le mystère d'un cœur qui se réserve, d'un cerveau qui réfléchit, d'une personnalité qui se garde et ne livre d'elle-même que son rayonnement...‹«* Der Italiener Angelo Conti[5] sieht das Bild im Louvre von einem Sonnenstrahl belebt. *»La donna sorrideva in una calma regale: i suoi istinti di conquista, di ferocia, tutta l'eredità della specie, la volontà della seduzione e dell' agguato, la grazia del inganno, la bontà che cela un proposito crudele, tutto ciò appariva alternativamente e scompariva dietro il velo ridente e si fondeva nel poema del suo sorriso... Buona e malvagia, crudele e compassionevole, graziosa e felina, ella rideva...«* [6]

---

[1] [Siehe die Abbildung gegenüber von S. 81.]
[2] Gruyer nach v. Seidlitz (1909, Bd. 2, 280).
[3] (1909, Bd. 1, 314).   [4] (1899, 417).   [5] (1910, 93).
[6] [»Die Dame lächelte in königlicher Ruhe: ihre Instinkte der Eroberung, der Grausamkeit, das ganze Erbe ihres Geschlechts, der Wille zu verführen, zu umgarnen, der trügerische Liebreiz, die Güte, hinter der sich schlimme Absichten verbergen – all dies

Leonardo malte vier Jahre an diesem Bilde, vielleicht von 1503 bis 1507, während seines zweiten Aufenthaltes in Florenz, selbst über 50 Jahre alt. Er wendete nach Vasaris Bericht die ausgesuchtesten Künste an, um die Dame während der Sitzungen zu zerstreuen und jenes Lächeln auf ihren Zügen festzuhalten. Von all den Feinheiten, die sein Pinsel damals auf der Leinwand wiedergab, hat das Bild in seinem heutigen Zustand wenig nur bewahrt; es galt, als es im Entstehen war, als das höchste, was die Kunst leisten könnte; sicher ist aber, daß es Leonardo selbst nicht befriedigte, daß er es für nicht vollendet erklärte, dem Besteller nicht ablieferte und mit sich nach Frankreich nahm, wo sein Beschützer Franz I. es von ihm für das Louvre erwarb.

Lassen wir das physiognomische Rätsel der Mona Lisa ungelöst und verzeichnen wir die unzweifelhafte Tatsache, daß ihr Lächeln den Künstler nicht minder stark fasziniert hat als alle die Beschauer seit 400 Jahren. Dies berückende Lächeln kehrt seitdem auf allen seinen Bildern und denen seiner Schüler wieder. Da die Mona Lisa Leonardos ein Porträt ist, können wir nicht annehmen, er habe ihrem Angesicht aus eigenem einen so ausdrucksschweren Zug geliehen, den sie selbst nicht besaß. Es scheint, wir können kaum anders als glauben, daß er dies Lächeln bei seinem Modell fand und so sehr unter dessen Zauber geriet, daß er von da an die freien Schöpfungen seiner Phantasie mit ihm ausstattete. Dieser naheliegenden Auffassung gibt zum Beispiel A. Konstantinowa [1] Ausdruck:

»Während der langen Zeit, in welcher sich der Meister mit dem Porträt der Mona Lisa del Giocondo beschäftigte, hatte er sich mit solcher Teilnahme des Gefühls in die physiognomischen Feinheiten dieses Frauenantlitzes hineingelebt, daß er diese Züge – besonders das geheimnisvolle Lächeln und den seltsamen Blick – auf alle Gesichter übertrug, welche er in der Folge malte oder zeichnete; die mimische Eigentümlichkeit der Gioconda kann selbst auf dem Bilde Johannes des Täufers im Louvre wahrgenommen werden; – vor allem aber sind sie in Marias Gesichtszügen auf dem Anna Selbdritt-Bilde deutlich erkennbar [2].«

Allein es kann auch anders zugegangen sein. Das Bedürfnis nach einer tieferen Begründung jener Anziehung, mit welcher das Lächeln der Gioconda den Künstler ergriff, um ihn nicht mehr freizulassen, hat sich bei

---

erschien und verschwand hinter dem heiteren Schleier und ging in dem Gedicht ihres Lächelns unter... Gut und böse, grausam und barmherzig, lieblich und katzenhaft lächelte sie...«.]

[1] (1907, 44)   [2] [Siehe die Abbildung gegenüber von S. 144.]

mehr als einem seiner Biographen geregt. W. Pater, der in dem Bilde der Mona Lisa die »Verkörperung aller Liebeserfahrung der Kulturmenschheit« sieht [1873, 118] und sehr fein [ibid., 117] »jenes unergründliche Lächeln, welches bei Leonardo stets wie mit etwas Unheilverkündendem verbunden scheint«, behandelt, führt uns auf eine andere Spur, wenn er äußert[1]:

»Übrigens ist das Bild ein Porträt. Wir können verfolgen, wie es sich von Kindheit auf in das Gewebe seiner Träume mischt, so daß man, sprächen nicht ausdrückliche Zeugnisse dagegen, glauben möchte, es sei sein endlich gefundenes und verkörpertes Frauenideal...«

Etwas ganz Ähnliches hat wohl M. Herzfeld im Sinne, wenn sie ausspricht, in der Mona Lisa habe Leonardo sich selbst begegnet, darum sei es ihm möglich geworden, soviel von seinem eigenen Wesen in das Bild einzutragen, »dessen Züge von jeher in rätselhafter Sympathie in Leonardos Seele gelegen haben.«[2]

Versuchen wir diese Andeutungen zur Klarheit zu entwickeln. Es mag also so gewesen sein, daß Leonardo vom Lächeln der Mona Lisa gefesselt wurde, weil dieses etwas in ihm aufweckte, was seit langer Zeit in seiner Seele geschlummert hatte, eine alte Erinnerung wahrscheinlich. Diese Erinnerung war bedeutsam genug, um ihn nicht mehr loszulassen, nachdem sie einmal erweckt worden war; er mußte ihr immer wieder neuen Ausdruck geben. Die Versicherung Paters, daß wir verfolgen können, wie sich ein Gesicht wie das der Mona Lisa von Kindheit auf in das Gewebe seiner Träume mischt, scheint glaubwürdig und verdient wörtlich verstanden zu werden.

Vasari erwähnt als seine ersten künstlerischen Versuche »*teste di femmine, che ridono*«[3]. Die Stelle, die ganz unverdächtig ist, weil sie nichts erweisen will, lautet vollständiger in deutscher Übersetzung[4]: »indem er in seiner Jugend einige lachende weibliche Köpfe aus Erde formte, die in Gips vervielfältigt wurden, und einige Kinderköpfe, so schön, als ob sie von Meisterhand gebildet wären...«

Wir erfahren also, daß seine Kunstübung mit der Darstellung von zweierlei Objekten begann, die uns an die zweierlei Sexualobjekte mahnen müssen, welche wir aus der Analyse seiner Geierphantasie erschlossen haben. Waren die schönen Kinderköpfe Vervielfältigungen seiner

---

[1] Pater [l. c.;] 1906, 157. (Aus dem Englischen.)
[2] Herzfeld (1906, LXXXVIII).
[3] [»Lachende weibliche Köpfe.«] Bei Scognamiglio (1900, 32).
[4] Von L. Schorn (1843, Bd. 3, 6).

eigenen kindlichen Person, so sind die lächelnden Frauen nichts anderes als Wiederholungen der Caterina, seiner Mutter, und wir beginnen die Möglichkeit zu ahnen, daß seine Mutter das geheimnisvolle Lächeln besessen, das er verloren hatte und das ihn so fesselte, als er es bei der Florentiner Dame wiederfand[1].

Das Gemälde Leonardos, welches der Mona Lisa zeitlich am nächsten steht, ist die sogenannte »heilige Anna selbdritt«, die heilige Anna mit Maria und dem Christusknaben. Es zeigt das leonardeske Lächeln in schönster Ausprägung an beiden Frauenköpfen. Es ist nicht zu ermitteln, um wieviel früher oder später als am Porträt der Mona Lisa Leonardo daran zu malen begann. Da beide Arbeiten sich über Jahre erstreckten, darf man wohl annehmen, daß sie den Meister gleichzeitig beschäftigt haben. Zu unserer Erwartung würde es am besten stimmen, wenn gerade die Vertiefung in die Züge der Mona Lisa Leonardo angeregt hätte, die Komposition der heiligen Anna aus seiner Phantasie zu gestalten. Denn wenn das Lächeln der Gioconda die Erinnerung an die Mutter in ihm heraufbeschwor, so verstehen wir, daß es ihn zunächst dazu trieb, eine Verherrlichung der Mütterlichkeit zu schaffen und das Lächeln, das er bei der vornehmen Dame gefunden hatte, der Mutter wiederzugeben. So dürfen wir denn unser Interesse vom Porträt der Mona Lisa auf dies andere, kaum minder schöne Bild, das sich jetzt auch im Louvre befindet, hinübergleiten lassen.

Die heilige Anna mit Tochter und Enkelkind ist ein in der italienischen Malerei selten behandelter Gegenstand; die Darstellung Leonardos weicht jedenfalls weit von allen sonst bekannten ab. Muther sagt[2]: »Einige Meister, wie Hans Fries, der ältere Holbein und Girolamo dai Libri, ließen Anna neben Maria sitzen und stellten zwischen beide das Kind. Andere, wie Jakob Cornelisz in seinem Berliner Bilde, zeigten im eigentlichen Wortsinn die ›heilige Anna selbdritt‹, das heißt, sie stellten sie dar, wie sie im Arme das kleine Figürchen Marias hält, auf dem das noch kleinere des Christkindes sitzt.« Bei Leonardo sitzt Maria auf dem Schoße ihrer Mutter vorgeneigt und greift mit beiden Armen nach dem Knaben, der mit einem Lämmchen spielt, es wohl ein wenig mißhandelt. Die Großmutter hat den einen unverdeckten Arm in die Hüfte ge-

---

[1] Das nämliche nimmt Mereschkowski an, der doch für Leonardo eine Kindheitsgeschichte imaginiert, welche in den wesentlichen Punkten von unseren, aus der Geierphantasie geschöpften, Ergebnissen abweicht. Wenn aber Leonardo selbst dies Lächeln gezeigt hätte [wie Mereschkowski ebenfalls annimmt], so hätte die Tradition es wohl kaum unterlassen, uns dies Zusammentreffen zu berichten.
[2] (1909, Bd.1, 309).

stemmt und blickt mit seligem Lächeln auf die beiden herab. Die Gruppierung ist gewiß nicht ganz ungezwungen. Aber das Lächeln, welches auf den Lippen beider Frauen spielt, hat, obwohl unverkennbar dasselbe wie im Bilde der Mona Lisa, seinen unheimlichen und rätselhaften Charakter verloren; es drückt Innigkeit und stille Seligkeit aus[1].

Bei einer gewissen Vertiefung in dieses Bild kommt es wie ein plötzliches Verständnis über den Beschauer: Nur Leonardo konnte dieses Bild malen, wie nur er die Geierphantasie dichten konnte. In dieses Bild ist die Synthese seiner Kindheitsgeschichte eingetragen; die Einzelheiten desselben sind aus den allerpersönlichsten Lebenseindrücken Leonardos erklärlich. Im Hause seines Vaters fand er nicht nur die gute Stiefmutter Donna Albiera, sondern auch die Großmutter, Mutter seines Vaters, Monna Lucia, die, wir wollen es annehmen, nicht unzärtlicher gegen ihn war, als Großmütter zu sein pflegen. Dieser Umstand mochte ihm die Darstellung der von Mutter und Großmutter behüteten Kindheit nahebringen. Ein anderer auffälliger Zug des Bildes gewinnt eine noch größere Bedeutung. Die heilige Anna, die Mutter der Maria und Großmutter des Knaben, die eine Matrone sein müßte, ist hier vielleicht etwas reifer und ernster als die heilige Maria, aber noch als junge Frau von unverwelkter Schönheit gebildet. Leonardo hat in Wirklichkeit dem Knaben zwei Mütter gegeben, eine, die die Arme nach ihm ausstreckt, und eine andere im Hintergrunde, und beide mit dem seligen Lächeln des Mutterglückes ausgestattet. Diese Eigentümlichkeit des Bildes hat nicht verfehlt, die Verwunderung der Autoren zu erregen; Muther meint zum Beispiel, daß Leonardo sich nicht entschließen konnte, Alter, Falten und Runzeln zu malen, und darum auch Anna zu einer Frau von strahlender Schönheit machte. Ob man sich mit dieser Erklärung zufrieden geben kann? Andere haben zur Auskunft gegriffen, die »Gleichaltrigkeit von Mutter und Tochter« überhaupt in Abrede zu stellen[2]. Aber der Muthersche Erklärungsversuch genügt wohl für den Beweis, daß der Eindruck von der Verjüngung der heiligen Anna dem Bilde entnommen und nicht durch eine Tendenz vorgetäuscht ist.

Leonardos Kindheit war gerade so merkwürdig gewesen wie dieses Bild. Er hatte zwei Mütter gehabt, die erste seine wahre Mutter, die Catarina, der er im Alter zwischen drei und fünf Jahren entrissen

---

[1] Konstantinowa (1907, [44]): »Maria schaut voll Innigkeit zu ihrem Liebling herab, mit einem Lächeln, das an den rätselhaften Ausdruck der Gioconda erinnert«, und anderswo [l. c., 52] von der Maria: »Um ihre Züge schwebt das Lächeln der Gioconda.«
[2] S. v. Seidlitz (1909, Bd. 2, 274, Anmerkungen).

wurde, und eine junge und zärtliche Stiefmutter, die Frau seines Vaters, Donna Albiera. Indem er diese Tatsache seiner Kindheit mit der erst-erwähnten, der Anwesenheit von Mutter und Großmutter[1], zusammen-zog, sie zu einer Mischeinheit verdichtete, gestaltete sich ihm die Komposition der heiligen Anna selbdritt. Die mütterliche Gestalt weiter weg vom Knaben, die Großmutter heißt, entspricht nach ihrer Erscheinung und ihrem räumlichen Verhältnis zum Knaben der echten früheren Mutter Caterina. Mit dem seligen Lächeln der heiligen Anna hat der Künstler wohl den Neid verleugnet und überdeckt, den die Unglückliche verspürte, als sie der vornehmeren Rivalin wie früher den Mann, so auch den Sohn abtreten mußte[2].

---

[1] [Die letzten sechs Wörter wurden 1923 hinzugefügt.]

[2] [1919 hinzugefügte Anm.:] Versucht man an diesem Bilde die Figuren der Anna und der Maria voneinander abzugrenzen, so gelingt dies nicht ganz leicht. Man möchte sagen, beide sind so ineinander verschmolzen wie schlecht verdichtete Traumgestalten, so daß es an manchen Stellen schwer wird zu sagen, wo Anna aufhört und wo Maria anfängt. Was so vor der kritischen Betrachtung [in der Ausgabe von 1919: »der künstlerischen Betrachtung«] als Fehlleistung, als ein Mangel der Komposition erscheint, das rechtfertigt sich vor der Analyse durch Hinweis auf seinen geheimen Sinn. Die beiden Mütter seiner Kindheit durften dem Künstler zu einer Gestalt zusammenfließen.

Fig. 2

[Zusatz 1923:] Es ist dann besonders reizvoll, mit der hl. Anna selbdritt des Louvre den berühmten Londoner Karton zu vergleichen, der eine andere Komposition desselben Stoffes zeigt. [S. Fig. 3.] Hier sind die beiden Muttergestalten noch inniger miteinander verschmolzen, ihre Abgrenzungen noch unsicherer, so daß Beurteiler, denen jede Bemühung einer Deutung fernelag, sagen mußten, es scheine, »als wüchsen beide Köpfe aus einem Rumpf hervor«.

Die meisten Autoren stimmen darin überein, diesen Londoner Karton für die frühere Arbeit zu erklären, und verlegen seine Entstehung in die erste Mailänder Zeit Leonardos (vor 1500). Adolf Rosenberg (Monographie 1898) sieht hingegen in der Komposition des Kartons eine spätere – und glücklichere – Gestaltung desselben Vorwurfs und läßt ihn in Anlehnung an Anton Springer selbst nach der Mona Lisa

So wären wir von einem anderen Werke Leonardos her zur Bestätigung der Ahnung gekommen, daß das Lächeln der Mona Lisa del Giocondo in dem Manne die Erinnerung an die Mutter seiner ersten Kinderjahre erweckt hatte. Madonnen und vornehme Damen zeigten von da an bei den Malern Italiens die demütige Kopfneigung und das seltsam-selige Lächeln des armen Bauernmädchens Catarina, das der Welt den herrlichen, zum Malen, Forschen und Dulden bestimmten Sohn geboren hatte.

Wenn es Leonardo gelang, im Angesicht der Mona Lisa den doppelten Sinn wiederzugeben, den dies Lächeln hatte, das Versprechen schrankenloser Zärtlichkeit wie die unheilverkündende Drohung (nach Paters Worten [oben, S. 135]), so war er auch darin dem Inhalte seiner frühesten Erinnerung treugeblieben. Denn die Zärtlichkeit der Mutter wurde ihm zum Verhängnis, bestimmte sein Schicksal und die Entbehrungen, die seiner warteten. Die Heftigkeit der Liebkosungen, auf die seine Geierphantasie deutet, war nur allzu natürlich; die arme verlassene Mutter mußte all ihre Erinnerungen an genossene Zärtlichkeiten wie ihre Sehnsucht nach neuen in die Mutterliebe einfließen lassen; sie war dazu gedrängt, nicht nur sich dafür zu entschädigen, daß sie keinen

---

entstanden sein. Zu unseren Erörterungen paßt es durchaus, daß der Karton die weit ältere Schöpfung sein sollte. Es ist auch nicht schwierig sich vorzustellen, wie das Louvrebild aus dem Karton hervorgegangen wäre, während sich für die gegenteilige Wandlung kein Verständnis ergibt. Gehen wir von der Komposition des Kartons aus, so hat Leonardo etwa das Bedürfnis empfunden, die traumhafte Verschmelzung der beiden Frauen, die seiner Kindheitserinnerung entsprach, aufzuheben und die beiden Köpfe voneinander räumlich zu trennen. Dies geschah, indem er Kopf und Oberleib der Maria von der Muttergestalt ablöste und nach abwärts bog. Zur Motivierung dieser Verschiebung mußte das Christuskind vom Schoß weg auf den Boden rücken, und dann blieb kein Platz für den kleinen Johannes, der durch das Lamm ersetzt wurde. – [Zusatz 1919:] An dem Louvre-

Fig. 3

Mann, sondern auch das Kind, daß es keinen Vater hatte, der es lieb-
kosen wollte. So nahm sie nach der Art aller unbefriedigten Mütter den
kleinen Sohn anstelle ihres Mannes an und raubte ihm durch die allzu
frühe Reifung seiner Erotik ein Stück seiner Männlichkeit. Die Liebe
der Mutter zum Säugling, den sie nährt und pflegt, ist etwas weit tief-
greifenderes als ihre spätere Affektion für das heranwachsende Kind.
Sie ist von der Natur eines vollbefriedigenden Liebesverhältnisses, das
nicht nur alle seelischen Wünsche, sondern auch alle körperlichen Bedürf-
nisse erfüllt, und wenn sie eine der Formen des dem Menschen erreichbaren Glückes darstellt, so rührt dies nicht zum mindesten von der Möglichkeit her, auch längst verdrängte und pervers zu nennende Wunsch-
regungen ohne Vorwurf zu befriedigen [1]. In der glücklichsten jungen Ehe
verspürt es der Vater, daß das Kind, besonders der kleine Sohn, sein
Nebenbuhler geworden ist, und eine tief im Unbewußten wurzelnde
Gegnerschaft gegen den Bevorzugten nimmt von daher ihren Ausgang.
Als Leonardo auf der Höhe seines Lebens jenem selig verzückten Lächeln

---

bilde hat Oskar Pfister eine merkwürdige Entdeckung gemacht, der man auf keinen
Fall sein Interesse versagen wird, auch wenn man sich ihrer unbedingten Anerkennung
nicht geneigt fühlen sollte. Er hat in der eigentümlich gestalteten und nicht leicht verständlichen Gewandung der Maria die *Kontur des Geiers* aufgefunden und deutet sie
als *unbewußtes Vexierbild.*
»Auf dem Bilde, das die Mutter des Künstlers darstellt, findet sich nämlich in voller
Deutlichkeit *der Geier, das Symbol der Mütterlichkeit.*
Man sieht den äußerst charakteristischen Geierkopf, den Hals, den scharfbogigen Ansatz des Rumpfes in dem blauen Tuche, das bei der Hüfte des vorderen Weibes sichtbar
wird und sich in der Richtung gegen Schoß und rechtes Knie erstreckt. Fast kein Beobachter, dem ich den kleinen Fund vorlegte, konnte sich der Evidenz dieses Vexierbildes
entziehen.« (Pfister, 1913, 147.)
An dieser Stelle wird der Leser gewiß die Mühe nicht scheuen, die dieser Schrift bei-
gegebene Bildbeilage anzuschauen, um die Umrisse des von Pfister gesehenen Geiers
in ihm zu suchen. Das blaue Tuch, dessen Ränder das Vexierbild zeichnen, hebt sich in
der Reproduktion als lichtgraues Feld vom dunkleren Grund der übrigen Gewandung
ab. [S. die Abbildung gegenüber von S. 144 sowie Fig. 2.]
Pfister setzt (l. c., 147) fort: »Die wichtige Frage ist aber nun: Wie weit reicht das
Vexierbild? Verfolgen wir das Tuch, das sich so scharf von seiner Umgebung abhebt,
von der Mitte des Flügels aus weiter, so bemerken wir, daß es sich einerseits zum Fuß
des Weibes senkt, anderseits aber gegen ihre Schulter und das Kind erhebt. Die erstere
Partie ergäbe ungefähr Flügel und natürlichen Schweif des Geiers, die letztere einen
spitzen Bauch und, besonders wenn wir die strahlenförmigen, den Konturen von Federn
ähnlichen Linien beachten, einen ausgebreiteten Vogelschwanz, dessen rechtes Ende
*genau wie in Leonardos schicksalbedeutendem Kindheitstraum nach dem Munde des
Kindes, also eben Leonardos,* führt.«
Der Autor unternimmt es dann, die Deutung noch weiter ins einzelne durchzuführen,
und behandelt die Schwierigkeiten, die sich dabei ergeben.
[1] Vgl. *Drei Abhandlungen zur Sexualtheorie* (1905 d), [Abhandlung III, die Erörterung über das »Sexualobjekt der Säuglingszeit« in dem Abschnitt »Die Objektfindung«].

wieder begegnete, wie es einst den Mund seiner Mutter bei ihren Liebkosungen umspielt hatte, stand er längst unter der Herrschaft einer
Hemmung, die ihm verbot, je wieder solche Zärtlichkeiten von Frauen-
lippen zu begehren. Aber er war Maler geworden, und so bemühte er
sich, dieses Lächeln mit dem Pinsel wieder zu erschaffen, und er gab es
allen seinen Bildern, ob er sie nun selbst ausführte oder unter seiner Leitung von seinen Schülern ausführen ließ, der Leda, dem Johannes und
dem Bacchus. Die beiden letzten sind Abänderungen desselben Typus.
Muther sagt [1909, Bd. 1, 314]: »Aus dem Heuschreckenesser der Bibel
hat Leonardo einen Bacchus, einen Apollino gemacht, der, ein rätselhaftes Lächeln auf den Lippen, die weichen Schenkel übereinander ge-
schlagen, uns mit sinnbetörendem Auge anblickt.« Diese Bilder atmen
eine Mystik, in deren Geheimnis einzudringen man nicht wagt; man
kann es höchstens versuchen, den Anschluß an die früheren Schöpfungen
Leonardos herzustellen. Die Gestalten sind wieder mannweiblich, aber
nicht mehr im Sinne der Geierphantasie, es sind schöne Jünglinge von
weiblicher Zartheit mit weibischen Formen; sie schlagen die Augen nicht
nieder, sondern blicken geheimnisvoll triumphierend, als wüßten sie
von einem großen Glückserfolg, von dem man schweigen muß; das bekannte berückende Lächeln läßt ahnen, daß es ein Liebesgeheimnis ist.
Möglich, daß Leonardo in diesen Gestalten das Unglück seines Liebeslebens verleugnet und künstlerisch überwunden hat, indem er die
Wunscherfüllung des von der Mutter betörten Knaben in solch seliger
Vereinigung von männlichem und weiblichem Wesen darstellte.

V. KAPITEL

Unter den Eintragungen in den Tagebüchern Leonardos findet sich eine, die durch ihren bedeutsamen Inhalt und wegen eines winzigen formalen Fehlers die Aufmerksamkeit des Lesers festhält:

Er schreibt im Juli 1504:

»Adì 9 di Luglio 1504 mercoledì a ore 7 morì Ser Piero da Vinci, notalio al palazzo del Potestà, mio padre, a ore 7. Era d'età d'anni 80, lasciò 10 figlioli maschi e 2 femmine.« [1]

Die Notiz handelt also vom Tode des Vaters Leonardos. Die kleine Irrung in ihrer Form besteht darin, daß die Zeitbestimmung »a ore 7« zweimal wiederholt wird, als hätte Leonardo am Ende des Satzes vergessen, daß er sie zu Anfang bereits hingeschrieben. Es ist nur eine Kleinigkeit, aus der ein anderer als ein Psychoanalytiker nichts machen würde. Vielleicht würde er sie nicht bemerken, und auf sie aufmerksam gemacht, würde er sagen: Das kann in der Zerstreutheit oder im Affekt jedem passieren und hat weiter keine Bedeutung.

Der Psychoanalytiker denkt anders; ihm ist nichts zu klein als Äußerung verborgener seelischer Vorgänge; er hat längst gelernt, daß solches Vergessen oder Wiederholen bedeutungsvoll ist, und daß man es der »Zerstreutheit« danken muß, wenn sie den Verrat sonst verborgener Regungen gestattet.

Wir werden sagen, auch diese Notiz entspricht, wie die Leichenrechnung der Caterina [S. 129], die Kostenrechnungen der Schüler [S. 128], einem Falle, in dem Leonardo die Unterdrückung seiner Affekte mißglückte und das lange Verhohlene sich einen entstellten Ausdruck erzwang. Auch die Form ist eine ähnliche, dieselbe pedantische Genauigkeit, die gleiche Vordringlichkeit der Zahlen [2].

Wir heißen eine solche Wiederholung eine Perseveration. Sie ist ein ausgezeichnetes Hilfsmittel, um die affektive Betonung anzuzeigen. Man

---

[1] [»Am Mittwoch, dem 9. Juli 1504, um 7 Uhr starb Ser Piero da Vinci, Notar beim Palazzo del Podestà, mein Vater, um 7 Uhr. Er war 80 Jahre alt und hinterließ 10 Söhne und 2 Töchter.«] Nach Müntz (1899, 13, Anmerkung).

[2] Von einem größeren Irrtum, den Leonardo in dieser Notiz beging, indem er dem 77jährigen Vater 80 Jahre gab, will ich absehen. [S. auch Anm. 2, S. 143.]

denke zum Beispiel an die Zornesrede des heiligen Petrus gegen seinen
unwürdigen Stellvertreter auf Erden in Dantes *Paradiso*[1]:

> *»Quegli ch'usurpa in terra il luogo mio,*
> *Il luogo mio, il luogo mio, che vaca*
> *Nella presenza del Figliuol di Dio,*
>
> *Fatto ha del cimiterio mio cloaca.«*

Ohne Leonardos Affekthemmung hätte die Eintragung im Tagebuch
etwa lauten können: Heute um 7 Uhr starb mein Vater, Ser Piero da
Vinci, mein armer Vater! Aber die Verschiebung der Perseveration auf
die gleichgültigste Bestimmung der Todesnachricht, auf die Sterbestunde,
raubt der Notiz jedes Pathos und läßt uns gerade noch erkennen, daß
hier etwas zu verbergen und zu unterdrücken war.

Ser Piero da Vinci, Notar und Abkömmling von Notaren, war ein
Mann von großer Lebenskraft, der es zu Ansehen und Wohlstand brachte.
Er war viermal verheiratet, die beiden ersten Frauen starben ihm kinderlos weg, erst von der dritten erzielte er 1476 den ersten legitimen
Sohn, als Leonardo bereits 24 Jahre alt war und das Vaterhaus längst
gegen das Atelier seines Meisters Verrocchio vertauscht hatte; mit der
vierten und letzten Frau, die er bereits als Fünfziger geheiratet hatte,
zeugte er noch neun Söhne und zwei Töchter[2].

Gewiß ist auch dieser Vater für die psychosexuelle Entwicklung Leonardos bedeutsam geworden, und zwar nicht nur negativ, durch seinen
Wegfall in den ersten Kinderjahren des Knaben, sondern auch unmittelbar durch seine Gegenwart in dessen späterer Kindheit. Wer als Kind
die Mutter begehrt, der kann es nicht vermeiden, sich an die Stelle des
Vaters setzen zu wollen, sich in seiner Phantasie mit ihm zu identifizieren und später seine Überwindung zur Lebensaufgabe zu machen. Als
Leonardo, noch nicht fünf Jahre alt, ins großväterliche Haus aufgenommen wurde, trat gewiß die junge Stiefmutter Albiera an die Stelle seiner
Mutter in seinem Fühlen, und er kam in jenes normal zu nennende Riva-
litätsverhältnis zum Vater. Die Entscheidung zur Homosexualität tritt

---

[1] [»Er, der sich unten anmaßt meinen Thron,
   Den Thron, den Thron, den meinen, heutzutage,
   Der leer steht angesichts von Gottes Sohn,

   Ließ werden meinen Friedhof zur Kloake.«
(In der Übersetzung von Wilhelm G. Hertz)] Canto XXVII, V. 22–25.

[2] Es scheint, daß Leonardo in jener Tagebuchstelle sich auch in der Anzahl seiner Geschwister geirrt hat, was zur anscheinenden Exaktheit derselben in einem merkwürdigen Gegensatze steht.

bekanntlich erst in der Nähe der Pubertätsjahre auf. Als diese für Leonardo gefallen war, verlor die Identifizierung mit dem Vater jede Bedeutung für sein Sexualleben, setzte sich aber auf anderen Gebieten von nicht erotischer Betätigung fort. Wir hören, daß er Prunk und schöne Kleider liebte, sich Diener und Pferde hielt, obwohl er nach Vasaris Worten »fast nichts besaß und wenig arbeitete«; wir werden nicht allein seinen Schönheitssinn für diese Vorlieben verantwortlich machen, wir erkennen in ihnen auch den Zwang, den Vater zu kopieren und zu übertreffen. Der Vater war gegen das arme Bauernmädchen der vornehme Herr gewesen, daher verblieb in dem Sohne der Stachel, auch den vornehmen Herrn zu spielen, der Drang *»to out-herod Herod«*, dem Vater vorzuhalten, wie erst die richtige Vornehmheit aussehe.

Wer als Künstler schafft, der fühlt sich gegen seine Werke gewiß auch als Vater. Für Leonardos Schaffen als Maler hatte die Identifizierung mit dem Vater eine verhängnisvolle Folge. Er schuf sie und kümmerte sich nicht mehr um sie, wie sein Vater sich nicht um ihn bekümmert hatte. Die spätere Sorge des Vaters konnte an diesem Zwange nichts ändern, denn dieser leitete sich von den Eindrücken der ersten Kinderjahre ab, und das unbewußt gebliebene Verdrängte ist unkorrigierbar durch spätere Erfahrungen.

Zur Zeit der Renaissance bedurfte jeder Künstler – wie auch noch viel später – eines hohen Herrn und Gönners, eines Padrone, der ihm Aufträge gab, in dessen Händen sein Schicksal ruhte. Leonardo fand seinen Padrone in dem hochstrebenden, prachtliebenden, diplomatisch verschlagenen, aber unsteten und unverläßlichen Lodovico Sforza, zubenannt: *il Moro*. An seinem Hofe in Mailand verbrachte er die glänzendste Zeit seines Lebens, in seinen Diensten entfaltete er am ungehemmtesten die Schaffenskraft, von der das Abendmahl und das Reiterstandbild des Francesco Sforza Zeugnis ablegten. Er verließ Mailand, ehe die Katastrophe über Lodovico Moro hereinbrach, der als Gefangener in einem französischen Kerker starb. Als die Nachricht vom Schicksal seines Gönners Leonardo erreichte, schrieb er in sein Tagebuch: »Der Herzog verlor sein Land, seinen Besitz, seine Freiheit, und keines der Werke, die er unternommen, wurde zu Ende geführt.«[1] Es ist merkwürdig und gewiß nicht bedeutungslos, daß er hier gegen seinen Padrone den nämlichen Vorwurf erhob, den die Nachwelt gegen ihn wenden sollte, als wollte er eine Person aus der Vaterreihe dafür verantwortlich machen,

---

[1] *»Il duca perse lo stato e la roba e libertà e nessuna sua opera si finì per lui.«* – v. Seidlitz (1909, Bd. 2, 270).

Leonardo da Vinci: Heilige Anna Selbdritt

Michelangelo: Mosesstatue

daß er selbst seine Werke unvollendet ließ. In Wirklichkeit hatte er auch gegen den Herzog nicht Unrecht.

Aber wenn die Nachahmung des Vaters ihn als Künstler schädigte, so war die Auflehnung gegen den Vater die infantile Bedingung seiner vielleicht ebenso großartigen Leistung als Forscher. Er glich, nach dem schönen Gleichnis Mereschkowskis, einem Menschen, der in der Finsternis zu früh erwacht war, während die anderen noch alle schliefen[1]. Er wagte es, den kühnen Satz auszusprechen, der doch die Rechtfertigung jeder freien Forschung enthält: *Wer im Streite der Meinungen sich auf die Autorität beruft, der arbeitet mit seinem Gedächtnis, anstatt mit seinem Verstand*[2]. So wurde der erste moderne Naturforscher, und eine Fülle von Erkenntnissen und Ahnungen belohnte seinen Mut, seit den Zeiten der Griechen als der erste, nur auf Beobachtung und eigenes Urteil gestützt, an die Geheimnisse der Natur zu rühren. Aber wenn er die Autorität geringschätzen und die Nachahmung der »Alten« verwerfen lehrte und immer wieder auf das Studium der Natur als auf die Quelle aller Wahrheit hinwies, so wiederholte er nur in der höchsten, dem Menschen erreichbaren Sublimierung die Parteinahme, die sich bereits dem kleinen, verwundert in die Welt blickenden Knaben aufgedrängt hatte. Aus der wissenschaftlichen Abstraktion in die konkrete individuelle Erfahrung rückübersetzt, entsprachen die Alten und die Autorität doch nur dem Vater, und die Natur wurde wieder die zärtliche, gütige Mutter, die ihn genährt hatte. Während bei den meisten anderen Menschenkindern – auch noch heute wie in Urzeiten – das Bedürfnis nach dem Anhalt an irgendeine Autorität so gebieterisch ist, daß ihnen die Welt ins Wanken gerät, wenn diese Autorität bedroht wird, konnte Leonardo allein dieser Stütze entbehren; er hätte es nicht können, wenn er nicht in den ersten Lebenjahren gelernt hätte, auf den Vater zu verzichten. Die Kühnheit und Unabhängigkeit seiner späteren wissenschaftlichen Forschung setzt die vom Vater ungehemmte infantile Sexualforschung voraus und setzt sie unter Abwendung vom Sexuellen fort.

Wenn jemand wie Leonardo in seiner ersten[3] Kindheit der Einschüchterung durch den Vater entgangen ist und in seiner Forschung die Fesseln der Autorität abgeworfen hat, so wäre es der grellste Widerspruch

---

[1] (1903, 348).
[2] *Chi disputa allegando l'autorità non adopra l'ingegno ma piuttosto la memoria;* Solmi (1910, 13). [*Codex Atlanticus*, F. 76 r. a.]
[3] [Dieses Wort wurde 1925 hinzugefügt.]

gegen unsere Erwartung, wenn wir fänden, daß derselbe Mann ein Gläubiger geblieben ist und es nicht vermocht hat, sich der dogmatischen Religion zu entziehen. Die Psychoanalyse hat uns den intimen Zusammenhang zwischen dem Vaterkomplex und der Gottesgläubigkeit kennengelehrt, hat uns gezeigt, daß der persönliche Gott psychologisch nichts anderes ist als ein erhöhter Vater, und führt uns täglich vor Augen, wie jugendliche Personen den religiösen Glauben verlieren, sobald die Autorität des Vaters bei ihnen zusammenbricht. Im Elternkomplex erkennen wir so die Wurzel des religiösen Bedürfnisses; der allmächtige, gerechte Gott und die gütige Natur erscheinen uns als großartige Sublimierungen von Vater und Mutter, vielmehr als Erneuerungen und Wiederherstellungen der frühkindlichen Vorstellungen von beiden. Die Religiosität führt sich biologisch auf die lang anhaltende Hilflosigkeit und Hilfsbedürftigkeit des kleinen Menschenkindes zurück, welches, wenn es später seine wirkliche Verlassenheit und Schwäche gegen die großen Mächte des Lebens erkannt hat, seine Lage ähnlich wie in der Kindheit empfindet und deren Trostlosigkeit durch die regressive Erneuerung der infantilen Schutzmächte zu verleugnen sucht. Der Schutz gegen neurotische Erkrankung, den die Religion ihren Gläubigen gewährt, erklärt sich leicht daraus, daß sie ihnen den Elternkomplex abnimmt, an dem das Schuldbewußtsein des einzelnen wie der ganzen Menschheit hängt, und ihn für sie erledigt, während der Ungläubige mit dieser Aufgabe allein fertig werden muß[1].

Es scheint nicht, daß das Beispiel Leonardos diese Auffassung der religiösen Gläubigkeit des Irrtums überführen könnte. Anklagen, die ihn des Unglaubens, oder, was jener Zeit ebensoviel hieß, des Abfalles vom Christenglauben beschuldigten, regten sich bereits zu seinen Lebzeiten und haben in der ersten Lebensbeschreibung, die Vasari [1550] von ihm gab, einen bestimmten Ausdruck gefunden[2]. In der zweiten Ausgabe seiner *Vite* 1568 hat Vasari diese Bemerkungen weggelassen. Uns ist es vollkommen begreiflich, wenn Leonardo angesichts der außerordentlichen Empfindlichkeit seines Zeitalters in religiösen Dingen sich direkter Äußerungen über seine Stellung zum Christentum auch in seinen Aufzeichnungen enthielt. Als Forscher ließ er sich durch die Schöpfungsberichte der Heiligen Schrift nicht im mindesten beirren; er bestritt zum

---

[1] [Der letzte Satz wurde 1919 hinzugefügt. – Eine spätere Erwähnung dieses Punktes findet sich am Schluß des Abschnitts D im letzten Kapitel von Freuds *Massenpsychologie* (1921 c).]

[2] Müntz (1899, 292 u. ff.).

Beispiel die Möglichkeit einer universellen Sündflut und rechnete in der Geologie ebenso unbedenklich wie die Modernen mit Jahrhunderttausenden.

Unter seinen »Prophezeiungen« finden sich so manche, die das Feingefühl eines gläubigen Christen beleidigen müßten, zum Beispiel[1]:

Die Bilder der Heiligen angebetet.

»Es werden die Menschen mit Menschen reden, die nichts vernehmen, welche die Augen offen haben und nicht sehen; sie werden zu diesen reden und keine Antwort bekommen; sie werden Gnaden erbitten von dem, welcher Ohren hat und nicht hört; sie werden Lichter anzünden für den, der blind ist.«

Oder: Vom Klagen am Karfreitag (l. c. 297).

»In allen Teilen Europas wird von großen Völkerschaften geweint werden um den Tod eines einzigen Mannes, der im Orient gestorben.«

Von Leonardos Kunst hat man geurteilt, daß er den heiligen Gestalten den letzten Rest kirchlicher Gebundenheit benahm und sie ins Menschliche zog, um große und schöne menschliche Empfindungen an ihnen darzustellen. Muther rühmt von ihm, daß er die Dekadenzstimmung überwand und den Menschen das Recht auf Sinnlichkeit und frohen Lebensgenuß wiedergab. In den Aufzeichnungen, welche Leonardo in die Ergründung der großen Naturrätsel vertieft zeigen, fehlt es nicht an Äußerungen der Bewunderung für den Schöpfer, den letzten Grund all dieser herrlichen Geheimnisse, aber nichts deutet darauf hin, daß er eine persönliche Beziehung zu dieser Gottesmacht festhalten wollte. Die Sätze, in welche er die tiefe Weisheit seiner letzten Lebensjahre gelegt hat, atmen die Resignation des Menschen, der sich der 'Aνάγκη, den Gesetzen der Natur, unterwirft und von der Güte oder Gnade Gottes keine Milderung erwartet. Es ist kaum ein Zweifel, daß Leonardo die dogmatische wie die persönliche Religion überwunden und sich durch seine Forscherarbeit weit von der Weltanschauung des gläubigen Christen entfernt hatte.

Aus unseren vorhin [S. 120 u. ff.] erwähnten Einsichten in die Entwicklung des kindlichen Seelenlebens wird uns die Annahme nahegelegt, daß auch Leonardos erste Forschungen im Kindesalter sich mit den Problemen der Sexualität beschäftigten. Er verrät es uns aber selbst in

---

[1] Nach Herzfeld (1906, 292).

durchsichtiger Verhüllung, indem er seinen Forscherdrang an die Geierphantasie knüpft und das Problem des Vogelfluges als eines hervorhebt,
das ihm durch besondere Schicksalsverkettung zur Bearbeitung zugefallen sei. Eine recht dunkle, wie eine Prophezeiung klingende Stelle in
seinen Aufzeichnungen, die den Vogelflug behandeln, bezeugt aufs
schönste, mit wie viel Affektinteresse er an dem Wunsche hing, die
Kunst des Fliegens selbst nachahmen zu können: »Es wird seinen ersten
Flug nehmen der große Vogel, vom Rücken seines großen Schwanes aus,
das Universum mit Verblüffung, alle Schriften mit seinem Ruhme füllen
und ewige Glorie sein dem Neste, wo er geboren ward.«[1] Er hoffte
wahrscheinlich, selbst einmal fliegen zu können, und wir wissen aus den
wunscherfüllenden Träumen der Menschen, welche Seligkeit man sich
von der Erfüllung dieser Hoffnung erwartet.

Warum träumen aber so viele Menschen vom Fliegenkönnen? Die
Psychoanalyse gibt hierauf die Antwort, weil das Fliegen oder Vogel
sein nur die Verhüllung eines anderen Wunsches ist, zu dessen Erken-
nung mehr als eine sprachliche und sachliche Brücke führt. Wenn man der
wißbegierigen Jugend erzählt, ein großer Vogel, wie der Storch, bringe
die kleinen Kinder, wenn die Alten den Phallus geflügelt gebildet haben, wenn die gebräuchlichste Bezeichnung der Geschlechtstätigkeit des
Mannes im Deutschen »vögeln« lautet, das Glied des Mannes bei den
Italienern direkt *l'uccello* (Vogel) heißt, so sind das nur kleine Bruch-
stücke aus einem großen Zusammenhange, der uns lehrt, daß der Wunsch,
fliegen zu können, im Traume nichts anderes bedeutet als die Sehnsucht,
geschlechtlicher Leistungen fähig zu sein[2]. Es ist dies ein frühinfantiler
Wunsch. Wenn der Erwachsene seiner Kindheit gedenkt, so erscheint sie
ihm als eine glückliche Zeit, in der man sich des Augenblicks freute und
wunschlos der Zukunft entgegenging, und darum beneidet er die Kinder.
Aber die Kinder selbst, wenn sie früher[3] Auskunft geben könnten, würden wahrscheinlich anderes berichten. Es scheint, daß die Kindheit nicht
jenes selige Idyll ist, zu dem wir es nachträglich entstellen, daß die Kinder vielmehr von dem einen Wunsch, groß zu werden, es den Erwachsenen gleichzutun, durch die Jahre der Kindheit gepeitscht werden.

---

[1] Nach Herzfeld (1906, 32). »Der große Schwan« soll einen Hügel, Monte Cecero, bei
Florenz bedeuten [jetzt Monte Ceceri; *cecero* ist das italienische Wort für Schwan].
[2] [1919 hinzugefügte Anm.:] Nach den Untersuchungen von Paul Federn [1914] und
denen von Mourly Vold (1912), einem norwegischen Forscher, welcher der Psychoanalyse fernestand. [S. auch *Die Traumdeutung* (1900*a*), Kapitel VI (E), etwa in der
Mitte der Ausführungen über »Weitere typische Träume«.]
[3] [In den Ausgaben vor 1923 steht statt »früher« »darüber«.]

Dieser Wunsch treibt alle ihre Spiele. Ahnen die Kinder im Verlaufe ihrer Sexualforschung, daß der Erwachsene auf dem einen rätselvollen und doch so wichtigen Gebiete etwas Großartiges kann, was ihnen zu wissen und zu tun versagt ist, so regt sich in ihnen ein ungestümer Wunsch, dasselbe zu können, und sie träumen davon in der Form des Fliegens oder bereiten diese Einkleidung des Wunsches für ihre späteren Flugträume vor. So hat also auch die Aviatik, die in unseren Zeiten endlich ihr Ziel erreicht hat, ihre infantile erotische Wurzel.

Indem uns Leonardo eingesteht, daß er zu dem Problem des Fliegens von Kindheit an eine besondere persönliche Beziehung verspürt hat, bestätigt er uns, daß seine Kinderforschung auf Sexuelles gerichtet war, wie wir es nach unseren Untersuchungen an den Kindern unserer Zeit vermuten mußten. Dies eine Problem wenigstens hatte sich der Verdrängung entzogen, die ihn später der Sexualität entfremdete; von den Kinderjahren an bis in die Zeit der vollsten intellektuellen Reife war ihm das nämliche mit leichter Sinnesabänderung interessant geblieben, und es ist sehr wohl möglich, daß ihm die gewünschte Kunst im primären sexuellen Sinne ebensowenig gelang wie im mechanischen, daß beide für ihn versagte Wünsche blieben.

Der große Leonardo blieb überhaupt sein ganzes Leben über in manchen Stücken kindlich; man sagt, daß alle großen Männer etwas Infantiles bewahren müssen. Er spielte auch als Erwachsener weiter und wurde auch dadurch manchmal seinen Zeitgenossen unheimlich und unbegreiflich. Wenn er zu höfischen Festlichkeiten und feierlichen Empfängen die kunstvollsten mechanischen Spielereien verfertigte, so sind nur wir damit unzufrieden, die den Meister nicht gern seine Kraft an solchen Tand wenden sehen; er selbst scheint sich nicht ungern mit diesen Dingen abgegeben zu haben, denn Vasari berichtet, daß er ähnliches machte, wo kein Auftrag ihn dazu nötigte: »Dort (in Rom) verfertigte er einen Teig von Wachs und formte daraus, wenn er fließend war, sehr zarte Tiere, mit Luft gefüllt; blies er hinein, so flogen sie, war die Luft heraus, so fielen sie zur Erde. Einer seltsamen Eidechse, welche der Winzer von Belvedere fand, machte er Flügel aus der abgezogenen Haut anderer Eidechsen, welche er mit Quecksilber füllte, so daß sie sich bewegten und zitterten, wenn sie ging; sodann machte er ihr Augen, Bart und Hörner, zähmte sie, tat sie in eine Schachtel und jagte alle seine Freunde damit in Furcht.«[1] Oft dienten ihm solche Spielereien zum Ausdruck inhalt-

---

[1] Vasari, übersetzt von Schorn (1843, [39]), [herausgegeben von Poggi, 1919, 41].

schwerer Gedanken: »Oftmals ließ er die Därme eines Hammels so fein auszuputzen, daß man sie in der hohlen Hand hätte halten können; diese trug er in ein großes Zimmer, brachte in eine anstoßende Stube ein paar Schmiedeblasebälge, befestigte daran die Därme und blies sie auf, bis sie das ganze Zimmer einnahmen und man in eine Ecke flüchten mußte. So zeigte er, wie sie allmählich durchsichtig und von Luft erfüllt wurden, und indem sie, anfangs auf einen kleinen Platz beschränkt, sich mehr und mehr in den weiten Raum ausbreiteten, verglich er sie dem Genie.«[1] Dieselbe spielerische Lust am harmlosen Verbergen und kunstvollen Einkleiden bezeugen seine Fabeln und Rätsel, letztere in die Form von »Prophezeiungen« gebracht, fast alle gedankenreich und in bemerkenswertem Maße des Witzes entbehrend.

Die Spiele und Sprünge, die Leonardo seiner Phantasie gestattete, haben in einigen Fällen seine Biographen, die diesen Charakter verkannten, in argen Irrtum gebracht. In den Mailänder Manuskripten Leonardos finden sich zum Beispiel Entwürfe zu Briefen an den »Diodario von Sorio (Syrien), Statthalter des heiligen Sultan von Babylonia«, in denen Leonardo sich als Ingenieur einführt, der in diese Gegenden des Orients geschickt wurde, um gewisse Arbeiten auszuführen, sich gegen den Vorwurf der Trägheit verteidigt, geographische Beschreibungen von Städten und Bergen liefert und endlich ein großes Elementarereignis schildert, das dort in Leonardos Anwesenheit vorgefallen ist[2].

J. P. Richter hat im Jahre 1883 aus diesen Schriftstücken zu beweisen gesucht, daß Leonardo wirklich im Dienste des Sultans von Ägypten diese Reisebeobachtungen angestellt und selbst im Orient die mohammedanische Religion angenommen habe. Dieser Aufenthalt sollte in die Zeit vor 1483, also vor der Übersiedlung an den Hof des Herzogs von Mailand fallen. Allein der Kritik anderer Autoren ist es nicht schwer geworden, die Belege für die angebliche Orientreise Leonardos als das zu erkennen, was sie in Wirklichkeit sind, phantastische Produktionen des jugendlichen Künstlers, die er zu seiner eigenen Unterhaltung schuf, in denen er vielleicht seine Wünsche, die Welt zu sehen und Abenteuer zu erleben, zum Ausdruck brachte.

Ein Phantasiegebilde ist wahrscheinlich auch die »Academia Vinciana«, deren Annahme auf dem Vorhandensein von fünf oder sechs höchst

---

[1] Ibid., 39 [herausgegeben von Poggi, 41].

[2] Über diese Briefe und die an sie geknüpften Kombinationen siehe Müntz (1899, 82 ff.); den Wortlaut derselben und anderer an sie anschließender Aufzeichnungen bei M. Herzfeld (1906, 223 u. ff.).

künstlich verschlungenen Emblemen mit der Inschrift der Akademie beruht. Vasari erwähnt diese Zeichnungen, aber nicht die Akademie[1]. Müntz, der ein solches Ornament auf den Deckel seines großen Leonardowerkes gesetzt hat, gehört zu den wenigen, die an die Realität einer »Academia Vinciana« glauben.

Es ist wahrscheinlich, daß dieser Spieltrieb Leonardos in seinen reiferen Jahren schwand, daß auch er in die Forschertätigkeit einmündete, welche die letzte und höchste Entfaltung seiner Persönlichkeit bedeutete. Aber seine lange Erhaltung kann uns lehren, wie langsam sich von seiner Kindheit losreißt, wer in seinen Kinderzeiten die höchste, später nicht wieder erreichte, erotische Seligkeit genossen hat.

---

[1] »Außerdem verlor er manche Zeit, indem er sogar ein Schnurgeflechte zeichnete, worin man den Faden von einem Ende bis zum anderen verfolgen konnte, bis er eine völlig kreisförmige Figur beschrieb; eine sehr schwierige und schöne Zeichnung der Art ist in Kupfer gestochen, in deren Mitte man die Worte liest: ›Leonardus Vinci Academia‹.« Schorn (1843, 8) [herausgegeben von Poggi, 5].

VI. KAPITEL

Es wäre vergeblich, sich darüber zu täuschen, daß die Leser heute alle Pathographie unschmackhaft finden. Die Ablehnung bekleidet sich mit dem Vorwurf, bei einer pathographischen Bearbeitung eines großen Mannes gelange man nie zum Verständnis seiner Bedeutung und seiner Leistung; es sei daher unnützer Mutwillen, an ihm Dinge zu studieren, die man ebensowohl beim erstbesten anderen finden könne. Allein diese Kritik ist so offenbar ungerecht, daß sie nur als Vorwand und Verhüllung verständlich wird. Die Pathographie setzt sich überhaupt nicht das Ziel, die Leistung des großen Mannes verständlich zu machen; man darf doch niemand zum Vorwurf machen, daß er etwas nicht gehalten hat, was er niemals versprochen hatte. Die wirklichen Motive des Widerstrebens sind andere. Man findet sie auf, wenn man in Erwägung zieht, daß Biographen in ganz eigentümlicher Weise an ihren Helden fixiert sind. Sie haben ihn häufig zum Objekt ihrer Studien gewählt, weil sie ihm aus Gründen ihres persönlichen Gefühlslebens von vornherein eine besondere Affektion entgegenbrachten. Sie geben sich dann einer Idealisierungsarbeit hin, die bestrebt ist, den großen Mann in die Reihe ihrer infantilen Vorbilder einzutragen, etwa die kindliche Vorstellung des Vaters in ihm neu zu beleben. Sie löschen diesem Wunsche zuliebe die individuellen Züge in seiner Physiognomie aus, glätten die Spuren seines Lebenskampfes mit inneren und äußeren Widerständen, dulden an ihm keinen Rest von menschlicher Schwäche oder Unvollkommenheit und geben uns dann wirklich eine kalte, fremde Idealgestalt anstatt des Menschen, dem wir uns entfernt verwandt fühlen könnten. Es ist zu bedauern, daß sie dies tun, denn sie opfern damit die Wahrheit einer Illusion und verzichten zugunsten ihrer infantilen Phantasien auf die Gelegenheit, in die reizvollsten Geheimnisse der menschlichen Natur einzudringen[1].

Leonardo selbst hätte in seiner Wahrheitsliebe und seinem Wissensdrange den Versuch nicht abgewehrt, aus den kleinen Seltsamkeiten und Rätseln seines Wesens die Bedingungen seiner seelischen und intellek-

---

[1] Diese Kritik soll ganz allgemein gelten und nicht etwa auf die Biographen Leonardos besonders zielen.

tuellen Entwicklung zu erraten. Wir huldigen ihm, indem wir an ihm lernen. Es beeinträchtigt seine Größe nicht, wenn wir die Opfer studieren, die seine Entwicklung aus dem Kinde kosten mußte, und die Momente zusammentragen, die seiner Person den tragischen Zug des Mißglückens eingeprägt haben.

Heben wir ausdrücklich hervor, daß wir Leonardo niemals zu den Neurotikern oder »Nervenkranken«, wie das ungeschickte Wort lautet, gezählt haben. Wer sich darüber beklagt, daß wir es überhaupt wagen, aus der Pathologie gewonnene Gesichtspunkte auf ihn anzuwenden, der hält noch an Vorurteilen fest, die wir heute mit Recht aufgegeben haben. Wir glauben nicht mehr, daß Gesundheit und Krankheit, Normale und Nervöse, scharf voneinander zu sondern sind und daß neurotische Züge als Beweise einer allgemeinen Minderwertigkeit beurteilt werden müssen. Wir wissen heute, daß die neurotischen Symptome Ersatzbildungen für gewisse Verdrängungsleistungen sind, welche wir im Laufe unserer Entwicklung vom Kinde bis zum Kulturmenschen zu vollbringen haben, daß wir alle solche Ersatzbildungen produzieren, und daß nur die Anzahl, Intensität und Verteilung dieser Ersatzbildungen den praktischen Begriff des Krankseins und den Schluß auf konstitutionelle Minderwertigkeit rechtfertigen. Nach den kleinen Anzeichen an Leonardos Persönlichkeit dürfen wir ihn in die Nähe jenes neurotischen Typus stellen, den wir als »Zwangstypus« bezeichnen, sein Forschen mit dem »Grübelzwang« der Neurotiker, seine Hemmungen mit den sogenannten Abulien derselben vergleichen.

Das Ziel unserer Arbeit war die Erklärung der Hemmungen in Leonardos Sexualleben und in seiner künstlerischen Tätigkeit. Es ist uns gestattet, zu diesem Zwecke zusammenzufassen, was wir über den Verlauf seiner psychischen Entwicklung erraten konnten.

Die Einsicht in seine hereditären Verhältnisse ist uns versagt, dagegen erkennen wir, daß die akzidentellen Umstände seiner Kindheit eine tiefgreifende störende Wirkung ausüben. Seine illegitime Geburt entzieht ihn bis vielleicht zum fünften Jahre dem Einflusse des Vaters und überläßt ihn der zärtlichen Verführung einer Mutter, deren einziger Trost er ist. Von ihr zur sexuellen Frühreife emporgeküßt, muß er wohl in eine Phase infantiler Sexualbetätigung eingetreten sein, von welcher nur eine einzige Äußerung sicher bezeugt ist, die Intensität seiner infantilen Sexualforschung. Schau- und Wißtrieb werden durch seine frühkindlichen Eindrücke am stärksten erregt; die erogene Mundzone empfängt eine Betonung, die sie nie mehr abgibt. Aus dem später gegen-

teiligen Verhalten, wie dem übergroßen Mitleid mit Tieren, können wir
schließen, daß es in dieser Kindheitsperiode an kräftigen sadistischen
Zügen nicht fehlte.

Ein energischer Verdrängungsschub bereitet diesem kindlichen Übermaß ein Ende und stellt die Dispositionen fest, die in den Jahren der
Pubertät zum Vorschein kommen werden. Die Abwendung von jeder
grobsinnlichen Betätigung wird das augenfälligste Ergebnis der Umwandlung sein; Leonardo wird abstinent leben können und den Eindruck eines asexuellen Menschen machen. Wenn die Fluten der Puber-
tätserregung über den Knaben kommen, werden sie ihn aber nicht
krank machen, indem sie ihn zu kostspieligen und schädlichen Ersatzbildungen nötigen; der größere Anteil der Bedürftigkeit des Geschlechts-
triebes wird sich dank der frühzeitigen Bevorzugung der sexuellen Wißbegierde zu allgemeinem Wissensdrang sublimieren können und so der
Verdrängung ausweichen. Ein weit geringerer Anteil der Libido wird
sexuellen Zielen zugewendet bleiben und das verkümmerte Geschlechts-
leben des Erwachsenen repräsentieren. Infolge der Verdrängung der
Liebe zur Mutter wird dieser Anteil in homosexuelle Einstellung gedrängt werden und sich als ideelle Knabenliebe kundgeben. Im Unbewußten bleibt die Fixierung an die Mutter und an die seligen Erinnerungen des Verkehrs mit ihr bewahrt, verharrt aber vorläufig in in-
aktivem Zustand. In solcher Weise teilen sich Verdrängung, Fixierung
und Sublimierung in die Verfügung über die Beiträge, welche der Sexualtrieb zum Seelenleben Leonardos leistet.

Aus dunkler Knabenzeit taucht Leonardo als Künstler, Maler und Pla-
stiker vor uns auf, dank einer spezifischen Begabung, die der frühzeitigen Erweckung des Schautriebes in den ersten Kinderjahren eine Verstärkung schulden mag. Gerne würden wir angeben wollen, in welcher
Weise sich die künstlerische Betätigung auf die seelischen Urtriebe zurückführt, wenn nicht gerade hier unsere Mittel versagen würden. Wir
bescheiden uns, die kaum mehr zweifelhafte Tatsache hervorzuheben,
daß das Schaffen des Künstlers auch seinem sexuellen Begehren Ableitung gibt, und für Leonardo auf die von Vasari übermittelte Nachricht hinzuweisen [oben, S. 135], daß Köpfe von lächelnden Frauen und
schönen Knaben, also Darstellungen seiner Sexualobjekte, unter seinen
ersten künstlerischen Versuchen auffielen. In aufblühender Jugend
scheint Leonardo zunächst ungehemmt zu arbeiten. Wie er in seiner
äußeren Lebensführung den Vater zum Vorbild nimmt, so durchlebt er
eine Zeit von männlicher Schaffenskraft und künstlerischer Produktivi-

tät in Mailand, wo ihn die Gunst des Schicksals im Herzog Lodovico Moro einen Vaterersatz finden läßt. Aber bald bewährt sich an ihm die Erfahrung, daß die fast völlige Unterdrückung des realen Sexuallebens nicht die günstigsten Bedingungen für die Betätigung der sublimierten sexuellen Strebungen ergibt. Die Vorbildlichkeit des Sexuallebens macht sich geltend, die Aktivität und die Fähigkeit zu raschem Entschluß beginnen zu erlahmen, die Neigung zum Erwägen und Verzögern wird schon beim heiligen Abendmahl störend bemerkbar und bestimmt durch die Beeinflussung der Technik das Schicksal dieses großartigen Werkes. Langsam vollzieht sich nun bei ihm ein Vorgang, den man nur den Regressionen bei Neurotikern an die Seite stellen kann. Die Pubertätsentfaltung seines Wesens zum Künstler wird durch die frühinfantil bedingte zum Forscher überholt, die zweite Sublimierung seiner erotischen Triebe tritt gegen die uranfängliche, bei der ersten Verdrängung vorbereitete zurück. Er wird zum Forscher, zuerst noch im Dienste seiner Kunst, später unabhängig von ihr und von ihr weg. Mit dem Verlust des den Vater ersetzenden Gönners und der zunehmenden Verdüsterung im Leben greift diese regressive Ersetzung immer mehr um sich. Er wird *»impacientissimo al pennello«*, wie ein Korrespondent der Markgräfin Isabella d'Este berichtet, die durchaus noch ein Bild von seiner Hand besitzen will[1]. Seine kindliche Vergangenheit hat Macht über ihn bekommen. Das Forschen aber, das ihm nun das künstlerische Schaffen ersetzt, scheint einige der Züge an sich zu tragen, welche die Betätigung unbewußter Triebe kennzeichnen, die Unersättlichkeit, die rücksichtslose Starrheit, den Mangel an Fähigkeit, sich realen Verhältnissen anzupassen.

Auf der Höhe seines Lebens, in den ersten Fünfzigerjahren, zu einer Zeit, da beim Weibe die Geschlechtscharaktere bereits zurückgebildet sind, beim Manne nicht selten die Libido noch einen energischen Vorstoß wagt, kommt eine neue Wandlung über ihn. Noch tiefere Schichten seines seelischen Inhaltes werden von neuem aktiv; aber diese weitere Regression kommt seiner Kunst zugute, die im Verkümmern war. Er begegnet dem Weibe, welches die Erinnerung an das glückliche und sinnlich verzückte Lächeln der Mutter bei ihm weckt, und unter dem Einfluß dieser Erweckung gewinnt er den Antrieb wieder, der ihn zu Beginn seiner künstlerischen Versuche, als er die lächelnden Frauen bildete, geleitet. Er malt die Mona Lisa, die heilige Anna selbdritt und die

---

[1] [»Sehr unlustig zum Malen«] v. Seidlitz (1909, Bd. 2, 271).

Reihe der geheimnisvollen, durch das rätselhafte Lächeln ausgezeichneten Bilder. Mit Hilfe seiner urältesten erotischen Regungen feiert er
den Triumph, die Hemmung in seiner Kunst noch einmal zu über-
winden. Diese letzte Entwicklung verschwimmt für uns im Dunkel des
herannahenden Alters. Sein Intellekt hat sich noch vorher zu den höchsten Leistungen einer seine Zeit weit hinter sich lassenden Weltanschauung aufgeschwungen.

Ich habe in den voranstehenden Abschnitten angeführt, was zu einer
solchen Darstellung des Entwicklungsganges Leonardos, zu einer derartigen Gliederung seines Lebens und Aufklärung seines Schwankens
zwischen Kunst und Wissenschaft berechtigen kann. Sollte ich mit diesen
Ausführungen auch bei Freunden und Kennern der Psychoanalyse das
Urteil hervorrufen, daß ich bloß einen psychoanalytischen Roman geschrieben habe, so werde ich antworten, daß ich die Sicherheit dieser Ergebnisse gewiß nicht überschätze. Ich bin wie andere der Anziehung
unterlegen, die von diesem großen und rätselhaften Manne ausgeht, in
dessen Wesen man mächtige triebhafte Leidenschaften zu verspüren
glaubt, die sich doch nur so merkwürdig gedämpft äußern können.

Was immer aber die Wahrheit über Leonardos Leben sein mag, wir
können von unserem Versuche, sie psychoanalytisch zu ergründen, nicht
eher ablassen, als bis wir eine andere Aufgabe erledigt haben. Wir müssen ganz allgemein die Grenzen abstecken, welche der Leistungsfähigkeit
der Psychoanalyse in der Biographik gesetzt sind, damit uns nicht jede
unterbliebene Erklärung als ein Mißerfolg ausgelegt werde. Der psychoanalytischen Untersuchung stehen als Material die Daten der Lebensgeschichte zur Verfügung, einerseits die Zufälligkeiten der Begebenheiten und Milieueinflüsse, andererseits die berichteten Reaktionen des
Individuums. Gestützt auf ihre Kenntnis der psychischen Mechanismen
sucht sie nun das Wesen des Individuums aus seinen Reaktionen dyna-
misch zu ergründen, seine ursprünglichen seelischen Triebkräfte aufzu-
decken sowie deren spätere Umwandlungen und Entwicklungen. Gelingt dies, so ist das Lebensverhalten der Persönlichkeit durch das Zusammenwirken von Konstitution und Schicksal, inneren Kräften und
äußeren Mächten aufgeklärt. Wenn ein solches Unternehmen, wie vielleicht im Falle Leonardos, keine gesicherten Resultate ergibt, so liegt die
Schuld nicht an der fehlerhaften oder unzulänglichen Methodik der
Psychoanalyse, sondern an der Unsicherheit und Lückenhaftigkeit des
Materials, welches die Überlieferung für diese Person beistellt. Für das
Mißglücken ist also nur der Autor verantwortlich zu machen, der die

Psychoanalyse genötigt hat, auf so unzureichendes Material hin ein Gutachten abzugeben.

Aber selbst bei ausgiebigster Verfügung über das historische Material und bei gesichertster Handhabung der psychischen Mechanismen würde eine psychoanalytische Untersuchung an zwei bedeutsamen Stellen die Einsicht in die Notwendigkeit nicht ergeben können, daß das Individuum nur so und nicht anders werden konnte. Wir haben bei Leonardo die Ansicht vertreten müssen, daß die Zufälligkeit seiner illegitimen Geburt und die Überzärtlichkeit seiner Mutter den entscheidendsten Einfluß auf seine Charakterbildung und sein späteres Schicksal übten, indem die nach dieser Kindheitsphase eintretende Sexualverdrängung ihn zur Sublimierung der Libido in Wissensdrang veranlaßte und seine sexuelle Inaktivität fürs ganze spätere Leben feststellte. Aber diese Verdrängung nach den ersten erotischen Befriedigungen der Kindheit hätte nicht eintreten müssen; sie wäre bei einem anderen Individuum vielleicht nicht eingetreten oder wäre weit weniger ausgiebig ausgefallen. Wir müssen hier einen Grad von Freiheit anerkennen, der psychoanalytisch nicht mehr aufzulösen ist. Ebensowenig darf man den Ausgang dieses Verdrängungsschubes als den einzig möglichen Ausgang hinstellen wollen. Einer anderen Person wäre es wahrscheinlich nicht geglückt, den Hauptanteil der Libido der Verdrängung durch die Sublimierung zur Wißbegierde zu entziehen; unter den gleichen Einwirkungen wie Leonardo hätte sie eine dauernde Beeinträchtigung der Denkarbeit oder eine nicht zu bewältigende Disposition zur Zwangsneurose davongetragen. Diese zwei Eigentümlichkeiten Leonardos erübrigen also als unerklärbar durch psychoanalytische Bemühung: seine ganz besondere Neigung zu Triebverdrängungen und seine außerordentliche Fähigkeit zur Sublimierung der primitiven Triebe.

Die Triebe und ihre Umwandlungen sind das letzte, das die Psychoanalyse erkennen kann. Von da an räumt sie der biologischen Forschung den Platz. Verdrängungsneigung sowie Sublimierungsfähigkeit sind wir genötigt, auf die organischen Grundlagen des Charakters zurückzuführen, über welche erst sich das seelische Gebäude erhebt. Da die künstlerische Begabung und Leistungsfähigkeit mit der Sublimierung innig zusammenhängt, müssen wir zugestehen, daß auch das Wesen der künstlerischen Leistung uns psychoanalytisch unzugänglich ist. Die biologische Forschung unserer Zeit neigt dazu, die Hauptzüge der organischen Konstitution eines Menschen durch die Vermengung männlicher und weiblicher Anlagen im [chemischen] stofflichen Sinne zu erklären;

die Körperschönheit wie die Linkshändigkeit Leonardos gestatteten hier manche Anlehnung[1]. Doch wir wollen den Boden rein psychologischer Forschung nicht verlassen. Unser Ziel bleibt der Nachweis des Zusammenhanges zwischen äußeren Erlebnissen und Reaktionen der Person über den Weg der Triebbetätigung. Wenn uns die Psychoanalyse auch die Tatsache der Künstlerschaft Leonardos nicht aufklärt, so macht sie uns doch die Äußerungen und die Einschränkungen derselben verständlich. Scheint es doch, als hätte nur ein Mann mit den Kindheitserlebnissen Leonardos die Mona Lisa und die heilige Anna selbdritt malen, seinen Werken jenes traurige Schicksal bereiten und so unerhörten Aufschwung als Naturforscher nehmen können, als läge der Schlüssel zu all seinen Leistungen und seinem Mißgeschick in der Kindheitsphantasie vom Geier verborgen.

Darf man aber nicht Anstoß nehmen an den Ergebnissen einer Untersuchung, welche den Zufälligkeiten der Elternkonstellation einen so entscheidenden Einfluß auf das Schicksal eines Menschen einräumt, das Schicksal Leonardos zum Beispiel von seiner illegitimen Geburt und der Unfruchtbarkeit seiner ersten Stiefmutter Donna Albiera abhängig macht? Ich glaube, man hat kein Recht dazu; wenn man den Zufall für unwürdig hält, über unser Schicksal zu entscheiden, ist es bloß ein Rückfall in die fromme Weltanschauung, deren Überwindung Leonardo selbst vorbereitete, als er niederschrieb, die Sonne bewege sich nicht[2]. Wir sind natürlich gekränkt darüber, daß ein gerechter Gott und eine gütige Vorsehung uns nicht besser vor solchen Einwirkungen in unserer wehrlosesten Lebenszeit behüten. Wir vergessen dabei gern, daß eigentlich alles an unserem Leben Zufall ist, von unserer Entstehung an durch das Zusammentreffen von Spermatozoon und Ei, Zufall, der darum doch an der Gesetzmäßigkeit und Notwendigkeit der Natur seinen Anteil hat, bloß der Beziehung zu unseren Wünschen und Illusionen entbehrt. Die Aufteilung unserer Lebensdeterminierung zwischen den »Notwendigkeiten« unserer Konstitution und den »Zufälligkeiten« unserer Kindheit mag im einzelnen noch ungesichert sein; im ganzen läßt sich aber ein Zweifel an der Bedeutsamkeit gerade unserer ersten Kinderjahre nicht mehr festhalten. Wir zeigen alle noch zu wenig Respekt vor der Natur, die nach Leonardos dunklen, an Hamlets Rede gemahnenden Worten »voll ist zahlloser Ursachen, die niemals in die

---

[1] [Dies ist zweifellos eine Anspielung auf die Ansichten von Fließ, von denen Freud stark beeinflußt war. Über die Frage der Beidseitigkeit waren sie jedoch nicht ganz der gleichen Meinung.]   [2] [Vgl. S. 103.]

Erfahrung traten« *(La natura è piena d'infinite ragioni che non furono mai in isperienza.* M. Herzfeld, 1906, 11)[1]. Jedes von uns Menschenwesen entspricht einem der ungezählten Experimente, in denen diese *ragioni* der Natur sich in die Erfahrung drängen.

---

[1] [Gemeint sind wohl Hamlets oft zitierte Worte:
»Es gibt mehr Ding' im Himmel und auf Erden,
als eure Schulweisheit sich träumen läßt.«]

Psychopathische Personen auf der Bühne

(1942 [1905–6])

EDITORISCHE VORBEMERKUNG

Englische Übersetzung (Erstveröffentlichung):
›Psychopathic Characters on the Stage‹.
1942 *Psychoanal*. Q., Bd. 11 (4), Oktober, 459–464 (übersetzt von
H. A. Bunker).

Deutsche Ausgabe:
1962 *Neue Rundschau*, Bd. 73, 53–57.

Im begleitenden Text zur Erstveröffentlichung dieses Artikels (in englischer
Übersetzung) berichtet Max Graf, Freud habe den Essay 1904 geschrieben und
ihn dann ihm, Graf, geschenkt (*Psychoanal*. Q., Bd. 11, 465). Freud hat ihn
jedenfalls nie selber zur Veröffentlichung gegeben. Hinsichtlich des von Graf
genannten Datums muß jedoch ein Irrtum vorliegen (das Manuskript selbst
ist undatiert), denn Hermann Bahrs Schauspiel *Die Andere*, von dem auf
Seite 167 die Rede ist, wurde erst Anfang November 1905 in München und
Leipzig uraufgeführt; die Wiener Erstaufführung fand am 25. November desselben Jahres statt. In Buchform erschien das Stück sogar erst 1906. Es ist
daher wahrscheinlicher, daß der Essay Ende 1905 oder Anfang 1906 geschrieben worden ist.

Wenn der Zweck des Schauspiels dahin geht, »Furcht und Mitleid« zu erwecken, eine »Reinigung der Affekte« herbeizuführen, wie seit Aristoteles angenommen wird, so kann man dieselbe Absicht etwas ausführlicher beschreiben, indem man sagt, es handle sich um die Eröffnung von Lust- oder Genußquellen aus unserem Affektleben [geradeso] wie beim Komischen, Witz usw. aus unserer Intelligenzarbeit, durch welche [sonst] viele solcher Quellen unzugänglich gemacht worden sind. Gewiß ist das *Austoben* der eigenen Affekte dabei in erster Linie anzuführen, und der daraus resultierende Genuß entspricht einerseits der Erleichterung durch ausgiebige Abfuhr, andererseits wohl der sexuellen Miterregung, die, darf man annehmen, als Nebengewinn bei jeder Affekterweckung abfällt und dem Menschen das so sehr gewünschte Gefühl der Höherspannung seines psychischen Niveaus liefert. Das teilnehmende Zuschauen beim Schau-Spiel leistet dem Erwachsenen dasselbe wie das Spiel dem Kinde, dessen tastende Erwartung, es dem Erwachsenen gleichtun zu können, so befriedigt wird. Der Zuschauer erlebt zu wenig, er fühlt sich als »Misero, dem nichts Großes passieren kann«, er hat seinen Ehrgeiz, als Ich im Mittelpunkt des Weltgetriebes zu stehen, längst dämpfen, besser verschieben müssen, er will fühlen, wirken, alles so gestalten, wie er möchte, kurz Held sein, und die Dichter-Schauspieler ermöglichen ihm das, indem sie ihm die *Indentifizierung* mit einem Helden gestatten. Sie ersparen ihm auch etwas dabei, denn der Zuschauer weiß wohl, daß solches Betätigen seiner Person im Heldentum nicht ohne Schmerzen, Leiden und schwere Befürchtungen, die fast den Genuß aufheben, möglich ist; er weiß auch, daß er nur *ein* Leben hat und vielleicht in *einem* solchen Kampf gegen die Widerstände erliegen wird. Daher hat sein Genuß die Illusion zur Voraussetzung, das heißt die Milderung des Leidens durch die Sicherheit, daß es erstens ein anderer ist, der dort auf der Bühne handelt und leidet, und zweitens doch nur ein Spiel, aus dem seiner persönlichen Sicherheit kein Schaden erwachsen kann. Unter solchen Umständen darf er sich als »Großen« genießen, unterdrückten Regungen wie dem Freiheitsbedürfnis in religiöser, politischer, sozialer und sexueller Hinsicht ungescheut nachgeben und sich in den einzelnen großen Szenen des dargestellten Lebens nach allen Richtungen austoben.

Dies sind aber Genußbedingungen, die mehreren Formen der Dichtung gemeinsam sind. Die Lyrik dient vor allem dem Austoben intensiver vielfacher Empfindungen, wie seinerzeit der Tanz, das Epos soll hauptsächlich den Genuß der großen heldenhaften Persönlichkeit in ihren Siegen ermöglichen, das Drama aber tiefer in die Affektmöglichkeiten herabsteigen, die Unglückserwartungen noch zum Genuß gestalten, und zeigt daher den Helden im Kampf vielmehr mit einer masochistischen Befriedigung im Unterliegen. Man könnte das Drama geradezu durch diese Relation zum Leiden und Unglück charakterisieren, sei es, daß wie im Schauspiel nur die *Sorge* geweckt und dann beschwichtigt oder wie in der Tragödie das Leiden verwirklicht wird. Die Entstehung des Dramas aus Opferhandlungen (Bock und Sündenbock) im Kult der Götter kann nicht ohne Beziehung zu diesem Sinn des Dramas sein[1], es beschwichtigt gleichsam die beginnende Auflehnung gegen die göttliche Weltordnung, die das Leiden festgesetzt hat. Die Helden sind zunächst Aufrührer gegen Gott oder ein Göttliches, und aus dem Elendsgefühl des Schwächeren gegen die Gottesgewalt soll durch masochistische Befriedigung und direkten Genuß der doch als groß betonten Persönlichkeit Lust gezogen werden. Es ist dies die Prometheusstimmung des Menschen, aber mit der kleinlichen Bereitwilligkeit versetzt, sich doch durch eine momentane Befriedigung zeitweilig beschwichtigen zu lassen.

Alle Arten von Leiden sind also das Thema des Dramas, aus denen es dem Zuhörer Lust zu verschaffen verspricht, und daraus ergibt sich als erste Kunstformbedingung, daß es den Zuhörer nicht leiden mache, daß es das erregte Mitleiden durch die dabei möglichen Befriedigungen zu kompensieren verstehe, gegen welche Regel von neueren Dichtern besonders oft gefehlt wird.

Doch schränkt sich dieses Leiden bald auf *seelisches* Leiden ein, denn *körperlich* leiden will niemand, der weiß, wie bald das dabei veränderte Körpergefühl allem seelischen Genießen ein Ende macht. Wer krank ist, hat nur einen Wunsch: gesund zu werden, den Zustand zu verlassen, der Arzt soll kommen, das Medikament, die Hemmung des Phantasiespiels aufhören, das uns selbst aus unseren Leiden Genuß zu schöpfen verwöhnt hat. Wenn sich der Zuschauer in den körperlich Kranken ver-

---

[1] [Das Thema des Helden in der griechischen Tragödie wird von Freud in *Totem und Tabu* (1912–13) diskutiert (Aufsatz IV (7).]

setzt, findet er nichts von Genuß und psychischer Leistungsfähigkeit in sich vor, und darum ist der körperlich Kranke nur als Requisit, nicht als Held auf der Bühne möglich, insofern nicht besondere psychische Seiten des Krankseins doch die psychische Arbeit ermöglichen, zum Beispiel die Verlassenheit des Kranken im *Philoktet* oder die Hoffnungslosigkeit des Kranken in den Schwindsuchtstücken.

Seelische Leiden kennt der Mensch aber wesentlich im Zusammenhang mit den Verhältnissen, unter denen sie erworben werden, und daher braucht das Drama eine Handlung, aus der solche Leiden stammen, und fängt mit der Einführung in diese Handlung an. Scheinbare Ausnahme [ist es], wenn manche Stücke fertige seelische Leiden bringen wie *Ajax*, *Philoktet*, denn infolge der Bekanntheit der Stoffe hebt sich der Vorhang im griechischen Drama immer gleichsam mitten im Stück. Es ist nun leicht, die Bedingungen dieser Handlung erschöpfend darzustellen, es muß eine Handlung von Konflikt sein, Anstrengung des Willens und Widerstand enthalten. Die erste und großartigste Erfüllung dieser Bedingung geschah durch den Kampf gegen das Göttliche. Es ist schon gesagt worden, daß diese Tragödie auflehnerisch ist, während Dichter und Zuhörer für den Rebellen Partei nehmen. Je weniger man dann dem Göttlichen zutraut, desto mehr gewinnt die *menschliche* Ordnung, die man für die Leiden mit immer mehr Einsicht verantwortlich macht, und so ist der nächste Kampf der des Helden gegen die menschliche soziale Gemeinschaft, die *bürgerliche Tragödie*. Eine andere Erfüllung ist die des Kampfes zwischen Menschen selbst, die *Charaktertragödie*, die alle Erregungen des Agons [ἀγών, Konflikt] für sich hat und mit Gewinn sich zwischen hervorragenden von den Einschränkungen menschlicher Institutionen befreiten Personen abspielt, eigentlich mehr als einen Helden haben muß. Verquickungen zwischen beiden Fällen, Kampf des Helden gegen Institutionen, die sich in starken Charakteren verkörpern, sind natürlich ohne weiteres zulässig. Die reine Charaktertragödie entbehrt der Genußquelle der Auflehnung, die im sozialen Stück zum Beispiel bei Ibsen wieder so mächtig hervortritt wie in den Königsdramen der griechischen Klassiker.

Wenn sich *religiöses*, *Charakter-* und *soziales* Drama wesentlich durch den Kampfplatz unterscheiden, auf dem die Handlung vor sich geht, aus der das Leiden stammt, so folgen wir nun dem Drama auf einen weiteren Kampfplatz, auf dem es ganz *psychologisches* Drama wird. Im Seelenleben des Helden selbst kommt es zum Leiden schaffenden Kampf zwischen verschiedenen Regungen, ein Kampf, der nicht mit dem Untergang des Helden, sondern mit dem einer Regung, also mit Verzicht enden muß. Jede Vereinigung dieser Bedingung mit früheren, also denen beim sozialen und Charakter-Drama, ist natürlich möglich, insofern die Institution gerade jenen inneren Konflikt hervorruft. Hier ist die Stelle für die Liebestragödien, insofern die Unterdrückung der Liebe durch die soziale Kultur, durch menschliche Einrichtungen oder den aus der Oper bekannten Kampf zwischen »Liebe und Pflicht« den Ausgangspunkt von fast ins Unendliche variierenden Konfliktsituationen bildet. Ebenso unendlich wie die erotischen Tagträume der Menschen.

Die Reihe der Möglichkeiten erweitert sich aber, und das psychologische Drama wird zum psychopathologischen, wenn nicht mehr der Konflikt zweier annähernd gleich bewußten Regungen, sondern der zwischen einer bewußten und einer verdrängten Quelle des Leidens ist, an dem wir teilnehmen und aus dem wir Lust ziehen sollen. Bedingung des Genusses ist hier, daß der Zuschauer auch ein Neurotiker sei. Denn nur ihm wird die Freilegung und gewissermaßen bewußte Anerkennung der verdrängten Regung Lust bereiten können anstatt bloß Abneigung; beim Nichtneurotiker wird solche bloß auf Abneigung stoßen und die Bereitschaft hervorrufen, den Akt der Verdrängung zu wiederholen, denn diese ist hier gelungen – der verdrängten Regung ist durch den einmaligen Verdrängungsaufwand voll das Gleichgewicht gehalten. Beim Neurotiker ist die Verdrängung im Mißlingen begriffen, labil und bedarf beständig neuen Aufwandes, der durch die Anerkennung erspart wird. Nur bei ihm besteht ein solcher Kampf, der Gegenstand des Dramas sein kann, aber auch bei ihm wird der Dichter nicht bloß Befreiungs*genuß*, sondern auch *Widerstand* erzeugen.

Das erste dieser modernen Dramen ist der *Hamlet*[1]. Es behandelt das Thema, wie ein bisher normaler Mensch durch die besondere Natur der ihm gestellten Aufgabe zum Neurotiker wird, in dem eine bisher glücklich verdrängte Regung sich zur Geltung zu bringen sucht. Der *Hamlet* zeichnet sich durch drei Charaktere aus, die für unsere Frage wichtig scheinen. 1. Daß der Held nicht psychopathisch ist, sondern es in der uns beschäftigenden Handlung erst wird. 2. Daß die verdrängte Regung zu jenen gehört, die bei uns allen in gleicher Weise verdrängt ist, deren Verdrängung zu den Grundlagen unserer persönlichen Entwicklung gehört, während die Situation gerade an dieser Verdrängung rüttelt. Durch diese beiden Bedingungen wird es uns leicht, uns im Helden wiederzu-

---

[1] [Freuds erste veröffentlichte Behandlung des Hamletproblems findet sich in der *Traumdeutung* (1900 a), (Kap. V, D (β)).]

finden; wir sind desselben Konflikts fähig wie er, denn »wer unter gewissen Umständen seinen Verstand nicht verliert, hat keinen zu verlieren« [1]. 3. Aber es scheint als Bedingung der Kunstform, daß die zum
Bewußtsein ringende Regung, so sicher sie kenntlich ist, so wenig mit
deutlichem Namen genannt wird, so daß sich der Vorgang im Hörer
wieder mit abgewandter Aufmerksamkeit vollzieht und er von Gefühlen ergriffen wird, anstatt sich Rechenschaft zu geben. Dadurch wird
gewiß ein Stück des Widerstandes erspart, wie man es in der analytischen Arbeit sieht, wo die Abkömmlinge des Verdrängten infolge des
geringeren Widerstandes zum Bewußtsein kommen, das sich dem Verdrängten selbst versagt. Ist doch der Konflikt im *Hamlet* so sehr versteckt, daß ich ihn erst erraten mußte.

Es ist möglich, daß infolge der Nichtbeachtung dieser drei Bedingungen
so viele andere psychopathische Figuren für die Bühne ebenso unbrauch-
bar werden, wie sie es fürs Leben sind. Denn der kranke Neurotiker ist
für uns ein Mensch, in dessen Konflikt wir keine Einsicht gewinnen
können, wenn er ihn fertig mitbringt. Umgekehrt, wenn wir diesen
Konflikt kennen, vergessen wir, daß er ein Kranker ist, so wie er bei
Kenntnis desselben aufhört, selbst krank zu sein. Aufgabe des Dichters
wäre es, uns in dieselbe Krankheit zu versetzen, was am besten geschieht, wenn wir die Entwicklung mit ihm mitmachen. Besonders wird
dies dort notwendig sein, wo die Verdrängung nicht bereits bei uns
besteht, also erst hergestellt werden muß, was einen Schritt in der Verwendung der Neurose auf der Bühne über *Hamlet* hinaus darstellt. Wo
uns die fremde und fertige Neurose entgegentritt, werden wir im Leben
nach dem Arzt rufen und die Figur für bühnenunfähig halten.

Dieser Fehler scheint bei *Der Anderen* von Bahr vorzuliegen [2], außerdem
der andere im Problem liegende, daß es uns nicht möglich ist, von dem
Vorrecht des einen, das Mädchen voll zu befriedigen, eine nachfühlende
Überzeugung zu gewinnen. Ihr Fall kann also nicht der unsere werden.
Außerdem der dritte [Fehler], daß nichts zu erraten bleibt und der
volle Widerstand gegen diese Bedingtheit der Liebe, die wir nicht mögen, in uns wachgerufen wird. Die Bedingung der abgelenkten Auf-

---

[1] [Lessing, *Emilia Galotti*, Akt IV, Szene 7.]

[2] [Dieses Schauspiel Hermann Bahrs, des österreichischen Romanciers und Dramatikers
(1863–1934), wurde Ende 1905 zum erstenmal aufgeführt. Die Handlung beschäftigt
sich mit der Doppel-Persönlichkeit der Heldin, die es unmöglich findet, trotz aller
Bemühungen, sich aus einer auf körperlicher Anziehung beruhenden Hörigkeit einem
Manne gegenüber zu befreien, der sie in seiner Macht hat.]

merksamkeit scheint die wichtigste der hier geltenden Formbedingungen zu sein.

Im allgemeinen wird sich etwa sagen lassen, daß die neurotische Labilität des Publikums und die Kunst des Dichters, Widerstände zu vermeiden und Vorlust[1] zu geben, allein die Grenze der Verwendung abnormer Charaktere bestimmen kann.

---

[1] [Vgl. die Diskussion hierüber sowie die editorische Anmerkung weiter unten, S. 179.]

Der Dichter und das Phantasieren

(1908 [1907])

EDITORISCHE VORBEMERKUNG

Deutsche Ausgaben:
(1907 am 6. Dezember als Vortrag gehalten)
1908 *Neue Revue,* Bd. 1 (10) [März], 716–24.
1909 *S. K. S. N.,* Bd. 2, 197–206. (1912, 2. Aufl.; 1921, 3. Aufl.)
1924 *G. S.,* Bd. 10, 229–239.
1924 *Dichtung und Kunst,* 3–14.
1941 *G. W.,* Bd. 7, 213–223.

Diese Arbeit beruht auf einem Vortrag, den Freud am 6. Dezember 1907 vor neunzig Zuhörern in den Räumen des Wiener Verlagsbuchhändlers Hugo Heller, Mitglied der Wiener Psychoanalytischen Vereinigung, gehalten hat. Eine recht genaue Zusammenfassung des Vortrags erschien am folgenden Tag in der Wiener Tageszeitung *Die Zeit;* die vollständige, von Freud besorgte Fassung wurde jedoch erst Anfang 1908 in einer neugegründeten literarischen Zeitschrift in Berlin veröffentlicht.

Einige Probleme des Schreibens literarischer Werke hatte Freud schon kurz vorher in seiner Studie über Jensens *Gradiva* (z. B. auf S. 82 oben) angeschnitten; ein oder zwei Jahre davor hatte er das gleiche Thema in dem unveröffentlichten Essay ›Psychopathische Personen auf der Bühne‹ (in diesem Band, S. 163) berührt. Die vorliegende Arbeit ist vor allem wegen ihrer Diskussion der Phantasien interessant – ein Thema, das freilich in vielen Aspekten auch in der *Gradiva*-Studie erörtert wird (z. B. auf S. 48–50, oben).

Uns Laien hat es immer mächtig gereizt zu wissen, woher diese merkwürdige Persönlichkeit, der Dichter, seine Stoffe nimmt – etwa im Sinne der Frage, die jener Kardinal an den Ariosto richtete[1] – und wie er es zustande bringt, uns mit ihnen so zu ergreifen, Erregungen in uns hervorzurufen, deren wir uns vielleicht nicht einmal für fähig gehalten hätten. Unser Interesse hiefür wird nur gesteigert durch den Umstand, daß der Dichter selbst, wenn wir ihn befragen, uns keine oder keine befriedigende Auskunft gibt, und wird gar nicht gestört durch unser Wissen, daß die beste Einsicht in die Bedingungen der dichterischen Stoffwahl und in das Wesen der poetischen Gestaltungskunst nichts dazu beitragen würde, uns selbst zu Dichtern zu machen.

Wenn wir wenigstens bei uns oder bei unsersgleichen eine dem Dichten irgendwie verwandte Tätigkeit auffinden könnten! Die Untersuchung derselben ließe uns hoffen, eine erste Aufklärung über das Schaffen des Dichters zu gewinnen. Und wirklich, dafür ist Aussicht vorhanden – die Dichter selbst lieben es ja, den Abstand zwischen ihrer Eigenart und allgemein menschlichem Wesen zu verringern; sie versichern uns so häufig, daß in jedem Menschen ein Dichter stecke und daß der letzte Dichter erst mit dem letzten Menschen sterben werde.

Sollten wir die ersten Spuren dichterischer Betätigung nicht schon beim Kinde suchen? Die liebste und intensivste Beschäftigung des Kindes ist das Spiel. Vielleicht dürfen wir sagen: Jedes spielende Kind benimmt sich wie ein Dichter, indem es sich eine eigene Welt erschafft oder, richtiger gesagt, die Dinge seiner Welt in eine neue, ihm gefällige Ordnung versetzt. Es wäre dann unrecht zu meinen, es nähme diese Welt nicht ernst; im Gegenteil, es nimmt sein Spiel sehr ernst, es verwendet große Affektbeträge darauf. Der Gegensatz zu Spiel ist nicht Ernst, sondern – Wirklichkeit. Das Kind unterscheidet seine Spielwelt sehr wohl, trotz aller Affektbesetzung, von der Wirklichkeit und lehnt seine imaginierten Objekte und Verhältnisse gerne an greifbare und sichtbare Dinge der

---

[1] [Kardinal Ippolito d'Este war Ariosts erster Gönner; ihm hatte der Dichter seinen *Orlando Furioso* gewidmet, bekam aber als einzige Anerkennung nur die Frage zu hören: »Woher nimmst du bloß die vielen Geschichten, Lodovico?«]

wirklichen Welt an. Nichts anderes als diese Anlehnung unterscheidet das »Spielen« des Kindes noch vom »Phantasieren«.

Der Dichter tut nun dasselbe wie das spielende Kind; er erschafft eine Phantasiewelt, die er sehr ernst nimmt, d. h. mit großen Affektbeträgen ausstattet, während er sie von der Wirklichkeit scharf sondert. Und die Sprache hat diese Verwandtschaft von Kinderspiel und poetischem Schaffen festgehalten, indem sie solche Veranstaltungen des Dichters, welche der Anlehnung an greifbare Objekte bedürfen, welche der Darstellung fähig sind, als *Spiele: Lustspiel, Trauerspiel,* und die Person, welche sie darstellt, als *Schauspieler* bezeichnet. Aus der Unwirklichkeit der dichterischen Welt ergeben sich aber sehr wichtige Folgen für die künstlerische Technik, denn vieles, was als real nicht Genuß bereiten könnte, kann dies doch im Spiele der Phantasie, viele an sich eigentlich peinliche Erregungen können für den Hörer und Zuschauer des Dichters zur Quelle der Lust werden.

Verweilen wir einer anderen Beziehung wegen noch einen Augenblick bei dem Gegensatze von Wirklichkeit und Spiel! Wenn das Kind herangewachsen ist und aufgehört hat zu spielen, wenn es sich durch Jahrzehnte seelisch bemüht hat, die Wirklichkeiten des Lebens mit dem erforderlichen Ernste zu erfassen, so kann es eines Tages in eine seelische Disposition geraten, welche den Gegensatz zwischen Spiel und Wirklichkeit wieder aufhebt. Der Erwachsene kann sich darauf besinnen, mit welchem hohen Ernst er einst seine Kinderspiele betrieb, und indem er nun seine vorgeblich ernsten Beschäftigungen jenen Kinderspielen gleichstellt, wirft er die allzu schwere Bedrückung durch das Leben ab und erringt sich den hohen Lustgewinn des *Humors* [1].

Der Heranwachsende hört also auf zu spielen, er verzichtet scheinbar auf den Lustgewinn, den er aus dem Spiele bezog. Aber wer das Seelenleben des Menschen kennt, der weiß, daß ihm kaum etwas anderes so schwer wird wie der Verzicht auf einmal gekannte Lust. Eigentlich können wir auf nichts verzichten, wir vertauschen nur eines mit dem andern; was ein Verzicht zu sein scheint, ist in Wirklichkeit eine Ersatz- oder Surrogatbildung. So gibt auch der Heranwachsende, wenn er aufhört zu spielen, nichts anderes auf als die Anlehnung an reale Objekte; anstatt zu *spielen, phantasiert* er jetzt. Er baut sich Luftschlösser, schafft das, was man Tagträume nennt. Ich glaube, daß die meisten Menschen zu Zeiten ihres Lebens Phantasien bilden. Es ist das eine Tatsache, die

---

[1] [S. Abschnitt 7, Kapitel VII, in *Der Witz und seine Beziehung zum Unbewußten* (Freud, 1905 c).]

man lange Zeit übersehen und deren Bedeutung man darum nicht genug gewürdigt hat.

Das Phantasieren der Menschen ist weniger leicht zu beobachten als das Spielen der Kinder. Das Kind spielt zwar auch allein oder es bildet mit anderen Kindern ein geschlossenes psychisches System zum Zwecke des Spieles, aber wenn es auch den Erwachsenen nichts vorspielt, so verbirgt es doch sein Spielen nicht vor ihnen. Der Erwachsene aber schämt sich seiner Phantasien und versteckt sie vor anderen, er hegt sie als seine eigensten Intimitäten, er würde in der Regel lieber seine Vergehungen eingestehen als seine Phantasien mitteilen. Es mag vorkommen, daß er sich darum für den einzigen hält, der solche Phantasien bildet, und von der allgemeinen Verbreitung ganz ähnlicher Schöpfungen bei anderen nichts ahnt. Dies verschiedene Verhalten des Spielenden und des Phantasierenden findet seine gute Begründung in den Motiven der beiden einander doch fortsetzenden Tätigkeiten.

Das Spielen des Kindes wurde von Wünschen dirigiert, eigentlich von dem einen Wunsche, der das Kind erziehen hilft, vom Wunsche: groß und erwachsen zu sein. Es spielt immer »groß sein«, imitiert im Spiele, was ihm vom Leben der Großen bekannt geworden ist. Es hat nun keinen Grund, diesen Wunsch zu verbergen. Anders der Erwachsene; dieser weiß einerseits, daß man von ihm erwartet, nicht mehr zu spielen oder zu phantasieren, sondern in der wirklichen Welt zu handeln, und anderseits sind unter den seine Phantasien erzeugenden Wünschen manche, die es überhaupt zu verbergen nottut; darum schämt er sich seines Phantasierens als kindisch und als unerlaubt.

Sie werden fragen, woher man denn über das Phantasieren der Menschen so genau Bescheid wisse, wenn es von ihnen mit soviel Geheimtun verhüllt wird. Nun, es gibt eine Gattung von Menschen, denen zwar nicht ein Gott, aber eine strenge Göttin – die Notwendigkeit – den Auftrag erteilt hat zu sagen, was sie leiden und woran sie sich erfreuen. Es sind dies die Nervösen, die dem Arzte, von dem sie Herstellung durch psychische Behandlung erwarten, auch ihre Phantasien eingestehen müssen; aus dieser Quelle stammt unsere beste Kenntnis, und wir sind dann zu der wohl begründeten Vermutung gelangt, daß unsere Kranken uns nichts anderes mitteilen, als was wir auch von den Gesunden erfahren könnten.

Gehen wir daran, einige der Charaktere des Phantasierens kennenzulernen. Man darf sagen, der Glückliche phantasiert nie, nur der Unbefriedigte. Unbefriedigte Wünsche sind die Triebkräfte der Phantasien, und jede einzelne Phantasie ist eine Wunscherfüllung, eine Korrektur der unbefriedigenden Wirklichkeit. Die treibenden Wünsche sind verschieden je nach Geschlecht, Charakter und Lebensverhältnissen der phantasierenden Persönlichkeit; sie lassen sich aber ohne Zwang nach zwei Hauptrichtungen gruppieren. Es sind entweder ehrgeizige Wünsche, welche der Erhöhung der Persönlichkeit dienen, oder erotische. Beim jungen Weibe herrschen die erotischen Wünsche fast ausschließend, denn sein Ehrgeiz wird in der Regel vom Liebesstreben aufgezehrt; beim jungen Manne sind neben den erotischen die eigensüchtigen und ehrgeizigen Wünsche vordringlich genug. Doch wollen wir nicht den Gegensatz beider Richtungen, sondern vielmehr deren häufige Vereinigung betonen; wie in vielen Altarbildern in einer Ecke das Bildnis des Stifters sichtbar ist, so können wir an den meisten ehrgeizigen Phantasien in irgendeinem Winkel die Dame entdecken, für die der Phantast all diese Heldentaten vollführt, der er alle Erfolge zu Füßen legt. Sie sehen, hier liegen genug starke Motive zum Verbergen vor; dem wohlerzogenen Weibe wird ja überhaupt nur ein Minimum von erotischer Bedürftigkeit zugebilligt, und der junge Mann soll das Übermaß von Selbstgefühl, welches er aus der Verwöhnung der Kindheit mitbringt, zum Zwecke der Einordnung in die an ähnlich anspruchsvollen Individuen so reiche Gesellschaft unterdrücken lernen.

Die Produkte dieser phantasierenden Tätigkeit, die einzelnen Phantasien, Luftschlösser oder Tagträume dürfen wir uns nicht als starr und unveränderlich vorstellen. Sie schmiegen sich vielmehr den wechselnden Lebenseindrücken an, verändern sich mit jeder Schwankung der Lebenslage, empfangen von jedem wirksamen neuen Eindrucke eine sogenannte »Zeitmarke«. Das Verhältnis der Phantasie zur Zeit ist überhaupt sehr bedeutsam. Man darf sagen: eine Phantasie schwebt gleichsam zwischen drei Zeiten, den drei Zeitmomenten unseres Vorstellens. Die seelische Arbeit knüpft an einen aktuellen Eindruck, einen Anlaß in der Gegenwart an, der imstande war, einen der großen Wünsche der Person zu wecken, greift von da aus auf die Erinnerung eines früheren, meist infantilen, Erlebnisses zurück, in dem jener Wunsch erfüllt war, und schafft nun eine auf die Zukunft bezogene Situation, welche sich als die Erfüllung jenes Wunsches darstellt, eben den Tagtraum oder die Phantasie, die nun die Spuren ihrer Herkunft vom Anlasse und von der Erinnerung an sich trägt. Also Vergangenes, Gegenwärtiges, Zukünftiges wie an der Schnur des durchlaufenden Wunsches aneinandergereiht.

Das banalste Beispiel mag Ihnen meine Aufstellung erläutern. Nehmen Sie den Fall eines armen und verwaisten Jünglings an, welchem Sie die Adresse eines Arbeitgebers genannt haben, bei dem er vielleicht eine Anstellung finden kann. Auf dem Wege dahin mag er sich in einem Tagtraum ergehen, wie er angemessen aus seiner Situation entspringt. Der Inhalt dieser Phantasie wird etwa sein, daß er dort angenommen wird, seinem neuen Chef gefällt, sich im Geschäfte unentbehrlich macht, in die Familie des Herrn gezogen wird, das reizende Töchterchen des Hauses heiratet und dann selbst als Mitbesitzer wie später als Nachfolger das Geschäft leitet. Und dabei hat sich der Träumer ersetzt, was er in der glücklichen Kindheit besessen: das schützende Haus, die liebenden Eltern und die ersten Objekte seiner zärtlichen Neigung. Sie sehen an solchem Beispiele, wie der Wunsch einen Anlaß der Gegenwart benützt, um sich nach dem Muster der Vergangenheit ein Zukunftsbild zu entwerfen.

Es wäre noch vielerlei über die Phantasien zu sagen; ich will mich aber auf die knappsten Andeutungen beschränken. Das Überwuchern und Übermächtigwerden der Phantasien stellt die Bedingungen für den Verfall in Neurose oder Psychose her; die Phantasien sind auch die nächsten seelischen Vorstufen der Leidenssymptome, über welche unsere Kranken klagen. Hier zweigt ein breiter Seitenweg zur Pathologie ab.

Nicht übergehen kann ich aber die Beziehung der Phantasien zum Traume. Auch unsere nächtlichen Träume sind nichts anderes als solche Phantasien, wie wir durch die Deutung der Träume evident machen können[1]. Die Sprache hat in ihrer unübertrefflichen Weisheit die Frage nach dem Wesen der Träume längst entschieden, indem sie die luftigen Schöpfungen Phantasierender auch *»Tagträume«* nennen ließ. Wenn trotz dieses Fingerzeiges der Sinn unserer Träume uns zumeist undeutlich bleibt, so rührt dies von dem einen Umstande her, daß nächtlicherweise auch solche Wünsche in uns rege werden, deren wir uns schämen und die wir vor uns selbst verbergen müssen, die eben darum verdrängt, ins Unbewußte geschoben wurden. Solchen verdrängten Wünschen und ihren Abkömmlingen kann nun kein anderer als ein arg entstellter Ausdruck gegönnt werden. Nachdem die Aufklärung der *Traumentstellung* der wissenschaftlichen Arbeit gelungen war, fiel es nicht mehr schwer zu erkennen, daß die nächtlichen Träume ebensolche Wunscherfüllungen sind wie die Tagträume, die uns allen so wohlbekannten Phantasien.

Soviel von den Phantasien, und nun zum Dichter! Dürfen wir wirklich

---

[1] Vgl. des Verfassers *Traumdeutung* (1900 *a*).

den Versuch machen, den Dichter mit dem »Träumer am hellichten Tag«, seine Schöpfungen mit Tagträumen zu vergleichen? Da drängt sich wohl eine erste Unterscheidung auf; wir müssen die Dichter, die fertige Stoffe übernehmen wie die alten Epiker und Tragiker, sondern von jenen, die ihre Stoffe frei zu schaffen scheinen. Halten wir uns an die letzteren und suchen wir für unsere Vergleichung nicht gerade jene Dichter aus, die von der Kritik am höchsten geschätzt werden, sondern die anspruchsloseren Erzähler von Romanen, Novellen und Geschichten, die dafür die zahlreichsten und eifrigsten Leser und Leserinnen finden. An den Schöpfungen dieser Erzähler muß uns vor allem ein Zug auffällig werden; sie alle haben einen Helden, der im Mittelpunkt des Interesses steht, für den der Dichter unsere Sympathie mit allen Mitteln zu gewinnen sucht und den er wie mit einer besonderen Vorsehung zu beschützen scheint. Wenn ich am Ende eines Romankapitels den Helden bewußtlos, aus schweren Wunden blutend verlassen habe, so bin ich sicher, ihn zu Beginn des nächsten in sorgsamster Pflege und auf dem Wege der Herstellung zu finden, und wenn der erste Band mit dem Untergange des Schiffes im Seesturme geendigt hat, auf dem unser Held sich befand, so bin ich sicher, zu Anfang des zweiten Bandes von seiner wunderbaren Rettung zu lesen, ohne die der Roman ja keinen Fortgang hätte. Das Gefühl der Sicherheit, mit dem ich den Helden durch seine gefährlichen Schicksale begleite, ist das nämliche, mit dem ein wirklicher Held sich ins Wasser stürzt, um einen Ertrinkenden zu retten, oder sich dem feindlichen Feuer aussetzt, um eine Batterie zu stürmen, jenes eigentliche Heldengefühl, dem einer unserer besten Dichter den köstlichen Ausdruck geschenkt hat: »Es kann dir nix g'schehen.« (Anzengruber.)[1] Ich meine aber, an diesem verräterischen Merkmal der Unverletzlichkeit erkennt man ohne Mühe – Seine Majestät das Ich, den Helden aller Tagträume wie aller Romane[2].

Noch andere typische Züge dieser egozentrischen Erzählungen deuten auf die gleiche Verwandtschaft hin. Wenn sich stets alle Frauen des Romans in den Helden verlieben, so ist das kaum als Wirklichkeitsschilderung aufzufassen, aber leicht als notwendiger Bestand des Tagtraumes zu verstehen. Ebenso wenn die anderen Personen des Romans sich scharf in gute und böse scheiden, unter Verzicht auf die in der Realität

---

[1] [Worte des Steinklopferhans in dem Lustspiel des Wiener Schriftstellers und Dramatikers Ludwig Anzengruber (1839–89). Es ist eines der Lieblingszitate Freuds, das er z. B. auch in ›Zeitgemäßes über Krieg und Tod‹ (1915 *b*, Abschnitt II) anführt.]

[2] [Vgl. den Schluß des Kapitels II von ›Zur Einführung des Narzißmus‹ (1914 *c*).]

zu beobachtende Buntheit menschlicher Charaktere; die »guten« sind eben die Helfer, die »bösen« aber die Feinde und Konkurrenten des zum Helden gewordenen Ichs.

Wir verkennen nun keineswegs, daß sehr viele dichterische Schöpfungen sich von dem Vorbilde des naiven Tagtraumes weit entfernt halten, aber ich kann doch die Vermutung nicht unterdrücken, daß auch die extremsten Abweichungen durch eine lückenlose Reihe von Übergängen mit diesem Modelle in Beziehung gesetzt werden könnten. Noch in vielen der sogenannten psychologischen Romane ist mir aufgefallen, daß nur eine Person, wiederum der Held, von innen geschildert wird; in ihrer Seele sitzt gleichsam der Dichter und schaut die anderen Personen von außen an. Der psychologische Roman verdankt im ganzen wohl seine Besonderheit der Neigung des modernen Dichters, sein Ich durch Selbstbeobachtung in Partial-Ichs zu zerspalten und demzufolge die Konfliktströmungen seines Seelenlebens in mehreren Helden zu personifizieren. In einem ganz besonderen Gegensatze zum Typus des Tagtraumes scheinen die Romane zu stehen, die man als »exzentrische« bezeichnen könnte, in denen die als Held eingeführte Person die geringste tätige Rolle spielt, vielmehr wie ein Zuschauer die Taten und Leiden der anderen an sich vorüberziehen sieht. Solcher Art sind mehrere der späteren Romane Zolas. Doch muß ich bemerken, daß die psychologische Analyse nicht dichtender, in manchen Stücken von der sogenannten Norm abweichender Individuen uns analoge Variationen der Tagträume kennengelehrt hat, in denen sich das Ich mit der Rolle des Zuschauers bescheidet.

Wenn unsere Gleichstellung des Dichters mit dem Tagträumer, der poetischen Schöpfung mit dem Tagtraum, wertvoll werden soll, so muß sie sich vor allem in irgendeiner Art fruchtbar erweisen. Versuchen wir etwa, unseren vorhin aufgestellten Satz von der Beziehung der Phantasie zu den drei Zeiten und zum durchlaufenden Wunsche auf die Werke der Dichter anzuwenden und die Beziehungen zwischen dem Leben des Dichters und seinen Schöpfungen mit dessen Hilfe zu studieren. Man hat in der Regel nicht gewußt, mit welchen Erwartungsvorstellungen man an dieses Problem herangehen soll; häufig hat man sich diese Beziehung viel zu einfach vorgestellt. Von der an den Phantasien gewonnenen Einsicht her müßten wir folgenden Sachverhalt erwarten: Ein starkes aktuelles Erlebnis weckt im Dichter die Erinnerung an ein früheres, meist der Kindheit angehöriges Erlebnis auf, von welchem nun der Wunsch ausgeht, der sich in der Dichtung seine Erfüllung schafft; die

177

Dichtung selbst läßt sowohl Elemente des frischen Anlasses als auch der alten Erinnerung erkennen[1].

Erschrecken Sie nicht über die Kompliziertheit dieser Formel; ich vermute, daß sie sich in Wirklichkeit als ein zu dürftiges Schema erweisen wird, aber eine erste Annäherung an den realen Sachverhalt könnte doch in ihr enthalten sein, und nach einigen Versuchen, die ich unternommen habe, sollte ich meinen, daß eine solche Betrachtungsweise dichterischer Produktionen nicht unfruchtbar ausfallen kann. Sie vergessen nicht, daß die vielleicht befremdende Betonung der Kindheitserinnerung im Leben des Dichters sich in letzter Linie von der Voraussetzung ableitet, daß die Dichtung wie der Tagtraum Fortsetzung und Ersatz des einstigen kindlichen Spielens ist.

Versäumen wir nicht, auf jene Klasse von Dichtungen zurückzugreifen, in denen wir nicht freie Schöpfungen, sondern Bearbeitungen fertiger und bekannter Stoffe erblicken müssen [S. 176]. Auch dabei verbleibt dem Dichter ein Stück Selbständigkeit, das sich in der Auswahl des Stoffes und in der oft weitgehenden Abänderung desselben äußern darf. Soweit die Stoffe aber gegeben sind, entstammen sie dem Volksschatze an Mythen, Sagen und Märchen. Die Untersuchung dieser völkerpsychologischen Bildungen ist nun keineswegs abgeschlossen, aber es ist z. B. von den Mythen durchaus wahrscheinlich, daß sie den entstellten Überresten von Wunschphantasien ganzer Nationen, den *Säkularträumen* der jungen Menschheit, entsprechen.

Sie werden sagen, daß ich Ihnen von den Phantasien weit mehr erzählt habe als vom Dichter, den ich doch im Titel meines Vortrages vorangestellt. Ich weiß das und versuche es durch den Hinweis auf den heutigen Stand unserer Erkenntnis zu entschuldigen. Ich konnte Ihnen nur Anregungen und Aufforderungen bringen, die von dem Studium der Phantasien her auf das Problem der dichterischen Stoffwahl übergreifen. Das andere Problem, mit welchen Mitteln der Dichter bei uns die Affektwirkungen erziele, die er durch seine Schöpfungen hervorruft, haben wir überhaupt noch nicht berührt. Ich möchte Ihnen wenigstens noch zeigen, welcher Weg von unseren Erörterungen über die Phantasien zu den Problemen der poetischen Effekte führt.

Sie erinnern sich, wir sagten [S. 173], daß der Tagträumer seine Phantasien vor anderen sorgfältig verbirgt, weil er Gründe verspürt, sich

---

[1] [Eine ähnliche Auffassung hatte Freud schon 1898 in einem Brief an Fließ (vom 7. Juli) vertreten, und zwar mit Bezug auf die Novelle von C. F. Meyer ›Die Hochzeit des Mönchs‹ (Freud 1950*a*, Brief 92).]

ihrer zu schämen. Ich füge nun hinzu, selbst wenn er sie uns mitteilen würde, könnte er uns durch solche Enthüllung keine Lust bereiten. Wir werden von solchen Phantasien, wenn wir sie erfahren, abgestoßen oder bleiben höchstens kühl gegen sie. Wenn aber der Dichter uns seine Spiele vorspielt oder uns das erzählt, was wir für seine persönlichen Tagträume zu erklären geneigt sind, so empfinden wir hohe, wahrscheinlich aus vielen Quellen zusammenfließende Lust. Wie der Dichter das zustande bringt, das ist sein eigenstes Geheimnis; in der Technik der Überwindung jener Abstoßung, die gewiß mit den Schranken zu tun hat, welche sich zwischen jedem einzelnen Ich und den anderen erheben, liegt die eigentliche *Ars poetica.* Zweierlei Mittel dieser Technik können wir erraten: Der Dichter mildert den Charakter des egoistischen Tagtraumes durch Abänderungen und Verhüllungen und besticht uns durch rein formalen, d. h. ästhetischen Lustgewinn, den er uns in der Darstellung seiner Phantasien bietet. Man nennt einen solchen Lustgewinn, der uns geboten wird, um mit ihm die Entbindung größerer Lust aus tiefer reichenden psychischen Quellen zu ermöglichen, eine *Verlockungsprämie* oder eine *Vorlust*[1]. Ich bin der Meinung, daß alle ästhetische Lust, die uns der Dichter verschafft, den Charakter solcher Vorlust trägt und daß der eigentliche Genuß des Dichtwerkes aus der Befreiung von Spannungen in unserer Seele hervorgeht. Vielleicht trägt es sogar zu diesem Erfolge nicht wenig bei, daß uns der Dichter in den Stand setzt, unsere eigenen Phantasien nunmehr ohne jeden Vorwurf und ohne Schämen zu genießen. Hier stünden wir nun am Eingange neuer, interessanter und verwickelter Untersuchungen, aber, wenigstens für diesmal, am Ende unserer Erörterungen.

---

[1] [Diese Theorie der »Vorlust« und der »Verlockungsprämie« hatte Freud mit Bezug auf den Witz in den letzten Absätzen von Kapitel IV seines Buches *Der Witz und seine Beziehung zum Unbewußten* (1905 c) entwickelt. Eine Bemerkung darüber findet sich auch in dem Essay ›Psychopathische Personen auf der Bühne‹ (in diesem Band, S. 168).]

Das Motiv der Kästchenwahl

(1913)

EDITORISCHE VORBEMERKUNG

Deutsche Ausgaben:
1913 *Imago*, Bd. 2 (3), 257–66.
1918 S. K. S. N., Bd. 4, 470–85. (2. Aufl. 1922)
1924 G. S., Bd. 10, 243–56.
1924 *Dichtung und Kunst*, 15–28.
1946 G. W., Bd. 10, 24–37.

Aus Freuds Briefen (s. Jones, 1962 *a*, 426) ist zu entnehmen, daß ihm die Idee zu dieser Arbeit im Juni 1912 kam. Veröffentlicht wurde sie erst ein Jahr später. In einem Brief vom 7. Juli 1913 an Ferenczi legte er nahe, daß eine »subjektive Bedingung« für diese Arbeit in der Tatsache gegeben sei, daß er selber drei Töchter habe (s. Freud, 1960 *a*).

I

Zwei Szenen aus Shakespeare, eine heitere und tragische, haben mir kürzlich den Anlaß zu einer kleinen Problemstellung und Lösung gegeben.

Die heitere ist die Wahl der Freier zwischen drei Kästchen im *Kaufmann von Venedig*. Die schöne und kluge Porzia ist durch den Willen ihres Vaters gebunden, nur den von ihren Bewerbern zum Manne zu nehmen, der von drei ihm vorgelegten Kästchen das richtige wählt. Die drei Kästchen sind von Gold, von Silber und von Blei; das richtige ist jenes, welches ihr Bildnis einschließt. Zwei Bewerber sind bereits erfolglos abgezogen, sie hatten Gold und Silber gewählt. Bassanio, der dritte, entscheidet sich für das Blei; er gewinnt damit die Braut, deren Neigung ihm bereits vor der Schicksalsprobe gehört hat. Jeder der Freier hatte seine Entscheidung durch eine Rede motiviert, in welcher er das von ihm bevorzugte Metall anpries, während er die beiden anderen herabsetzte. Die schwerste Aufgabe war dabei dem glücklichen dritten Freier zugefallen; was er zur Verherrlichung des Bleis gegen Gold und Silber sagen kann, ist wenig und klingt gezwungen. Stünden wir in der psychoanalytischen Praxis vor solcher Rede, so würden wir hinter der unbefriedigenden Begründung geheimgehaltene Motive wittern.

Shakespeare hat das Orakel der Kästchenwahl nicht selbst erfunden, er nahm es aus einer Erzählung der *Gesta Romanorum*[1], in welcher ein Mädchen dieselbe Wahl vornimmt, um den Sohn des Kaisers zu gewinnen[2]. Auch hier ist das dritte Metall, das Blei, das Glückbringende. Es ist nicht schwer zu erraten, daß hier ein altes Motiv vorliegt, welches nach Deutung, Ableitung und Zurückführung verlangt. Eine erste Vermutung, was wohl die Wahl zwischen Gold, Silber und Blei bedeuten möge, findet bald Bestätigung durch eine Äußerung von Ed. Stucken[3], der sich in weitausgreifendem Zusammenhang mit dem nämlichen Stoffe beschäftigt. Er sagt: »Wer die drei Freier Porzias sind, erhellt aus dem, was sie wählen: Der Prinz von Marokko wählt den goldenen Kasten:

---

[1] [Eine Sammlung mittelalterlicher Erzählungen unbekannter Herkunft.]
[2] Brandes (1896).   [3] Stucken (1907, 655).

183

er ist die Sonne; der Prinz von Arragon wählt den silbernen Kasten: er ist der Mond; Bassanio wählt den bleiernen Kasten: er ist der Sternenknabe.« Zur Unterstützung dieser Deutung zitiert er eine Episode aus dem estnischen Volksepos Kalewipoeg, in welcher die drei Freier unverkleidet als Sonnen-, Mond- und Sternenjüngling (»des Polarsterns ältestes Söhnchen«) auftreten und die Braut wiederum dem Dritten zufällt.

So führte also unser kleines Problem auf einen Astralmythus! Nur schade, daß wir mit dieser Aufklärung nicht zu Ende gekommen sind. Das Fragen setzt sich weiter fort, denn wir glauben nicht mit manchen Mythenforschern, daß die Mythen vom Himmel herabgelesen worden sind, vielmehr urteilen wir mit O. Rank [1], daß sie auf den Himmel projiziert wurden, nachdem sie anderswo unter rein menschlichen Bedingungen entstanden waren. Diesem menschlichen Inhalte gilt aber unser Interesse.

Fassen wir unseren Stoff nochmals ins Auge. Im estnischen Epos wie in der Erzählung der *Gesta Romanorum* handelt es sich um die Wahl eines Mädchens zwischen drei Freiern, in der Szene des *Kaufmanns von Venedig* anscheinend um das nämliche, aber gleichzeitig tritt an dieser letzten Stelle etwas wie eine Umkehrung des Motivs auf: Ein Mann wählt zwischen drei – Kästchen. Wenn wir es mit einem Traum zu tun hätten, würden wir sofort daran denken, daß die Kästchen auch Frauen sind, Symbole des Wesentlichen an der Frau und darum der Frau selbst, wie Büchsen, Dosen, Schachteln, Körbe usw.[2] Gestatten wir uns, eine solche symbolische Ersetzung auch beim Mythus anzunehmen, so wird die Kästchenszene im *Kaufmann von Venedig* wirklich zur Umkehrung, die wir vermutet haben. Mit einem Rucke, wie er sonst nur im Märchen beschrieben wird, haben wir unserem Thema das astrale Gewand abgestreift und sehen nun, es behandelt ein menschliches Motiv, die *Wahl eines Mannes zwischen drei Frauen*.

Dasselbe ist aber der Inhalt einer anderen Szene Shakespeares in einem der erschütterndsten seiner Dramen, keine Brautwahl diesmal, aber doch durch so viel geheime Ähnlichkeiten mit der Kästchenwahl im *Kaufmann* verknüpft. Der alte König Lear beschließt, noch bei Lebzeiten sein Reich unter seine drei Töchter zu verteilen, je nach Maßgabe der Liebe, die sie für ihn äußern. Die beiden älteren, Goneril und Regan, erschöpfen sich in Beteuerungen und Anpreisungen ihrer Liebe, die dritte,

---

[1] Rank (1909, 8 ff.).
[2] [S. Freuds *Traumdeutung* (1900a), Kapitel VI, ziemlich zu Anfang des Abschnitts E.]

Cordelia, weigert sich dessen. Er hätte diese unscheinbare, wortlose Liebe der Dritten erkennen und belohnen sollen, aber er verkennt sie, verstößt Cordelia und teilt das Reich unter die beiden anderen, zu seinem und aller Unheil. Ist das nicht wieder eine Szene der Wahl zwischen drei Frauen, von denen die jüngste die beste, die vorzüglichste ist?

Sofort fallen uns nun aus Mythus, Märchen und Dichtung andere Szenen ein, welche die nämliche Situation zum Inhalt haben: Der Hirte Paris hat die Wahl zwischen drei Göttinnen, von denen er die dritte zur Schönsten erklärt. Aschenputtel ist eine ebensolche Jüngste, die der Königssohn den beiden Älteren vorzieht, Psyche im Märchen des Apulejus ist die jüngste und schönste von drei Schwestern, Psyche, die einerseits als menschlich gewordene Aphrodite verehrt wird, anderseits von dieser Göttin behandelt wird wie Aschenputtel von ihrer Stiefmutter, einen vermischten Haufen von Samenkörnern schlichten soll und es mit Hilfe von kleinen Tieren (Tauben bei Aschenputtel, Ameisen bei Psyche) zustande bringt [1]. Wer sich weiter im Materiale umsehen wollte, würde gewiß noch andere Gestaltungen desselben Motivs mit Erhaltung derselben wesentlichen Züge auffinden können.

Begnügen wir uns mit Cordelia, Aphrodite, Aschenputtel und Psyche! Die drei Frauen, von denen die dritte die vorzüglichste ist, sind wohl als irgendwie gleichartig aufzufassen, wenn sie als Schwestern vorgeführt werden. Es soll uns nicht irremachen, wenn es bei Lear die drei Töchter des Wählenden sind, das bedeutet vielleicht nichts anderes, als daß Lear als alter Mann dargestellt werden soll. Den alten Mann kann man nicht leicht anders zwischen drei Frauen wählen lassen; darum werden diese zu seinen Töchtern.

Wer sind aber diese drei Schwestern und warum muß die Wahl auf die dritte fallen? Wenn wir diese Frage beantworten könnten, wären wir im Besitze der gesuchten Deutung. Nun haben wir uns bereits einmal der Anwendung psychoanalytischer Techniken bedient, als wir uns die drei Kästchen symbolisch als drei Frauen aufklärten. Haben wir den Mut, ein solches Verfahren fortzusetzen, so betreten wir einen Weg, der zunächst ins Unvorhergesehene, Unbegreifliche, auf Umwegen vielleicht zu einem Ziele führt.

Es darf uns auffallen, daß jene vorzügliche Dritte in mehreren Fällen außer ihrer Schönheit noch gewisse Besonderheiten hat. Es sind Eigenschaften, die nach irgendeiner Einheit zu streben scheinen; wir dürfen

---

[1] Den Hinweis auf diese Übereinstimmungen verdanke ich Dr. O. Rank. [Vgl. eine Bezugnahme hierauf in Kapitel XII, B, von Freuds *Massenpsychologie* (1921 c).]

gewiß nicht erwarten, sie in allen Beispielen gleich gut ausgeprägt zu finden. Cordelia macht sich unkenntlich, unscheinbar wie das Blei, sie bleibt stumm, sie »liebt und schweigt« [1]. Aschenputtel verbirgt sich, so daß sie nicht aufzufinden ist. Wir dürfen vielleicht das Sichverbergen dem Verstummen gleichsetzen. Dies wären allerdings nur zwei Fälle von den fünf, die wir herausgesucht haben. Aber eine Andeutung davon findet sich merkwürdigerweise auch noch bei zwei anderen. Wir haben uns ja entschlossen, die widerspenstig ablehnende Cordelia dem Blei zu vergleichen. Von diesem heißt es in der kurzen Rede des Bassanio während der Kästchenwahl, eigentlich so ganz unvermittelt:

> *Thy paleness moves me more than eloquence*
> (*plainness* nach anderer Leseart).

Also: Deine Schlichtheit geht mir näher als der beiden anderen schreiendes Wesen. Gold und Silber sind »laut«, das Blei ist stumm, wirklich wie Cordelia, die »liebt und schweigt« [2].

In den altgriechischen Erzählungen des Parisurteils ist von einer solchen Zurückhaltung der Aphrodite nichts enthalten. Jede der dei Göttinnen spricht zu dem Jüngling und sucht ihn durch Verheißungen zu gewinnen. Aber in einer ganz modernen Bearbeitung derselben Szene kommt der uns auffällig gewordene Zug der Dritten sonderbarerweise wieder zum Vorschein. Im Libretto der *Schönen Helena* erzählt Paris, nachdem er von den Werbungen der beiden anderen Göttinnen berichtet, wie sich Aphrodite in diesem Wettkampfe um den Schönheitspreis benommen:

> Und die Dritte – ja die Dritte –
> Stand daneben und blieb *stumm*.
> Ihr mußt' ich den Apfel geben usw. [3]

Entschließen wir uns, die Eigentümlichkeiten unserer Dritten in der »Stummheit« konzentriert zu sehen, so sagt uns die Psychoanalyse: Stummheit ist im Traume eine gebräuchliche Darstellung des Todes [4].

---

[1] [Aus einer beiseite gesprochenen Bemerkung Cordelias, Akt I, Szene 1.]

[2] In der Schlegelschen Übersetzung geht diese Anspielung ganz verloren, ja sie wird zur Gegenseite gewendet: »Dein schlichtes Wesen spricht beredt mich an.«

[3] [»La troisième, ah! la troisième ...
La troisième ne dit rien.
Elle eut le prix tout de même ...«
Diese Zeilen stammen aus dem Libretto von Meilhac und Halévy zu Offenbachs Operette *La Belle Hélène*, Akt I, Szene 7.]

[4] Auch in Stekels *Sprache des Traumes* unter den Todessymbolen angeführt (1911, 351). [Vgl. *Die Traumdeutung* (1900 a), Kapitel VI (E), etwa drei Seiten weiter als der in der Anmerkung oben S. 184 gegebene Hinweis.]

Vor mehr als zehn Jahren teilte mir ein hochintelligenter Mann einen Traum mit, den er als Beweis für die telepathische Natur der Träume verwerten wollte. Er sah einen abwesenden Freund, von dem er über-lange keine Nachricht erhalten hatte, und machte ihm eindringliche Vor-würfe über sein Stillschweigen. Der Freund gab keine Antwort. Es stellte sich dann heraus, daß er ungefähr um die Zeit dieses Traumes durch Selbstmord geendet hatte. Lassen wir das Problem der Telepathie bei-seite; daß die Stummheit im Traume zur Darstellung des Todes wird, scheint hier nicht zweifelhaft. Auch das Sichverbergen, Unauffindbar-sein, wie es der Märchenprinz dreimal beim Aschenputtel erlebt, ist im Traume ein unverkennbares Todessymbol; nicht minder die auffällige Blässe, an welche die *paleness* des Bleis in der einen Leseart des Shake-speareschen Textes erinnert[1]. Die Übertragung dieser Deutungen aus der Sprache des Traumes auf die Ausdrucksweise des uns beschäftigen-den Mythus wird uns aber wesentlich erleichtert, wenn wir wahrschein-lich machen können, daß die Stummheit auch in anderen Produktionen, die nicht Träume sind, als Zeichen des Totseins gedeutet werden muß.

Ich greife hier das neunte der Grimmschen Volksmärchen heraus, wel-ches die Überschrift hat: ›Die zwölf Brüder‹[2]. Ein König und eine Kö-nigin hatten zwölf Kinder, lauter Buben. Da sagte der König, wenn das dreizehnte Kind ein Mädchen ist, müssen die Buben sterben. In Erwar-tung dieser Geburt läßt er zwölf Särge machen. Die zwölf Söhne flüch-ten sich mit Hilfe der Mutter in einen versteckten Wald und schwören jedem Mädchen den Tod, dem sie begegnen sollten.

Ein Mädchen wird geboren, wächst heran und erfährt einmal von der Mutter, daß es zwölf Brüder gehabt hat. Es beschließt sie aufzusuchen, und findet im Wald den Jüngsten, der sie erkennt, aber verbergen möchte wegen des Eides der Brüder. Die Schwester sagt: Ich will gerne sterben, wenn ich damit meine zwölf Brüder erlösen kann. Die Brüder nehmen sie aber herzlich auf, sie bleibt bei ihnen und besorgt ihnen das Haus.

In einem kleinen Garten bei dem Hause wachsen zwölf Lilienblumen; die bricht das Mädchen ab, um jedem Bruder eine zu schenken. In die-sem Augenblicke werden die Brüder in Raben verwandelt und ver-schwinden mit Haus und Garten. – Die Raben sind Seelenvögel, die Tötung der zwölf Brüder durch ihre Schwester wird durch das Ab-pflücken der Blumen von neuem dargestellt wie zu Eingang durch die

---

[1] Stekel, l. c.
[2] S. 50 der Reclamausgabe, Bd. 1. [Grimm, 1918, Bd. 1, 42.]

Särge und das Verschwinden der Brüder. Das Mädchen, das wiederum bereit ist, seine Brüder vom Tode zu erlösen, erfährt nun als Bedingung, daß sie sieben Jahre stumm sein muß, kein einziges Wort sprechen darf. Sie unterzieht sich dieser Probe, durch die sie selbst in Lebensgefahr gerät, d. h. sie stirbt selbst für die Brüder, wie sie es vor dem Zusammentreffen mit den Brüdern gelobt hat. Durch die Einhaltung der Stummheit gelingt ihr endlich die Erlösung der Raben.

Ganz ähnlich werden im Märchen von den ›sechs Schwänen‹[1] die in Vögel verwandelten Brüder durch die Stummheit der Schwester erlöst, d. h. wiederbelebt. Das Mädchen hat den festen Entschluß gefaßt, seine Brüder zu erlösen, und »wenn es auch sein Leben kostete«, und bringt als Gemahlin des Königs wiederum ihr eigenes Leben in Gefahr, weil sie gegen böse Anklagen ihre Stummheit nicht aufgeben will.

Wir würden sicherlich aus den Märchen noch andere Beweise erbringen können, daß die Stummheit als Darstellung des Todes verstanden werden muß. Wenn wir diesen Anzeichen folgen dürfen, so wäre die dritte unserer Schwestern, zwischen denen die Wahl stattfindet, eine Tote. Sie kann aber auch etwas anderes sein, nämlich der Tod selbst, die Todesgöttin. Vermöge einer gar nicht seltenen Verschiebung werden die Eigenschaften, die eine Gottheit den Menschen zuteilt, ihr selbst zugeschrieben. Am wenigsten wird uns solche Verschiebung bei der Todesgöttin befremden, denn in der modernen Auffassung und Darstellung, die hier vorweggenommen würde, ist der Tod selbst nur ein Toter.

Wenn aber die dritte der Schwestern die Todesgöttin ist, so kennen wir die Schwestern. Es sind die Schicksalsschwestern, die Moiren oder Parzen oder Nornen, deren dritte Atropos heißt: die Unerbittliche.

II

Stellen wir die Sorge, wie die gefundene Deutung in unseren Mythus einzufügen ist, einstweilen beiseite, und holen wir uns bei den Mythologen Belehrung über Rolle und Herkunft der Schicksalsgöttinnen[2].

Die älteste griechische Mythologie kennt nur eine *Moῖρα* als Personifikation des unentrinnbaren Schicksals (bei Homer). Die Fortentwicklung dieser einen Moira zu einem Schwesterverein von drei (seltener

[1] [Grimm, 1918, Bd. 1, 217 (Nr. 49).]
[2] Das folgende nach Roschers Lexikon der griechischen und römischen Mythologie [1884–1937] unter den entsprechenden Titeln.

zwei) Gottheiten erfolgte wahrscheinlich in Anlehnung an andere Göttergestalten, denen die Moiren nahestehen, die Chariten und die Horen.

Die Horen sind ursprünglich Gottheiten der himmlischen Gewässer, die Regen und Tau spenden, der Wolken, aus denen der Regen niederfällt, und da diese Wolken als Gespinst erfaßt werden, ergibt sich für diese Göttinnen der Charakter der Spinnerinnen, der dann an den Moiren fixiert wird. In den von der Sonne verwöhnten Mittelmeerländern ist es der Regen, von dem die Fruchtbarkeit des Bodens abhängig wird, und darum wandeln sich die Horen zu Vegetationsgottheiten. Man dankt ihnen die Schönheit der Blumen und den Reichtum der Früchte, stattet sie mit einer Fülle von liebenswürdigen und anmutigen Zügen aus. Sie werden zu den göttlichen Vertreterinnen der Jahreszeiten und erwerben vielleicht durch diese Beziehung ihre Dreizahl, wenn die heilige Natur der Drei zu deren Aufklärung nicht genügen sollte. Denn diese alten Völker unterschieden zuerst nur drei Jahreszeiten: Winter, Frühling und Sommer. Der Herbst kam erst in späten griechisch-römischen Zeiten hinzu; dann bildete die Kunst häufig vier Horen ab.

Die Beziehung zur Zeit blieb den Horen erhalten; sie wachten später über die Tageszeiten wie zuerst über die Zeiten des Jahres; endlich sank ihr Name zur Bezeichnung der Stunde *(heure, ora)* herab. Die den Horen und Moiren wesensverwandten Nornen der deutschen Mythologie tragen diese Zeitbedeutung in ihren Namen zur Schau[1]. Es konnte aber nicht ausbleiben, daß das Wesen dieser Gottheiten tiefer erfaßt und in das Gesetzmäßige im Wandel der Zeiten verlegt wurde; die Horen wurden so zu Hüterinnen des Naturgesetzes und der heiligen Ordnung, welche mit unabänderlicher Reihenfolge in der Natur das gleiche wiederkehren läßt.

Diese Erkenntnis der Natur wirkte zurück auf die Auffassung des menschlichen Lebens. Der Naturmythus wandelte sich zum Menschenmythus; aus den Wettergöttinnen wurden Schicksalsgottheiten. Aber diese Seite der Horen kam erst in den Moiren zum Ausdrucke, die über die notwendige Ordnung im Menschenleben so unerbittlich wachen wie die Horen über die Gesetzmäßigkeit der Natur. Das unabwendbar Strenge des Gesetzes, die Beziehung zu Tod und Untergang, die an den lieblichen Gestalten der Horen vermieden worden waren, sie prägten sich nun an den Moiren aus, als ob der Mensch den ganzen Ernst des

---

[1] [Ihre Namen bedeuten etwa: »Was war«, »Was ist« und »Was sein wird«.]

Naturgesetzes erst dann empfände, wenn er ihm die eigene Person unterordnen soll.

Die Namen der drei Spinnerinnen haben auch bei den Mythologen bedeutsames Verständnis gefunden. Die zweite, Lachesis, scheint das »innerhalb der Gesetzmäßigkeit des Schicksals Zufällige« zu bezeichnen [1] – wir würden sagen: das Erleben – wie Atropos das Unabwendbare, den Tod, und dann bliebe für Klotho die Bedeutung der verhängnisvollen, mitgebrachten Anlage.

Und nun ist es Zeit, zu dem der Deutung unterliegenden Motive der Wahl zwischen drei Schwestern zurückzukehren. Mit tiefem Mißvergnügen werden wir bemerken, wie unverständlich die betrachteten Situationen werden, wenn wir in sie die gefundene Deutung einsetzen, und welche Widersprüche zum scheinbaren Inhalte derselben sich dann ergeben. Die dritte der Schwestern soll die Todesgöttin sein, der Tod selbst, und im Parisurteile ist es die Liebesgöttin, im Märchen des Apulejus eine dieser letzteren vergleichbare Schönheit, im *Kaufmann* die schönste und klügste Frau, im *Lear* die einzige treue Tochter. Kann ein Widerspruch vollkommener gedacht werden? Doch vielleicht ist diese unwahrscheinliche Steigerung ganz in der Nähe. Sie liegt wirklich vor, wenn in unserem Motive jedesmal zwischen den Frauen frei gewählt wird und wenn die Wahl dabei auf den Tod fallen soll, den doch niemand wählt, dem man durch ein Verhängnis zum Opfer fällt.

Indes Widersprüche von einer gewissen Art, Ersetzungen durch das volle kontradiktorische Gegenteil bereiten der analytischen Deutungsarbeit keine ernste Schwierigkeit. Wir werden uns hier nicht darauf berufen, daß Gegensätze in den Ausdrucksweisen des Unbewußten wie im Traume so häufig durch eines und das nämliche Element dargestellt werden. Aber wir werden daran denken, daß es Motive im Seelenleben gibt, welche die Ersetzung durch das Gegenteil als sogenannte Reaktionsbildung herbeiführen, und können den Gewinn unserer Arbeit gerade in der Aufdeckung solcher verborgener Motive suchen. Die Schöpfung der Moiren ist der Erfolg einer Einsicht, welche den Menschen mahnt, auch er sei ein Stück der Natur und darum dem unabänderlichen Gesetze des Todes unterworfen. Gegen diese Unterwerfung mußte sich etwas im Menschen sträuben, der nur höchst ungern auf seine Ausnahmsstellung verzichtet. Wir wissen, daß der Mensch seine Phantasietätigkeit zur Befriedigung seiner von der Realität unbefriedigten Wünsche

---

[1] J. Roscher [l. c.] nach Preller-Robert [1894].

verwendet. So lehnte sich denn seine Phantasie gegen die im Moiren-
mythus verkörperte Einsicht auf und schuf den davon abgeleiteten Mythus, in dem die Todesgöttin durch die Liebesgöttin und was ihr an
menschlichen Gestaltungen gleichkommt, ersetzt ist. Die dritte der
Schwestern ist nicht mehr der Tod, sie ist die schönste, beste, begehrenswerteste, liebenswerteste der Frauen. Und diese Ersetzung war tech-
nisch keineswegs schwer; sie war durch eine alte Ambivalenz vorbereitet,
sie vollzog sich längs eines uralten Zusammenhanges, der noch nicht
lange vergessen sein konnte. Die Liebesgöttin selbst, die jetzt an die
Stelle der Todesgöttin trat, war einst mit ihr identisch gewesen. Noch die
griechische Aphrodite entbehrte nicht völlig der Beziehungen zur Unterwelt, obwohl sie ihre chthonische Rolle längst an andere Göttergestalten,
an die Persephone, die dreigestaltige Artemis-Hekate, abgegeben hatte.
Die großen Muttergottheiten der orientalischen Völker scheinen aber
alle ebensowohl Zeugerinnen wie Vernichterinnen, Göttinnen des Lebens und der Befruchtung wie Todesgöttinnen gewesen zu sein. So greift
die Ersetzung durch ein Wunschgegenteil bei unserem Motive auf eine
uralte Identität zurück.

Dieselbe Erwägung beantwortet uns die Frage, woher der Zug der
Wahl in den Mythus von den drei Schwestern geraten ist. Es hat hier
wiederum eine Wunschverkehrung stattgefunden. Wahl steht an der
Stelle von Notwendigkeit, von Verhängnis. So überwindet der Mensch
den Tod, den er in seinem Denken anerkannt hat. Es ist kein stärkerer
Triumph der Wunscherfüllung denkbar. Man wählt dort, wo man in
Wirklichkeit dem Zwange gehorcht, und die man wählt, ist nicht die
Schreckliche, sondern die Schönste und Begehrenswerteste.

Bei näherem Zusehen merken wir freilich, daß die Entstellungen des
ursprünglichen Mythus nicht gründlich genug sind, um sich nicht durch
Resterscheinungen zu verraten. Die freie Wahl zwischen den drei
Schwestern ist eigentlich keine freie Wahl, denn sie muß notwendiger-
weise die dritte treffen, wenn nicht, wie im *Lear,* alles Unheil aus ihr
entstehen soll. Die Schönste und Beste, welche anstelle der Todesgöttin
getreten ist, hat Züge behalten, die an das Unheimliche streifen, so daß
wir aus ihnen das Verborgene erraten konnten [1].

---

[1] Auch die Psyche des Apulejus hat reichlich Züge bewahrt, welche an ihre Beziehung
zum Tode mahnen. Ihre Hochzeit wird gerüstet wie eine Leichenfeier, sie muß in die
Unterwelt hinabsteigen und versinkt nachher in einen totenähnlichen Schlaf (O. Rank).
Über die Bedeutung der Psyche als Frühlingsgottheit und als »Braut des Todes« siehe
Zinzow (1881). [Fortsetzung d. Anm. siehe nächste Seite.]

Wir haben bisher den Mythus und seine Wandlung verfolgt und hoffen die geheimen Gründe dieser Wandlung aufgezeigt zu haben. Nun darf uns wohl die Verwendung des Motivs beim Dichter interessieren. Wir bekommen den Eindruck, als ginge beim Dichter eine Reduktion des Motivs auf den ursprünglichen Mythus vor sich, so daß der ergreifende, durch die Entstellung abgeschwächte Sinn des letzteren von uns wieder verspürt wird. Durch diese Reduktion der Entstellung, die teilweise Rückkehr zum Ursprünglichen, erziele der Dichter die tiefere Wirkung, die er bei uns erzeugt.

Um Mißverständnissen vorzubeugen, will ich sagen, ich habe nicht die Absicht zu widersprechen, daß das Drama vom König Lear die beiden weisen Lehren einschärfen wolle, man solle auf sein Gut und seine Rechte nicht zu Lebzeiten verzichten und man müsse sich hüten, Schmeichelei für bare Münze zu nehmen. Diese und ähnliche Mahnungen ergeben sich wirklich aus dem Stücke, aber es erscheint mir ganz unmöglich, die ungeheure Wirkung des *Lear* aus dem Eindrucke dieses Gedankeninhaltes zu erklären oder anzunehmen, daß die persönlichen Motive des Dichters mit der Absicht, diese Lehren vorzutragen, erschöpft seien. Auch die Auskunft, der Dichter habe uns die Tragödie der Undankbarkeit vorspielen wollen, deren Bisse er wohl am eigenen Leibe verspürt, und die Wirkung des Spieles beruhe auf dem rein formalen Momente der künstlerischen Einkleidung, scheint mir das Verständnis nicht zu ersetzen, welches uns durch die Würdigung des Motivs der Wahl zwischen den drei Schwestern eröffnet wird.

Lear ist ein alter Mann. Wir sagten schon, darum erscheinen die drei Schwestern als seine Töchter. Das Vaterverhältnis, aus dem so viel fruchtbare dramatische Antriebe erfließen könnten, wird im Drama weiter nicht verwertet. Lear ist aber nicht nur ein Alter, sondern auch ein Sterbender. Die so absonderliche Voraussetzung der Erbteilung verliert dann alles Befremdende. Dieser dem Tode Verfallene will aber auf die Liebe des Weibes nicht verzichten, er will hören, wie sehr er geliebt wird. Nun denke man an die erschütternde letzte Szene, einen der Höhe-

---

In einem anderen Grimmschen Märchen (Nr. 179, ›Die Gänsehirtin am Brunnen‹ [1918, Bd. 2, 300]) findet sich wie beim Aschenputtel die Abwechslung von schöner und häßlicher Gestalt der dritten Tochter, in der man wohl eine Andeutung von deren Doppelnatur – vor und nach der Ersetzung – erblicken darf. Diese dritte wird von ihrem Vater nach einer Probe verstoßen, welche mit der im *König Lear* fast zusammenfällt. Sie soll wie die anderen Schwestern angeben, wie lieb sie den Vater hat, findet aber keinen anderen Ausdruck ihrer Liebe als den Vergleich mit dem Salze. (Freundliche Mitteilung von Dr. Hanns Sachs.)

punkte der Tragik im modernen Drama: Lear trägt den Leichnam der Cordelia auf die Bühne. Cordelia ist der Tod. Wenn man die Situation umkehrt, wird sie uns verständlich und vertraut. Es ist die Todesgöttin, die den gestorbenen Helden vom Kampfplatze wegträgt, wie die Walküre in der deutschen Mythologie. Ewige Weisheit im Gewande des uralten Mythus rät dem alten Manne, der Liebe zu entsagen, den Tod zu wählen, sich mit der Notwendigkeit des Sterbens zu befreunden.

Der Dichter bringt uns das alte Motiv näher, indem er die Wahl zwischen den drei Schwestern von einem Gealterten und Sterbenden vollziehen läßt. Die regressive Bearbeitung, die er so mit dem durch Wunschverwandlung entstellten Mythus vorgenommen, läßt dessen alten Sinn so weit durchschimmern, daß uns vielleicht auch eine flächenhafte, allegorische Deutung der drei Frauengestalten des Motivs ermöglicht wird. Man könnte sagen, es seien die drei für den Mann unvermeidlichen Beziehungen zum Weibe, die hier dargestellt sind: Die Gebärerin, die Genossin und die Verderberin. Oder die drei Formen, zu denen sich ihm das Bild der Mutter im Laufe des Lebens wandelt: Die Mutter selbst, die Geliebte, die er nach deren Ebenbild gewählt, und zuletzt die Mutter Erde, die ihn wieder aufnimmt. Der alte Mann aber hascht vergebens nach der Liebe des Weibes, wie er sie zuerst von der Mutter empfangen; nur die dritte der Schicksalsfrauen, die schweigsame Todesgöttin, wird ihn in ihre Arme nehmen.

Der Moses des Michelangelo

(1914)

.

EDITORISCHE VORBEMERKUNG

Deutsche Ausgaben:
1914 *Imago*, Bd. 3 (1), 15–36.
1924 *G. S.*, Bd. 10, 257–86.
1924 *Dichtung und Kunst*, 29–58.
1946 *G. W.*, Bd. 10, 172–201.
›Nachtrag zur Arbeit über den Moses des Michelangelo‹.
Französische Übersetzung (Erstveröffentlichung):
›Appendice‹.
1927 *Revue française de psychanalyse*, Bd. 1, 147–8. (Übersetzt von
Marie Bonaparte.)
Deutsche Ausgaben:
1927 *Imago*, Bd. 13 (4), 552–3.
1928 *G. S.*, Bd. 11, 409–10.
1948 *G. W.*, Bd. 14, 321–2.

Freuds Interesse an der Moses-Statue des Michelangelo reicht weit zurück. Im
September 1901, am vierten Tage seines ersten Romaufenthalts, hatte er sie
zum erstenmal gesehen und sie später immer wieder aufgesucht. Die vorliegende Arbeit war schon 1912 geplant, und am 25. September schrieb Freud
aus Rom an seine Frau: »Ich ... besuche täglich den Moses in S. Pietro in
Vincoli, über den ich vielleicht einige Worte schreiben werde.« (1960 a.) Er
setzte sich dann jedoch erst im Herbst 1913 an die Arbeit. Viele Jahre danach,
in einem Brief vom 12. April 1933, schrieb Freud an Edoardo Weiss mit Bezug
auf diese Arbeit: »Durch drei einsame Septemberwochen bin ich 1913 [1] all-
täglich in der Kirche vor der Statue gestanden, habe sie studiert, gemessen,
gezeichnet, bis mir jenes Verständnis aufging, das ich in dem Aufsatz doch
nur anonym auszudrücken wagte. Erst viel später habe ich dies nicht analytische Kind legitimiert.« (1960 a.) Eine Darstellung seines langen Zögerns
vor der Veröffentlichung und des endlichen Entschlusses, die Arbeit anonym
herauszugeben, findet sich in Band 2 der Freud-Biographie von Ernest Jones
(1962 a). Die Arbeit erschien denn auch in der Zeitschrift *Imago* als »von ***«,
und erst 1924 wurde das Anonym gelüftet.

Freuds Interesse an der *historischen* Gestalt des Moses zeigt sich bekanntlich in
der letzten Arbeit, die er zu seinen Lebzeiten veröffentlichte, *Der Mann Moses
und die monotheistische Religion* (1939 a).

---

[1] Tatsächlich 1912.

Ich [1] schicke voraus, daß ich kein Kunstkenner bin, sondern Laie. Ich habe oft bemerkt, daß mich der Inhalt eines Kunstwerkes stärker anzieht als dessen formale und technische Eigenschaften, auf welche doch der Künstler in erster Linie Wert legt. Für viele Mittel und manche Wirkungen der Kunst fehlt mir eigentlich das richtige Verständnis. Ich muß dies sagen, um mir eine nachsichtige Beurteilung meines Versuches zu sichern.

Aber Kunstwerke üben eine starke Wirkung auf mich aus, insbesondere Dichtungen und Werke der Plastik, seltener Malereien. Ich bin so veranlaßt worden, bei den entsprechenden Gelegenheiten lange vor ihnen zu verweilen, und wollte sie auf meine Weise erfassen, d. h. mir begreiflich machen, wodurch sie wirken. Wo ich das nicht kann, z. B. in der Musik, bin ich fast genußunfähig. Eine rationalistische oder vielleicht analytische Anlage sträubt sich in mir dagegen, daß ich ergriffen sein und dabei nicht wissen solle, warum ich es bin und was mich ergreift.

Ich bin dabei auf die anscheinend paradoxe Tatsache aufmerksam geworden, daß gerade einige der großartigsten und überwältigendsten Kunstschöpfungen unserem Verständnis dunkel geblieben sind. Man bewundert sie, man fühlt sich von ihnen bezwungen, aber man weiß nicht zu sagen, was sie vorstellen. Ich bin nicht belesen genug, um zu wissen, ob dies schon bemerkt worden ist oder ob nicht ein Ästhetiker gefunden hat, solche Ratlosigkeit unseres begreifenden Verstandes sei sogar eine notwendige Bedingung für die höchsten Wirkungen, die ein Kunstwerk hervorrufen soll. Ich könnte mich nur schwer entschließen, an diese Bedingung zu glauben.

Nicht etwa daß die Kunstkenner oder Enthusiasten keine Worte fänden, wenn sie uns ein solches Kunstwerk anpreisen. Sie haben deren genug, sollte ich meinen. Aber vor einer solchen Meisterschöpfung des Künstlers

---

[1] [Bei der ersten, anonymen Veröffentlichung der Arbeit in *Imago* war dem Titel, vermutlich von Freud selbst, folgende Anmerkung hinzugefügt worden: »Die Redaktion hat diesem, strenge genommen nicht programmgerechten, Beitrage die Aufnahme nicht versagt, weil der ihr bekannte Verfasser analytischen Kreisen nahe steht, und weil seine Denkweise immerhin eine gewisse Ähnlichkeit mit der Methodik der Psychoanalyse zeigt.«]

sagt in der Regel jeder etwas anderes und keiner das, was dem schlichten Bewunderer das Rätsel löst. Was uns so mächtig packt, kann nach meiner Auffassung doch nur die Absicht des Künstlers sein, insofern es ihm gelungen ist, sie in dem Werke auszudrücken und von uns erfassen zu lassen. Ich weiß, daß es sich um kein bloß verständnismäßiges Erfassen handeln kann; es soll die Affektlage, die psychische Konstellation, welche beim Künstler die Triebkraft zur Schöpfung abgab, bei uns wieder hervorgerufen werden. Aber warum soll die Absicht des Künstlers nicht angebbar und in Worte zu fassen sein wie irgendeine andere Tatsache des seelischen Lebens? Vielleicht daß dies bei den großen Kunstwerken nicht ohne Anwendung der Analyse gelingen wird. Das Werk selbst muß doch diese Analyse ermöglichen, wenn es der auf uns wirksame Ausdruck der Absichten und Regungen des Künstlers ist. Und um diese Absicht zu erraten, muß ich doch vorerst den *Sinn* und *Inhalt* des im Kunstwerk Dargestellten herausfinden, also es *deuten* können. Es ist also möglich, daß ein solches Kunstwerk der Deutung bedarf und daß ich erst nach Vollziehung derselben erfahren kann, warum ich einem so gewaltigen Eindruck unterlegen bin. Ich hege selbst die Hoffnung, daß dieser Eindruck keine Abschwächung erleiden wird, wenn uns eine solche Analyse geglückt ist.

Nun denke man an den *Hamlet*, das über dreihundert Jahre alte Meisterstück Shakespeares[1]. Ich verfolge die psychoanalytische Literatur und schließe mich der Behauptung an, daß erst die Psychoanalyse durch die Zurückführung des Stoffes auf das Ödipus-Thema das Rätsel der Wirkung dieser Tragödie gelöst hat[2]. Aber vorher, welche Überfülle von verschiedenen, miteinander unverträglichen Deutungsversuchen, welche Auswahl von Meinungen über den Charakter des Helden und die Absichten des Dichters! Hat Shakespeare unsere Teilnahme für einen Kranken in Anspruch genommen oder für einen unzulänglichen Minderwertigen oder für einen Idealisten, der nur zu gut ist für die reale Welt? Und wie viele dieser Deutungen lassen uns so kalt, daß sie für die Erklärung der Wirkung der Dichtung nichts leisten können und uns eher darauf verweisen, deren Zauber allein auf den Eindruck der Gedanken und den Glanz der Sprache zu begründen! Und doch, sprechen nicht gerade diese Bemühungen dafür, daß ein Bedürfnis verspürt wird, eine weitere Quelle dieser Wirkung aufzufinden?

Ein anderes dieser rätselvollen und großartigen Kunstwerke ist die

---

[1] Vielleicht 1602 zuerst gespielt.
[2] [Vgl. *Die Traumdeutung* (Freud, 1900 *a*), Kapitel V, Abschnitt D (*β*).]

Marmorstatue des Moses, in der Kirche von S. Pietro in Vincoli zu Rom von Michelangelo aufgestellt, bekanntlich nur ein Teilstück jenes riesigen Grabdenkmals, welches der Künstler für den gewaltigen Papstherrn Julius II. errichten sollte[1]. Ich freue mich jedesmal, wenn ich eine Äußerung über diese Gestalt lese wie: sie sei »die Krone der modernen Skulptur« (Herman Grimm [1900, 189]). Denn ich habe von keinem Bildwerk je eine stärkere Wirkung erfahren. Wie oft bin ich die steile Treppe vom unschönen Corso Cavour hinaufgestiegen zu dem einsamen Platz, auf dem die verlassene Kirche steht, habe immer versucht, dem verächtlich-zürnenden Blick des Heros standzuhalten, und manchmal habe ich mich dann behutsam aus dem Halbdunkel des Innenraumes geschlichen, als gehörte ich selbst zu dem Gesindel, auf das sein Auge gerichtet ist, das keine Überzeugung festhalten kann, das nicht warten und nicht vertrauen will und jubelt, wenn es die Illusion des Götzenbildes wieder bekommen hat.

Aber warum nenne ich diese Statue rätselvoll? Es besteht nicht der leiseste Zweifel, daß sie Moses darstellt, den Gesetzgeber der Juden, der die Tafeln mit den heiligen Geboten hält. Soviel ist sicher, aber auch nichts darüber hinaus. Ganz kürzlich erst (1912) hat ein Kunstschriftsteller (Max Sauerlandt) den Ausspruch machen können: »Über kein Kunstwerk der Welt sind so widersprechende Urteile gefällt worden wie über diesen panköpfigen Moses. Schon die einfache Interpretation der Figur bewegt sich in vollkommenen Widersprüchen...« An der Hand einer Zusammenstellung, die nur um fünf Jahre zurückliegt, werde ich darlegen, welche Zweifel sich an die Auffassung der Figur des Moses knüpfen, und es wird nicht schwer sein zu zeigen, daß hinter ihnen das Wesentliche und Beste zum Verständnis dieses Kunstwerkes verhüllt liegt[2].

I

Der Moses des Michelangelo ist sitzend dargestellt, den Rumpf nach vorne gerichtet, den Kopf mit dem mächtigen Bart und den Blick nach links gewendet, den rechten Fuß auf dem Boden ruhend, den linken aufgestellt, so daß er nur mit den Zehen den Boden berührt, den rechten Arm mit den Tafeln und einem Teil des Bartes in Beziehung; der

---

[1] Nach Henry Thode [1908, 194] ist die Statue in den Jahren 1512 bis 1516 ausgeführt worden.
[2] Thode (1908).

linke Arm ist in den Schoß gelegt[1]. Wollte ich eine genauere Beschreibung geben, so müßte ich dem vorgreifen, was ich später vorzubringen habe. Die Beschreibungen der Autoren sind mitunter in merkwürdiger Weise unzutreffend. Was nicht verstanden war, wurde auch ungenau wahrgenommen oder wiedergegeben. H. Grimm [1900, 189] sagt, daß die rechte Hand, »unter deren Arme die Gesetzestafeln ruhen, in den Bart greife«. Ebenso W. Lübke [1863, 666]: »Erschüttert greift er mit der Rechten in den herrlich herabflutenden Bart...«; Springer [1895, 33]: »Die eine (linke) Hand drückt Moses an den Leib, mit der anderen greift er wie unbewußt in den mächtig wallenden Bart.« C. Justi findet [1900, 326], daß die Finger der (rechten) Hand mit dem Bart spielen, »wie der zivilisierte Mensch in der Aufregung mit der Uhrkette«. Das Spielen mit dem Bart hebt auch Müntz [1895, 391, Anm.] hervor. H. Thode [1908, 205] spricht von der »ruhig festen Haltung der rechten Hand auf den aufgestemmten Tafeln«. Selbst in der rechten Hand erkennt er nicht ein Spiel der Aufregung, wie Justi und ähnlich Boito [1883] wollen. »Die Hand verharrt so, wie sie den Bart greifend, gehalten ward, ehe der Titan den Kopf zur Seite wandte.« Jakob Burkhardt stellt aus [1927, 634], »daß der berühmte linke Arm im Grunde nichts anderes zu tun habe, als diesen Bart an den Leib zu drücken«.

Wenn die Beschreibungen nicht übereinstimmen, werden wir uns über die Verschiedenheit in der Auffassung einzelner Züge der Statue nicht verwundern. Ich meine zwar, wir können den Gesichtsausdruck des Moses nicht besser charakterisieren als Thode [1908, 205], der eine »Mischung von Zorn, Schmerz und Verachtung« aus ihm las, »den Zorn in den dräuend zusammengezogenen Augenbrauen, den Schmerz in dem Blick der Augen, die Verachtung in der vorgeschobenen Unterlippe und den herabgezogenen Mundwinkeln«. Aber andere Bewunderer müssen mit anderen Augen gesehen haben. So hatte Dupaty geurteilt: *Ce front auguste semble n'être qu'un voile transparent, qui couvre à peine un esprit immense*[2]. Dagegen meint Lübke [1863, 666–7]: »In dem Kopfe würde man vergebens den Ausdruck höherer Intelligenz suchen; nichts als die Fähigkeit eines ungeheuren Zornes, einer alles durchsetzenden Energie spricht sich in der zusammengedrängten Stirne aus.« Noch weiter entfernt sich in der Deutung des Gesichtsausdruckes Guillaume (1876 [96]), der keine Erregung darin fand, »nur stolze Einfachheit, beseelte Würde, Energie des Glaubens. Moses' Blick gehe in die Zukunft, er sehe die Dauer seiner Rasse, die Unveränderlichkeit seines

---

[1] [S. die Abbildung gegenüber von S. 145.]   [2] Bei Thode, l. c., 197.

Gesetzes voraus.« Ähnlich läßt Müntz [1895, 391] »die Blicke Moses'
weit über das Menschengeschlecht hinschweifen; sie seien auf die My-
sterien gerichtet, die er als Einziger gewahrt hat«. Ja, für Steinmann
[1899, 169] ist dieser Moses »nicht mehr der starre Gesetzgeber, nicht
mehr der fürchterliche Feind der Sünde mit dem Jehovazorn, sondern
der königliche Priester, welchen das Alter nicht berühren darf, der seg-
nend und weissagend, den Abglanz der Ewigkeit auf der Stirne, von
seinem Volke den letzten Abschied nimmt«.

Es hat noch andere gegeben, denen der Moses des Michelangelo überhaupt nichts sagte und die ehrlich genug waren, es zu äußern. So ein
Rezensent in der *Quarterly Review* 1858 [Bd. 103, 469]: *»There is an
absence of meaning in the general conception, which precludes the idea
of a self-sufficing whole ...«* Und man ist erstaunt zu erfahren, daß
noch andere nichts an dem Moses zu bewundern fanden, sondern sich
auflehnten gegen ihn, die Brutalität der Gestalt anklagten und die Tier-
ähnlichkeit des Kopfes.

Hat der Meister wirklich so undeutliche oder zweideutige Schrift in den
Stein geschrieben, daß so verschiedenartige Lesungen möglich wurden?

Es erhebt sich aber eine andere Frage, welcher sich die erwähnten Un-
sicherheiten leicht unterordnen. Hat Michelangelo in diesem Moses ein
»zeitloses Charakter- und Stimmungsbild« schaffen wollen, oder hat er
den Helden in einem bestimmten, dann aber höchst bedeutsamen Moment seines Lebens dargestellt? Eine Mehrzahl von Beurteilern entscheidet sich für das letztere und weiß auch die Szene aus dem Leben Moses'
anzugeben, welche der Künstler für die Ewigkeit festgebannt hat. Es
handelt sich hier um die Herabkunft vom Sinai, woselbst er die Gesetzestafeln von Gott in Empfang genommen hat, und um die Wahrnehmung,
daß die Juden unterdes ein goldenes Kalb gemacht haben, das sie ju-
belnd umtanzen. Auf dieses Bild ist sein Blick gerichtet, dieser Anblick
ruft die Empfindungen hervor, die in seinen Mienen ausgedrückt sind
und die gewaltige Gestalt alsbald in die heftigste Aktion versetzen
werden. Michelangelo hat den Moment der letzten Zögerung, der Ruhe
vor dem Sturm, zur Darstellung gewählt; im nächsten wird Moses aufspringen – der linke Fuß ist schon vom Boden abgehoben – die Tafeln
zu Boden schmettern und seinen Grimm über die Abtrünnigen entladen.

In Einzelheiten dieser Deutung weichen auch deren Vertreter voneinander ab.

Jak. Burkhardt [1927, 634]: »Moses scheint in dem Momente dargestellt, da er die Verehrung des goldenen Kalbes erblickt und aufspringen will. Es lebt in seiner Gestalt die Vorbereitung zu einer gewaltigen Bewegung, wie man sie von der physischen Macht, mit der er ausgestattet ist, nur mit Zittern erwarten mag.«

W. Lübke [1863, 666]: »Als sähen die blitzenden Augen eben den Frevel der Verehrung des goldenen Kalbes, so gewaltsam durchzuckt eine innere Bewegung die ganze Gestalt. Erschüttert greift er mit der Rechten in den herrlich herabflutenden Bart, als wolle er seiner Bewegung noch einen Augenblick Herr bleiben, um dann um so zerschmetternder loszufahren.«

Springer [1895, 33] schließt sich dieser Ansicht an, nicht ohne ein Bedenken vorzutragen, welches weiterhin noch unsere Aufmerksamkeit beanspruchen wird: »Durchglüht von Kraft und Eifer kämpft der Held nur mühsam die innere Erregung nieder ... Man denkt daher unwillkürlich an eine dramatische Szene und meint, Moses sei in dem Augenblick dargestellt, wie er die Verehrung des goldenen Kalbes erblickt und im Zorn aufspringen will. Diese Vermutung trifft zwar schwerlich die wahre Absicht des Künstlers, da ja Moses, wie die übrigen fünf sitzenden Statuen des Oberbaues[1] vorwiegend dekorativ wirken sollte; sie darf aber als ein glänzendes Zeugnis für die Lebensfülle und das persönliche Wesen der Mosesgestalt gelten.«

Einige Autoren, die sich nicht gerade für die Szene des goldenen Kalbes entscheiden, treffen doch mit dieser Deutung in dem wesentlichen Punkte zusammen, daß dieser Moses im Begriffe sei aufzuspringen und zur Tat überzugehen.

Herman Grimm [1900, 189]: »Eine Hoheit erfüllt sie« (diese Gestalt), »ein Selbstbewußtsein, ein Gefühl, als stünden diesem Manne die Donner des Himmels zu Gebote, doch er bezwänge sich, ehe er sie entfesselte, erwartend, ob die Feinde, die er vernichten will, ihn anzugreifen wagten. Er sitzt da, als wollte er eben aufspringen, das Haupt stolz aus den Schultern in die Höhe gereckt, mit der Hand, unter deren Arme die Gesetzestafeln ruhen, in den Bart greifend, der in schweren Strömen auf die Brust sinkt, mit weit atmenden Nüstern und mit einem Munde, auf dessen Lippen die Worte zu zittern scheinen.«

Heath Wilson [1876, 450] sagt, Moses' Aufmerksamkeit sei durch etwas erregt, er sei im Begriffe aufzuspringen, doch zögere er noch. Der Blick, in dem Entrüstung und Verachtung gemischt seien, könne sich noch in Mitleid verändern.

---

[1] Vom Grabdenkmal des Papstes nämlich.

Wölfflin [1899, 72] spricht von »gehemmter Bewegung«. Der Hemmungsgrund liegt hier im Willen der Person selbst, es ist der letzte Moment des Ansichhaltens vor dem Losbrechen, d. h. vor dem Aufspringen.

Am eingehendsten hat C. Justi [1900, 326–7] die Deutung auf die Wahrnehmung des goldenen Kalbes begründet und sonst nicht beachtete Einzelheiten der Statue in Zusammenhang mit dieser Auffassung gebracht. Er lenkt unseren Blick auf die in der Tat auffällige Stellung der beiden Gesetzestafeln, welche im Begriffe seien, auf den Steinsitz herabzugleiten: »Er« (Moses) »könnte also entweder in der Richtung des Lärmes schauen mit dem Ausdruck böser Ahnungen, oder es wäre der Anblick des Gräuels selbst, der ihn wie ein betäubender Schlag trifft. Durchbebt von Abscheu und Schmerz hat er sich niedergelassen[1]. Er war auf dem Berge vierzig Tage und Nächte geblieben, also ermüdet. Das Ungeheure, ein großes Schicksal, Verbrechen, selbst ein Glück kann zwar in einem Augenblick wahrgenommen, aber nicht gefaßt werden nach Wesen, Tiefe, Folgen. Einen Augenblick scheint ihm sein Werk zerstört, er verzweifelt an diesem Volke. In solchen Augenblicken verrät sich der innere Aufruhr in unwillkürlichen kleinen Bewegungen. Er läßt die beiden Tafeln, die er in der Rechten hielt, auf den Steinsitz herabrutschen, sie sind über Eck zu stehen gekommen, vom Unterarm an die Seite der Brust gedrückt. Die Hand aber fährt an Brust und Bart, bei der Wendung des Halses nach rechts muß sie den Bart nach der linken Seite ziehen und die Symmetrie dieser breiten männlichen Zierde aufheben; es sieht aus, als spielten die Finger mit dem Bart, wie der zivilisierte Mensch in der Aufregung mit der Uhrkette. Die Linke gräbt sich in den Rock am Bauch (im alten Testament sind die Eingeweide Sitz der Affekte). Aber das linke Bein ist bereits zurückgezogen und das rechte vorgesetzt; im nächsten Augenblick wird er auffahren, die psychische Kraft von der Empfindung auf den Willen überspringen, der rechte Arm sich bewegen, die Tafeln werden zu Boden fallen und Ströme Blutes die Schmach des Abfalls sühnen...« »Es ist hier noch nicht der Spannungsmoment der Tat. Noch waltet der Seelenschmerz fast lähmend.«

Ganz ähnlich äußert sich Fritz Knapp [1906, XXXII]; nur daß er die

---

[1] Es ist zu bemerken, daß die sorgfältige Anordnung des Mantels um die Beine der sitzenden Gestalt dieses erste Stück der Auslegung Justis unhaltbar macht. Man müßte vielmehr annehmen, es sei dargestellt, wie Moses im ruhigen erwartungslosen Dasitzen durch eine plötzliche Wahrnehmung aufgeschreckt werde.

Eingangssituation dem vorhin geäußerten Bedenken entzieht[1], auch die angedeutete Bewegung der Tafeln konsequenter weiterführt: »Ihn, der soeben noch mit seinem Gotte allein war, lenken irdische Geräusche ab. Er hört Lärm, das Geschrei von gesungenen Tanzreigen weckt ihn aus dem Traume. Das Auge, der Kopf wenden sich hin zu dem Geräusch. Schrecken, Zorn, die ganze Furie wilder Leidenschaften durchfahren im Moment die Riesengestalt. Die Gesetzestafeln fangen an herabzugleiten, sie werden zur Erde fallen und zerbrechen, wenn die Gestalt auffährt, um die donnernden Zornesworte in die Massen des abtrünnigen Volkes zu schleudern ... Dieser Moment höchster Spannung ist gewählt ...« Knapp betont also die Vorbereitung zur Handlung und bestreitet die Darstellung der anfänglichen Hemmung infolge der übergewaltigen Erregung.

Wir werden nicht in Abrede stellen, daß Deutungsversuche wie die letzterwähnten von Justi und Knapp etwas ungemein Ansprechendes haben. Sie verdanken diese Wirkung dem Umstande, daß sie nicht bei dem Gesamteindruck der Gestalt stehenbleiben, sondern einzelne Charaktere derselben würdigen, welche man sonst, von der Allgemeinwirkung überwältigt und gleichsam gelähmt, zu beachten versäumt. Die entschiedene Seitenwendung von Kopf und Augen der im übrigen nach vorne gerichteten Figur stimmt gut zu der Annahme, daß dort etwas erblickt wird, was plötzlich die Aufmerksamkeit des Ruhenden auf sich zieht. Der vom Boden abgehobene Fuß läßt kaum eine andere Deutung zu als die einer Vorbereitung zum Aufspringen[2], und die ganz sonderbare Haltung der Tafeln, die doch etwas Hochheiliges sind und nicht wie ein beliebiges Beiwerk irgendwie im Raum untergebracht werden dürfen, findet ihre gute Aufklärung in der Annahme, sie glitten infolge der Erregung ihres Trägers herab und würden dann zu Boden fallen. So wüßten wir also, daß diese Statue des Moses einen bestimmten bedeutsamen Moment aus dem Leben des Mannes darstellt, und wären auch nicht in Gefahr, diesen Moment zu verkennen.

Allein zwei Bemerkungen von Thode entreißen uns wieder, was wir schon zu besitzen glaubten. Dieser Beobachter sagt, er sehe die Tafeln nicht herabgleiten, sondern »fest verharren«. Er konstatiert »die ruhig feste Haltung der rechten Hand auf den aufgestemmten Tafeln«. Blicken wir selbst hin, so müssen wir Thode ohne Rückhalt recht geben. Die

---

[1] [Vgl. Anm. S. 203.]
[2] Obwohl der linke Fuß des ruhig sitzenden Giuliano in der Medicikapelle ähnlich abgehoben ist.

Tafeln sind festgestellt und nicht in Gefahr zu gleiten. Die rechte Hand
stützt sie oder stützt sich auf sie. Dadurch ist ihre Aufstellung zwar
nicht erklärt, aber sie wird für die Deutung von Justi und anderen un-
verwendbar. [Thode, 1908, 205.]

Eine zweite Bemerkung trifft noch entscheidender. Thode mahnt daran,
daß »diese Statue als eine von sechsen gedacht war und daß sie sitzend
dargestellt ist. Beides widerspricht der Annahme, Michelangelo habe
einen bestimmten historischen Moment fixieren wollen. Denn, was das
erste anbetrifft, so schloß die Aufgabe, nebeneinander sitzende Figuren
als Typen menschlichen Wesens *(Vita activa! Vita contemplativa!)* zu
geben, die Vorstellung einzelner historischer Vorgänge aus. Und bezüglich des zweiten widerspricht die Darstellung des Sitzens, welche
durch die gesamte künstlerische Konzeption des Denkmals bedingt war,
dem Charakter jenes Vorganges, nämlich dem Herabsteigen vom Berge
Sinai zu dem Lager«.

Machen wir uns dies Bedenken Thodes zu eigen; ich meine, wir werden
seine Kraft noch steigern können. Der Moses sollte mit fünf (in einem
späteren Entwurf drei) anderen Statuen das Postament des Grabmals
zieren. Sein nächstes Gegenstück hätte ein Paulus werden sollen. Zwei
der anderen, die *Vita activa* und *contemplativa* sind als Lea und Rahel
an dem heute vorhandenen, kläglich verkümmerten Monument ausgeführt worden, allerdings stehend. Diese Zugehörigkeit des Moses zu
einem Ensemble macht die Annahme unmöglich, daß die Figur in dem
Beschauer die Erwartung erwecken solle, sie werde nun gleich von ihrem
Sitze aufspringen, etwa davonstürmen und auf eigene Faust Lärm
schlagen. Wenn die anderen Figuren nicht gerade auch in der Vorbereitung zu so heftiger Aktion dargestellt waren – was sehr unwahrscheinlich ist –, so würde es den übelsten Eindruck machen, wenn gerade
die eine uns die Illusion geben könnte, sie werde ihren Platz und
ihre Genossen verlassen, also sich ihrer Aufgabe im Gefüge des Denkmals entziehen. Das ergäbe eine grobe Inkohärenz, die man dem
großen Künstler nicht ohne die äußerste Nötigung zumuten dürfte.
Eine in solcher Art davonstürmende Figur wäre mit der Stimmung,
welche das ganze Grabmonument erwecken soll, aufs äußerste unver-
träglich.

Also dieser Moses darf nicht aufspringen wollen, er muß in hehrer Ruhe
verharren können wie die anderen Figuren, wie das beabsichtigte (dann
nicht von Michelangelo ausgeführte) Bild des Papstes selbst. Dann aber
kann der Moses, den wir betrachten, nicht die Darstellung des von Zorn

erfaßten Mannes sein, der vom Sinai herabkommend, sein Volk abtrünnig findet und die heiligen Tafeln hinwirft, daß sie zerschmettern. Und wirklich, ich weiß mich an meine Enttäuschung zu erinnern, wenn ich bei früheren Besuchen in S. Pietro in Vincoli mich vor die Statue hinsetzte in der Erwartung, ich werde nun sehen, wie sie auf dem aufgestellten Fuß emporschnellen, wie sie die Tafeln zu Boden schleudern und ihren Zorn entladen werde. Nichts davon geschah; anstatt dessen wurde der Stein immer starrer, eine fast erdrückende heilige Stille ging von ihm aus, und ich mußte fühlen, hier sei etwas dargestellt, was unverändert so bleiben könne, dieser Moses werde ewig so dasitzen und so zürnen.

Wenn wir aber die Deutung der Statue mit dem Moment vor dem losbrechenden Zorn beim Anblick des Götzenbildes aufgeben müssen, so bleibt uns wenig mehr übrig, als eine der Auffassungen anzunehmen, welche in diesem Moses ein Charakterbild erkennen wollen. Am ehesten von Willkür frei und am besten auf die Analyse der Bewegungsmotive der Gestalt gestützt erscheint dann das Urteil von Thode: »Hier, wie immer, ist es ihm [Michelangelo] um die Gestaltung eines Charaktertypus zu tun. Er schafft das Bild eines leidenschaftlichen Führers der Menschheit, der, seiner göttlichen gesetzgebenden Aufgabe bewußt, dem unverständigen Widerstand der Menschen begegnet. Einen solchen Mann der Tat zu kennzeichnen, gab es kein anderes Mittel, als die Energie des Willens zu verdeutlichen, und dies war möglich durch die Veranschaulichung einer die scheinbare Ruhe durchdringenden Bewegung, wie sie in der Wendung des Kopfes, der Anspannung der Muskeln, der Stellung des linken Beines sich äußert. Es sind dieselben Erscheinungen wie bei dem *vir activus* der Medicikapelle Giuliano. Diese allgemeine Charakteristik wird weiter vertieft durch die Hervorhebung des Konfliktes, in welchen ein solcher die Menschheit gestaltender Genius zu der Allgemeinheit tritt: die Affekte des Zornes, der Verachtung, des Schmerzes gelangen zu typischem Ausdruck. Ohne diesen war das Wesen eines solchen Übermenschen nicht zu verdeutlichen. Nicht ein Historienbild, sondern einen Charaktertypus unüberwindlicher Energie, welche die widerstrebende Welt bändigt, hat Michelangelo geschaffen, die in der Bibel gegebenen Züge, die eigenen inneren Erlebnisse, Eindrücke der Persönlichkeit Julius', und wie ich glaube auch solche der Savonarolaschen Kampfestätigkeit gestaltend.« [1908, 206.]

In die Nähe dieser Ausführungen kann man etwa die Bemerkung von Knackfuß rücken [1900, 69]: Das Hauptgeheimnis der Wirkung des

Moses liege in dem künstlerischen Gegensatz zwischen dem inneren Feuer und der äußerlichen Ruhe der Haltung.

Ich finde nichts in mir, was sich gegen die Erklärung von Thode sträuben würde, aber ich vermisse irgend etwas. Vielleicht, daß sich ein Bedürfnis äußert nach einer innigeren Beziehung zwischen dem Seelenzustand des Helden und dem in seiner Haltung ausgedrückten Gegensatz von »scheinbarer Ruhe« und »innerer Bewegtheit«.

II

Lange bevor ich etwas von der Psychoanalyse hören konnte, erfuhr ich, daß ein russischer Kunstkenner, Ivan Lermolieff, dessen erste Aufsätze 1874 bis 1876 in deutscher Sprache veröffentlicht wurden, eine Umwälzung in den Galerien Europas hervorgerufen hatte, indem er die Zuteilung vieler Bilder an die einzelnen Maler revidierte, Kopien von Originalen mit Sicherheit unterscheiden lehrte und aus den von ihren früheren Bezeichnungen frei gewordenen Werken neue Künstlerindividualitäten konstruierte. Er brachte dies zustande, indem er vom Gesamteindruck und von den großen Zügen eines Gemäldes absehen hieß und die charakteristische Bedeutung von untergeordneten Details hervorhob, von solchen Kleinigkeiten wie die Bildung der Fingernägel, der Ohrläppchen, des Heiligenscheines und anderer unbeachteter Dinge, die der Kopist nachzuahmen vernachlässigt und die doch jeder Künstler in einer ihn kennzeichnenden Weise ausführt. Es hat mich dann sehr interessiert zu erfahren, daß sich hinter dem russischen Pseudonym ein italienischer Arzt, namens Morelli, verborgen hatte. Er ist 1891 als Senator des Königreiches Italien gestorben. Ich glaube, sein Verfahren ist mit der Technik der ärztlichen Psychoanalyse nahe verwandt. Auch diese ist gewöhnt, aus geringgeschätzten oder nicht beachteten Zügen, aus dem Abhub – dem »*refuse*« – der Beobachtung, Geheimes und Verborgenes zu erraten.

An zwei Stellen der Mosesfigur finden sich nun Details, die bisher nicht beachtet, ja eigentlich noch nicht richtig beschrieben worden sind. Sie betreffen die Haltung der rechten Hand und die Stellung der beiden Tafeln. Man darf sagen, daß diese Hand in sehr eigentümlicher, gezwungener, Erklärung heischender Weise zwischen den Tafeln und dem – Bart des zürnenden Helden vermittelt. Es ist gesagt worden, daß sie mit den Fingern im Barte wühlt, mit den Strängen desselben spielt, während sie sich mit dem Kleinfingerrand auf die Tafeln stützt. Aber dies trifft offenbar nicht zu. Es verlohnt sich, sorgfältiger ins Auge zu fassen, was die Finger dieser rechten Hand tun, und den mächtigen Bart, zu dem sie in Beziehung treten, genau zu beschreiben[1].

Man sieht dann mit aller Deutlichkeit: Der Daumen dieser Hand ist versteckt, der Zeigefinger, und dieser allein, ist mit dem Bart in wirksamer Berührung. Er drückt sich so tief in die weichen Haarmassen ein, daß sie ober und unter ihm (kopfwärts und bauchwärts vom drückenden Finger) über sein Niveau hervorquellen. Die anderen drei Finger stemmen sich, in den kleinen Gelenken gebeugt, an die Brustwand, sie werden von der äußersten rechten Flechte des Bartes, die über sie hinwegsetzt, bloß gestreift. Sie haben sich dem Barte sozusagen entzogen. Man kann also nicht sagen, die rechte Hand spiele mit dem Bart oder wühle in ihm; nichts anderes ist richtig, als daß der eine Zeigefinger über einen Teil des Bartes gelegt ist und eine tiefe Rinne in ihm hervorruft. Mit einem Finger auf seinen Bart drücken, ist gewiß eine sonderbare und schwer verständliche Geste.

Der viel bewunderte Bart des Moses läuft von Wangen, Oberlippe und Kinn in einer Anzahl von Strängen herab, die man noch in ihrem Verlauf voneinander unterscheiden kann. Einer der äußersten rechten Haarsträhne[2], der von der Wange ausgeht, läuft auf den oberen Rand des lastenden Zeigefingers zu, von dem er aufgehalten wird. Wir können annehmen, er gleitet zwischen diesem und dem verdeckten Daumen weiter herab. Der ihm entsprechende Strang der linken Seite fließt fast ohne Ablenkung bis weit auf die Brust herab. Die dicke Haarmasse nach innen von diesem letzteren Strang, von ihm bis zur Mittellinie reichend, hat das auffälligste Schicksal erfahren. Sie kann der Wendung des Kopfes nach links nicht folgen, sie ist genötigt, einen sich weich aufrollenden Bogen, ein Stück einer Guirlande, zu bilden, welche die inneren rechten Haarmassen überkreuzt. Sie wird nämlich von dem Druck des rechten Zeigefingers festgehalten, obwohl sie links von der Mittellinie entsprungen ist und eigentlich den Hauptanteil der linken Barthälfte darstellt. Der Bart erscheint so in seiner Hauptmasse nach rechts geworfen, obwohl der Kopf scharf nach links gewendet ist. An der Stelle, wo der rechte Zeigefinger sich eindrückt, hat sich etwas wie ein Wirbel

---

[1] Siehe die Beilage.

[2] [So auch in der Erstveröffentlichung in *Imago*, Bd. 3, 1914. Vermutlich hat Freud hier in einem früheren Manuskriptstadium das Wort »Haarstränge« verwendet und bei seiner Ersetzung durch »Haarsträhne« versehentlich unterlassen, die entsprechenden Artikel und Relativpronomina mitzuverändern.]

Michelangelo: Mosesstatue – Detail

Mosesstatuette, Nicholas von Verdun zugeschrieben

von Haaren gebildet; hier liegen Stränge von links über solchen von rechts, beide durch den gewalttätigen Finger komprimiert. Erst jenseits von dieser Stelle brechen die von ihrer Richtung abgelenkten Haarmassen frei hervor, um nun senkrecht herabzulaufen, bis ihre Enden von der im Schoß ruhenden, geöffneten linken Hand aufgenommen werden.

Ich gebe mich keiner Täuschung über die Einsichtlichkeit meiner Beschreibung hin und getraue mich keines Urteils darüber, ob uns der Künstler die Auflösung jenes Knotens im Bart wirklich leicht gemacht hat. Aber über diesen Zweifel hinweg bleibt die Tatsache bestehen, daß der Druck des Zeigefingers der *rechten* Hand hauptsächlich Haarsträne der *linken* Barthälfte betrifft und daß durch diese übergreifende Einwirkung der Bart zurückgehalten wird, die Wendung des Kopfes und Blickes nach der linken Seite mitzumachen. Nun darf man fragen, was diese Anordnung bedeuten soll und welchen Motiven sie ihr Dasein verdankt. Wenn es wirklich Rücksichten der Linienführung und Raumausfüllung waren, die den Künstler dazu bewogen haben, die herabwallende Bartmasse des nach links schauenden Moses nach rechts herüber zu streichen, wie sonderbar ungeeignet erscheint als Mittel hiefür der Druck des einen Fingers? Und wer, der aus irgendeinem Grund seinen Bart auf die andere Seite gedrängt hat, würde dann darauf verfallen, durch den Druck eines Fingers die eine Barthälfte über der anderen zu fixieren? Vielleicht aber bedeuten diese im Grunde geringfügigen Züge nichts, und wir zerbrechen uns den Kopf über Dinge, die dem Künstler gleichgültig waren?

Setzen wir unter der Voraussetzung fort, daß auch diese Details eine Bedeutung haben. Es gibt dann eine Lösung, welche die Schwierigkeiten aufhebt und uns einen neuen Sinn ahnen läßt. Wenn an der Figur des Moses die *linken* Bartsträne unter dem Druck des *rechten* Zeigefingers liegen, so läßt sich dies vielleicht als der Rest einer Beziehung zwischen der rechten Hand und der linken Barthälfte verstehen, welche in einem früheren Momente als dem dargestellten eine weit innigere war. Die rechte Hand hatte vielleicht den Bart weit energischer angefaßt, war bis zum linken Rand desselben vorgedrungen, und als sie sich in die Haltung zurückzog, welche wir jetzt an der Statue sehen, folgte ihr ein Teil des Bartes nach und legt nun Zeugnis ab von der Bewegung, die hier abgelaufen ist. Die Bartguirlande wäre die Spur des von dieser Hand zurückgelegten Weges.

So hätten wir also eine Rückbewegung der rechten Hand erschlossen.

Die eine Annahme nötigt uns andere wie unvermeidlich auf. Unsere Phantasie vervollständigt den Vorgang, von dem die durch die Bartspur bezeugte Bewegung ein Stück ist, und führt uns zwanglos zur Auffassung zurück, welche den ruhenden Moses durch den Lärm des Volkes und den Anblick des goldenen Kalbes aufschrecken läßt. Er saß ruhig da, den Kopf mit dem herabwallenden Bart nach vorne gerichtet, die Hand hatte wahrscheinlich nichts mit dem Barte zu tun. Da schlägt das Geräusch an sein Ohr, er wendet Kopf und Blick nach der Richtung, aus der die Störung kommt, erschaut die Szene und versteht sie. Nun packen ihn Zorn und Empörung, er möchte aufspringen, die Frevler bestrafen, vernichten. Die Wut, die sich von ihrem Objekt noch entfernt weiß, richtet sich unterdes als Geste gegen den eigenen Leib. Die ungeduldige, zur Tat bereite Hand greift nach vorne in den Bart, welcher der Wendung des Kopfes gefolgt war, preßt ihn mit eisernem Griffe zwischen Daumen und Handfläche mit den zusammenschließenden Fingern, eine Gebärde von einer Kraft und Heftigkeit, die an andere Darstellungen Michelangelos erinnern mag. Dann aber tritt, wir wissen noch nicht wie und warum, eine Änderung ein, die vorgestreckte, in den Bart versenkte Hand wird eilig zurückgezogen, ihr Griff gibt den Bart frei, die Finger lösen sich von ihm, aber so tief waren sie in ihn eingegraben, daß sie bei ihrem Rückzug einen mächtigen Strang von der linken Seite nach rechts herüberziehen, wo er unter dem Druck des einen, längsten und obersten Fingers die rechten Bartflechten überlagern muß. Und diese neue Stellung, die nur durch die Ableitung aus der ihr vorhergehenden verständlich ist, wird jetzt festgehalten.

Es ist Zeit, uns zu besinnen. Wir haben angenommen, daß die rechte Hand zuerst außerhalb des Bartes war, daß sie sich dann in einem Moment hoher Affektspannung nach links herüberstreckte, um den Bart zu packen, und daß sie endlich wieder zurückfuhr, wobei sie einen Teil des Bartes mitnahm. Wir haben mit dieser rechten Hand geschaltet, als ob wir frei über sie verfügen dürften. Aber dürfen wir dies? Ist diese Hand denn frei? Hat sie nicht die heiligen Tafeln zu halten oder zu tragen, sind ihr solche mimische Exkursionen nicht durch ihre wichtige Aufgabe untersagt? Und weiter, was soll sie zu der Rückbewegung veranlassen, wenn sie einem starken Motiv gefolgt war, um ihre anfängliche Lage zu verlassen?

Das sind nun wirklich neue Schwierigkeiten. Allerdings gehört die rechte Hand zu den Tafeln. Wir können hier auch nicht in Abrede stellen, daß uns ein Motiv fehlt, welches die rechte Hand zu dem erschlossenen Rückzug veranlassen könnte. Aber wie wäre es, wenn sich beide Schwierigkeiten miteinander lösen ließen und erst dann einen ohne Lücke verständlichen Vorgang ergeben würden? Wenn gerade etwas, was an den Tafeln geschieht, uns die Bewegungen der Hand aufklärte? An diesen Tafeln ist einiges zu bemerken, was bisher der Beobachtung nicht wert gefunden wurde[1]. Man sagte: Die Hand stützt sich auf die Tafeln oder: die Hand stützt die Tafeln. Man sieht auch ohneweiters die beiden rechteckigen, aneinander gelegten Tafeln auf der Kante stehen. Schaut man näher zu, so findet man, daß der untere Rand der Tafeln anders gebildet ist als der obere, schräg nach vorne geneigte. Dieser obere ist geradlinig begrenzt, der untere aber zeigt in seinem vordern Anteil einen Vorsprung wie ein Horn, und gerade mit diesem Vorsprung berühren die Tafeln den Steinsitz. Was kann die Bedeutung dieses Details sein, welches übrigens an einem großen Gipsabguß in der Sammlung der Wiener Akademie der bildenden Künste ganz unrichtig wiedergegeben ist? Es ist kaum zweifelhaft, daß dieses Horn den der Schrift nach oberen Rand der Tafeln auszeichnen soll. Nur der obere Rand solcher rechteckigen Tafeln pflegt abgerundet oder ausgeschweift zu sein. Die Tafeln stehen also hier auf dem Kopf. Das ist nun eine sonderbare Behandlung so heiliger Gegenstände. Sie sind auf den Kopf gestellt und werden fast auf einer Spitze balanciert. Welches formale Moment kann bei dieser Gestaltung mitwirken? Oder soll auch dieses Detail dem Künstler gleichgültig gewesen sein?

Da stellt sich nun die Auffassung ein, daß auch die Tafeln durch eine abgelaufene Bewegung in diese Position gekommen sind, daß diese Bewegung abhängig war von der erschlossenen Ortsveränderung der rechten Hand und daß sie dann ihrerseits diese Hand zu ihrer späteren Rückbewegung gezwungen hat. Die Vorgänge an der Hand und die an den Tafeln setzen sich zu folgender Einheit zusammen: Anfänglich, als die Gestalt in Ruhe dasaß, trug sie die Tafeln aufrecht unter dem rechten Arm. Die rechte Hand faßte deren untere Ränder und fand dabei eine Stütze an dem nach vorn gerichteten Vorsprung. Diese Erleichterung des Tragens erklärt ohneweiters, warum die Tafeln umgekehrt gehalten waren. Dann kam der Moment, in dem die Ruhe durch das Geräusch gestört wurde. Moses wendete den Kopf hin, und als er die Szene erschaut hatte, machte sich der Fuß zum Aufspringen bereit, die Hand ließ ihren Griff an den Tafeln los und fuhr nach links und oben in den Bart, wie um ihr Ungestüm am eigenen Leibe zu betätigen. Die

---

[1] Siehe das Detail Figur D [S. 212].

211

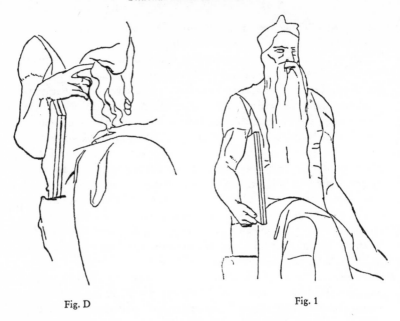

Fig. D   Fig. 1

Tafeln waren nun dem Druck des Armes anvertraut, der sie an die Brustwand pressen sollte. Aber diese Fixierung reichte nicht aus, sie begannen nach vorn und unten zu gleiten, der früher horizontal gehaltene obere Rand richtete sich nach vorn und abwärts, der seiner Stütze beraubte untere Rand näherte sich mit seiner vorderen Spitze dem Steinsitz. Einen Augenblick weiter, und die Tafeln hätten sich um den neu gefundenen Stützpunkt drehen müssen, mit dem früher oberen Rande zuerst den Boden erreichen und an ihm zerschellen. *Um dies zu verhüten*, fährt die rechte Hand zurück und entläßt den Bart, von dem ein Teil ohne Absicht mitgezogen wird, erreicht noch den Rand der Tafeln und stützt sie nahe ihrer hinteren, jetzt zur obersten gewordenen Ecke. So leitet sich das sonderbar gezwungen scheinende Ensemble von Bart, Hand und auf die Spitze gestelltem Tafelpaar aus der einen leidenschaftlichen Bewegung der Hand und deren gut begründeten Folgen ab. Will man die Spuren des abgelaufenen Bewegungssturmes rückgängig machen, so muß man die vordere obere Ecke der Tafeln heben und in die Bildebene zurückschieben, damit die vordere untere Ecke (mit dem Vorsprung) vom Steinsitz entfernen, die Hand senken und sie unter den nun horizontal stehenden unteren Tafelrand führen.

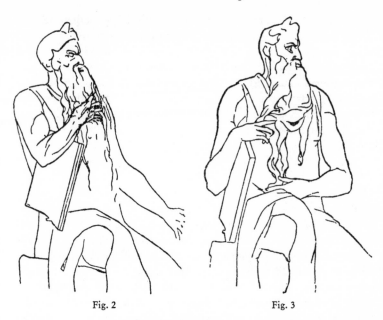

Fig. 2   Fig. 3

Ich habe mir von Künstlerhand drei Zeichnungen machen lassen, welche meine Beschreibung verdeutlichen sollen. Die dritte derselben gibt die Statue wieder, wie wir sie sehen; die beiden anderen stellen Vorstadien dar, welche meine Deutung postuliert, die erste das der Ruhe, die zweite das der höchsten Spannung, der Bereitschaft zum Aufspringen, der Abwendung der Hand von den Tafeln und des beginnenden Herabgleitens derselben. Es ist nun bemerkenswert, wie die beiden von meinem Zeichner ergänzten Darstellungen die unzutreffenden Beschreibungen früherer Autoren zu Ehren bringen. Ein Zeitgenosse Michelangelos, Condivi, sagte: »Moses, der Herzog und Kapitän der Hebräer, sitzt in der Stellung eines sinnenden Weisen, *hält unter dem rechten Arm die Gesetzestafeln* und stützt mit der linken Hand das Kinn (!), wie einer, der müde und voll von Sorgen.« Das ist nun an der Statue Michelangelos nicht zu sehen, aber es deckt sich fast mit der Annahme, welche der ersten Zeichnung zugrunde liegt. W. Lübke hatte wie andere Beobachter geschrieben: »Erschüttert greift er mit der Rechten in den herrlich herabflutenden Bart...« Das ist nun unrichtig, wenn man es auf die Abbildung der Statue bezieht, trifft aber für unsere zweite Zeichnung zu. Justi und Knapp haben, wie erwähnt, gesehen, daß die Tafeln im Herabgleiten sind und in der Gefahr schweben zu zerbrechen. Sie mußten sich von Thode berichtigen lassen, daß die Tafeln durch die rechte Hand sicher fixiert seien, aber sie hätten recht, wenn sie nicht die Statue, sondern unser mittleres Stadium beschreiben würden. Man könnte fast meinen, diese Autoren hätten sich von dem Gesichtsbild der Statue frei gemacht und hätten unwissentlich eine Analyse der Bewegungsmotive derselben begonnen, durch welche sie zu denselben Anforderungen geführt wurden, wie wir sie bewußter und ausdrücklicher aufgestellt haben.

III

Wenn ich nicht irre, wird es uns jetzt gestattet sein, die Früchte unserer Bemühung zu ernten. Wir haben gehört, wie vielen, die unter dem Eindruck der Statue standen, sich die Deutung aufgedrängt hat, sie stelle Moses dar unter der Einwirkung des Anblicks, daß sein Volk abgefallen sei und um ein Götzenbild tanze. Aber diese Deutung mußte aufgegeben werden, denn sie fand ihre Fortsetzung in der Erwartung, er werde im nächsten Moment aufspringen, die Tafeln zertrümmern und das Werk der Rache vollbringen. Dies widersprach aber der Bestimmung der Statue als Teilstück des Grabdenkmals Julius II. neben drei oder fünf anderen sitzenden Figuren. Wir dürfen nun diese verlassene Deutung wieder aufnehmen, denn unser Moses wird nicht aufspringen und die Tafeln nicht von sich schleudern. Was wir an ihm sehen, ist nicht die Einleitung zu einer gewaltsamen Aktion, sondern der Rest einer abgelaufenen Bewegung. Er wollte es in einem Anfall von Zorn, aufspringen, Rache nehmen, an die Tafeln vergessen, aber er hat die Versuchung überwunden, er wird jetzt so sitzen bleiben in gebändigter Wut, in mit Verachtung gemischtem Schmerz. Er wird auch die Tafeln nicht wegwerfen, daß sie am Stein zerschellen, denn gerade ihretwegen hat er seinen Zorn bezwungen, zu ihrer Rettung seine Leidenschaft beherrscht. Als er sich seiner leidenschaftlichen Empörung überließ, mußte er die Tafeln vernachlässigen, die Hand, die sie trug, von ihnen abziehen. Da begannen sie herabzugleiten, gerieten in Gefahr zu zerbrechen. Das mahnte ihn. Er gedachte seiner Mission und verzichtete für sie auf die Befriedigung seines Affekts. Seine Hand fuhr zurück und rettete die sinkenden Tafeln, noch ehe sie fallen konnten. In dieser Stellung blieb er verharrend, und so hat ihn Michelangelo als Wächter des Grabmals dargestellt.

Eine dreifache Schichtung drückt sich in seiner Figur in vertikaler Richtung aus. In den Mienen des Gesichts spiegeln sich die Affekte, welche die herrschenden geworden sind, in der Mitte der Figur sind die Zeichen der unterdrückten Bewegung sichtbar, der Fuß zeigt noch die Stellung der beabsichtigten Aktion, als wäre die Beherrschung von oben nach unten vorgeschritten. Der linke Arm, von dem noch nicht die Rede war, scheint seinen Anteil an unserer Deutung zu fordern. Seine Hand ist mit weicher Gebärde in den Schoß gelegt und umfängt wie liebkosend die letzten Enden des herabfallenden Bartes. Es macht den Eindruck, als wollte sie die Gewaltsamkeit aufheben, mit der einen Moment vorher die andere Hand den Bart mißhandelt hatte.

Nun wird man uns aber entgegenhalten: Das ist also doch nicht der Moses der Bibel, der wirklich in Zorn geriet und die Tafeln hinwarf, daß sie zerbrachen. Das wäre ein ganz anderer Moses von der Empfindung des Künstlers, der sich dabei herausgenommen hätte, den heiligen Text zu emendieren und den Charakter des göttlichen Mannes zu verfälschen. Dürfen wir Michelangelo diese Freiheit zumuten, die vielleicht nicht weit von einem Frevel am Heiligen liegt?

Die Stelle der Heiligen Schrift, in welcher das Benehmen Moses' bei der Szene des goldenen Kalbes berichtet wird, lautet folgendermaßen (ich bitte um Verzeihung, daß ich mich in anachronistischer Weise der Übersetzung Luthers bediene):

(II. B. Kap. 32.) »7) Der Herr sprach aber zu Mose: Geh', steig hinab; denn dein Volk, das du aus Ägyptenland geführt hast, hat's verderbt. 8) Sie sind schnell von dem Wege getreten, den ich ihnen geboten habe. Sie haben sich ein gegossen Kalb gemacht, und haben's angebetet, und ihm geopfert, und gesagt: Das sind deine Götter, Israel, die dich aus Ägyptenland geführt haben. 9) Und der Herr sprach zu Mose: Ich sehe, daß es ein halsstarrig Volk ist. 10) Und nun laß mich, daß mein Zorn über sie ergrimme, und sie vertilge; so will ich dich zum großen Volk machen. 11) Mose aber flehte vor dem Herrn, seinem Gott und sprach: Ach, Herr, warum will dein Zorn ergrimmen über dein Volk, das du mit großer Kraft und starker Hand hast aus Ägyptenland geführt? ...
... 14) Also gereuete den Herrn das Übel, das er dräuete seinem Volk zu tun. 15) Moses wandte sich, und stieg vom Berge, und hatte zwo Tafeln des Zeugnisses in seiner Hand, die waren geschrieben auf beiden Seiten. 16) Und Gott hatte sie selbst gemacht, und selber die Schrift drein gegraben. 17) Da nun Josua hörte des Volkes Geschrei, daß sie jauchzeten, sprach er zu Mose: Es ist ein Geschrei im Lager wie im Streit. 18) Er

antwortete: Es ist nicht ein Geschrei gegeneinander derer die obsiegen und unterliegen, sondern ich höre ein Geschrei eines Siegestanzes. 19) Als er aber nahe zum Lager kam, und das Kalb und den Reigen sah, ergrimmte er mit Zorn, und warf die Tafeln aus seiner Hand, und zerbrach sie unten am Berge; 20) und nahm das Kalb, das sie gemacht hatten, und zerschmelzte es mit Feuer, und zermalmte es mit Pulver, und stäubte es aufs Wasser, und gab's den Kindern Israels zu trinken;...

... 30) Des Morgens sprach Mose zum Volk: Ihr habt eine große Sünde getan; nun will ich hinaufsteigen zu dem Herrn, ob ich vielleicht eure Sünde versöhnen möge. 31) Als nun Mose wieder zum Herrn kam, sprach er: Ach, das Volk hat eine große Sünde getan, und haben sich güldene Götter gemacht. 32) Nun vergib ihnen ihre Sünde; wo nicht, so tilge mich auch aus deinem Buch, das du geschrieben hast. 33) Der Herr sprach zu Mose: Was? Ich will den aus meinem Buch tilgen, der an mir sündiget. 34) So gehe nun hin und führe das Volk, dahin ich dir gesagt habe. Siehe, mein Engel soll vor dir hergehen. Ich werde ihre Sünde wohl heimsuchen, wenn meine Zeit kommt heimzusuchen. 35) Also strafte der Herr das Volk, daß sie das Kalb hatten gemacht, welches Aaron gemacht hatte.«

Unter dem Einfluß der modernen Bibelkritik wird es uns unmöglich, diese Stelle zu lesen, ohne in ihr die Anzeichen ungeschickter Zusammensetzung aus mehreren Quellberichten zu finden. In Vers 8 teilt der Herr selbst Moses mit, daß das Volk abgefallen sei und sich ein Götzenbild gemacht habe. Moses bittet für die Sünder. Doch benimmt er sich in Vers 18 gegen Josua, als wüßte er es nicht, und wallt im plötzlichen Zorn auf (Vers 19), wie er die Szene des Götzendienstes erblickt. In Vers 14 hat er die Verzeihung Gottes für sein sündiges Volk bereits erlangt, doch begibt er sich Vers 31 ff. wieder auf den Berg, um diese Verzeihung zu erflehen, berichtet dem Herrn von dem Abfall des Volkes und erhält die Versicherung des Strafaufschubes. Vers 35 bezieht sich auf eine Bestrafung des Volkes durch Gott, von der nichts mitgeteilt wird, während in den Versen zwischen 20 und 30 das Strafgericht, das Moses selbst vollzogen hat, geschildert wurde. Es ist bekannt, daß die historischen Partien des Buches, welches vom Auszug handelt, von noch auffälligeren Inkongruenzen und Widersprüchen durchsetzt sind.

Für die Menschen der Renaissance gab es solche kritische Einstellung zum Bibeltexte natürlich nicht, sie mußten den Bericht als einen zusammenhängenden auffassen und fanden dann wohl, daß er der darstellenden Kunst keine gute Anknüpfung bot. Der Moses der Bibelstelle war von dem Götzendienst des Volkes bereits unterrichtet worden, hatte sich auf die Seite der Milde und Verzeihung gestellt und erlag dann doch einem plötzlichen Wutanfall, als er des goldenen Kalbes und der tanzenden Menge ansichtig wurde. Es wäre also nicht zu verwundern, wenn der Künstler, der die Reaktion des Helden auf diese schmerzliche Überraschung darstellen wollte, sich aus inneren Motiven von dem Bibeltext unabhängig gemacht hätte. Auch war solche Abweichung vom Wortlaut der Heiligen Schrift aus geringeren Motiven keineswegs ungewöhnlich oder dem Künstler versagt. Ein berühmtes Gemälde des Parmigianino in seiner Vaterstadt zeigt uns den Moses, wie er auf der Höhe eines Berges sitzend die Tafeln zu Boden schleudert, obwohl der Bibelvers ausdrücklich besagt: er zerbrach sie am Fuße des Berges. Schon die Darstellung eines sitzenden Moses findet keinen Anhalt am Bibeltext und scheint eher jenen Beurteilern recht zu geben, welche annahmen, daß die Statue Michelangelos kein bestimmtes Moment aus dem Leben des Helden festzuhalten beabsichtige.

Wichtiger als die Untreue gegen den heiligen Text ist wohl die Umwandlung, die Michelangelo nach unserer Deutung mit dem Charakter des Moses vorgenommen hat. Der Mann Moses war nach den Zeugnissen der Tradition jähzornig und Aufwallungen von Leidenschaft unterworfen. In einem solchen Anfalle von heiligem Zorne hatte er den Ägypter erschlagen, er einen Israeliten mißhandelte, und mußte deshalb aus dem Lande in die Wüste fliehen. In einem ähnlichen Affektausbruch zerschmetterte er die beiden Tafeln, die Gott selbst beschrieben hatte. Wenn die Tradition solche Charakterzüge berichtet, ist sie wohl tendenzlos und hat den Eindruck einer großen Persönlichkeit, die einmal gelebt hat, erhalten. Aber Michelangelo hat an das Grabdenkmal des Papstes einen anderen Moses hingesetzt, welcher dem historischen oder traditionellen Moses überlegen ist. Er hat das Motiv der zerbrochenen Gesetzestafeln umgearbeitet, er läßt sie nicht durch den Zorn Moses' zerbrechen, sondern diesen Zorn durch die Drohung, daß sie zerbrechen könnten, beschwichtigen oder wenigstens auf dem Wege zur Handlung hemmen. Damit hat er etwas Neues, Übermenschliches in die Figur des Moses gelegt, und die gewaltige Körpermasse und kraftstrotzende Muskulatur der Gestalt wird nur zum leiblichen Ausdrucksmittel für die höchste psychische Leistung, die einem Menschen möglich ist, für das Niederringen der eigenen Leidenschaft zugunsten und im Auftrage einer Bestimmung, der man sich geweiht hat.

Hier darf die Deutung der Statue Michelangelos ihr Ende erreichen.

Man kann noch die Frage aufwerfen, welche Motive in dem Künstler tätig waren, als er den Moses, und zwar einen so umgewandelten Moses, für das Grabdenkmal des Papstes Julius II. bestimmte. Von vielen Seiten wurde übereinstimmend darauf hingewiesen, daß diese Motive in dem Charakter des Papstes und im Verhältnis des Künstlers zu ihm zu suchen seien. Julius II. war Michelangelo darin verwandt, daß er Großes und Gewaltiges zu verwirklichen suchte, vor allem das Große der Dimension. Er war ein Mann der Tat, sein Ziel war angebbar, er strebte nach der Einigung Italiens unter der Herrschaft des Papsttums. Was erst mehrere Jahrhunderte später einem Zusammenwirken von anderen Mächten gelingen sollte, das wollte er allein erreichen, ein Einzelner in der kurzen Spanne Zeit und Herrschaft, die ihm gegönnt war, ungeduldig mit gewalttätigen Mitteln. Er wußte Michelangelo als seinesgleichen zu schätzen, aber er ließ ihn oft leiden unter seinem Jähzorn und seiner Rücksichtslosigkeit. Der Künstler war sich der gleichen Heftigkeit des Strebens bewußt und mag als tiefer blickender Grübler die Erfolglosigkeit geahnt haben, zu der sie beide verurteilt waren. So brachte er seinen Moses an dem Denkmal des Papstes an, nicht ohne Vorwurf gegen den Verstorbenen, zur Mahnung für sich selbst, sich mit dieser Kritik über die eigene Natur erhebend.

IV

Im Jahre 1863 hat ein Engländer W. Watkiss Lloyd dem Moses von Michelangelo ein kleines Büchlein gewidmet. Als es mir gelang, dieser Schrift von 46 Seiten habhaft zu werden, nahm ich ihren Inhalt mit gemischten Empfindungen zur Kenntnis. Es war eine Gelegenheit, wieder an der eigenen Person zu erfahren, was für unwürdige infantile Motive zu unserer Arbeit im Dienste einer großen Sache beizutragen pflegen. Ich bedauerte, daß Lloyd so vieles vorweggenommen hatte, was mir als Ergebnis meiner eigenen Bemühungen wertvoll war, und erst in zweiter Instanz konnte ich mich über die unerwartete Bestätigung freuen. An einem entscheidenden Punkte trennen sich allerdings unsere Wege.

Lloyd hat zuerst bemerkt, daß die gewöhnlichen Beschreibungen der Figur unrichtig sind, daß Moses nicht im Begriffe ist, aufzustehen [1], daß die rechte Hand nicht in den Bart greift, daß nur deren Zeigefinger noch

---

[1] *But he is not rising or preparing to rise; the bust is fully upright, not thrown forward for the alteration of balance preparatory for such a movement . . .* (S. 10).

auf dem Barte ruht[1]. Er hat auch, was weit mehr besagen will, einge-
sehen, daß die dargestellte Haltung der Gestalt nur durch die Rück-
beziehung auf einen früheren, nicht dargestellten, Moment aufgeklärt
werden kann, und daß das Herüberziehen der linken Bartsträange nach
rechts andeuten solle, die rechte Hand und die linke Hälfte des Bartes
seien vorher in inniger, natürlich vermittelter Beziehung gewesen. Aber
er schlägt einen anderen Weg ein, um diese mit Notwendigkeit erschlos-
sene Nachbarschaft wieder herzustellen, er läßt nicht die Hand in den
Bart gefahren, sondern den Bart bei der Hand gewesen sein. Er erklärt,
man müsse sich vorstellen, »der Kopf der Statue sei einen Moment vor
der plötzlichen Störung voll nach rechts gewendet gewesen über der
Hand, welche damals wie jetzt die Gesetztafeln hält«. Der Druck auf
die Hohlhand (durch die Tafeln) läßt deren Finger sich natürlich unter
den herabwallenden Locken öffnen, und die plötzliche Wendung des
Kopfes nach der anderen Seite hat zur Folge, daß ein Teil der Haarstränge für einen Augenblick von der nicht bewegten Hand zurückgehalten wird und jene Haarguirlande bildet, die als Wegspur (*»wake«*)
verstanden werden soll.

Von der anderen Möglichkeit einer früheren Annäherung von rechter
Hand und linker Barthälfte läßt sich Lloyd durch eine Erwägung zurückhalten, welche beweist, wie nahe er an unserer Deutung vorbei-
gegangen ist. Es sei nicht möglich, daß der Prophet, selbst nicht in höchster Erregung, die Hand vorgestreckt haben könne, um seinen Bart so
beiseitezuziehen. In dem Falle wäre die Haltung der Finger eine ganz
andere geworden, und überdies hätten infolge dieser Bewegung die
Tafeln herabfallen müssen, welche nur vom Druck der rechten Hand
gehalten werden, es sei denn, man mute der Gestalt, um die Tafeln
auch dann noch zu erhalten, eine sehr ungeschickte Bewegung zu, deren
Vorstellung eigentlich eine Entwürdigung enthalte. (*»Unless clutched by
a gesture so awkward, that to imagine it is profanation.«*)

Es ist leicht zu sehen, worin die Versäumnis des Autors liegt. Er hat die
Auffälligkeiten des Bartes richtig als Anzeichen einer abgelaufenen Bewegung gedeutet, es aber dann unterlassen, denselben Schluß auf die
nicht weniger gezwungenen Einzelheiten in der Stellung der Tafeln anzuwenden. Er verwertet nur die Anzeichen vom Bart, nicht auch die

---

[1] *Such a description is altogether erroneous; the fillets of the beard are detained by the
right hand, but they are not held, nor grasped, enclosed or taken hold of. They are
even detained but momentarily – momentarily engaged, they are on the point of being
free for disengagement* (S. 11).

von den Tafeln, deren Stellung er als die ursprüngliche hinnimmt. So verlegt er sich den Weg zu einer Auffassung wie die unsrige, welche durch die Wertung gewisser unscheinbarer Details zu einer überraschenden Deutung der ganzen Figur und ihrer Absichten gelangt.

Wie nun aber, wenn wir uns beide auf einem Irrwege befänden? Wenn wir Einzelheiten schwer und bedeutungsvoll aufnehmen würden, die dem Künstler gleichgültig waren, die er rein willkürlich oder auf gewisse formale Anlässe hin nur eben so gestaltet hätte, wie sie sind, ohne etwas Geheimes in sie hineinzulegen? Wenn wir dem Los so vieler Interpreten verfallen wären, die deutlich zu sehen glauben, was der Künstler weder bewußt noch unbewußt schaffen gewollt hat? Darüber kann ich nicht entscheiden. Ich weiß nicht zu sagen, ob es angeht, einem Künstler wie Michelangelo, in dessen Werken soviel Gedankeninhalt nach Ausdruck ringt, eine solche naive Unbestimmtheit zuzutrauen, und ob dies gerade für die auffälligen und sonderbaren Züge der Mosesstatue annehmbar ist. Endlich darf man noch in aller Schüchternheit hinzufügen, daß sich in die Verschuldung dieser Unsicherheit der Künstler mit dem Interpreten zu teilen habe. Michelangelo ist oft genug in seinen Schöpfungen bis an die äußerste Grenze dessen, was die Kunst ausdrücken kann, gegangen; vielleicht ist es ihm auch beim Moses nicht völlig geglückt, wenn es seine Absicht war, den Sturm heftiger Erregung aus den Anzeichen erraten zu lassen, die nach seinem Ablauf in der Ruhe zurückblieben.

NACHTRAG ZUR ARBEIT ÜBER DEN MOSES DES MICHELANGELO

(1927)

Mehrere Jahre nach dem Erscheinen meiner Arbeit über den Moses des Michelangelo, die 1914 in der Zeitschrift *Imago* – ohne Nennung meines Namens – abgedruckt wurde, geriet durch die Güte von E. Jones eine Nummer des *Burlington Magazine for Connoisseurs* in meine Hand (Nr. CCXVII, Vol. XXXVIII., April 1921), durch welche mein Interesse von neuem auf die vorgeschlagene Deutung der Statue gelenkt werden mußte. In dieser Nummer [S. 157–66] findet sich ein kurzer Artikel von H. P. Mitchell über zwei Bronzen des zwölften Jahrhunderts, gegenwärtig im Ashmolean Museum, Oxford, die einem hervorragenden Künstler jener Zeit, Nicholas von Verdun, zugeschrieben werden. Von diesem Manne sind noch andere Werke in Tournay, Arras und Klosterneuburg bei Wien erhalten; als sein Meisterwerk gilt der Schrein der Heiligen Drei Könige in Köln.

Eine der beiden von Mitchell gewürdigten Statuetten ist nun ein Moses (über 23 Zentimeter hoch), über jeden Zweifel gekennzeichnet durch die ihm beigegebenen Gesetzestafeln. Auch dieser Moses ist sitzend dargestellt, von einem faltigen Mantel umhüllt, sein Gesicht zeigt einen leidenschaftlich bewegten, vielleicht bekümmerten Ausdruck, und seine rechte Hand umgreift den langen Kinnbart und preßt dessen Strähne zwischen Hohlhand und Daumen wie in einer Zange zusammen, führt also dieselbe Bewegung aus, die in Figur 2 meiner Abhandlung als Vorstufe jener Stellung supponiert wird, in welcher wir jetzt den Moses des Michelangelo erstarrt sehen.

Ein Blick auf die beistehende Abbildung[1] läßt den Hauptunterschied der beiden, durch mehr als drei Jahrhunderte getrennten Darstellungen erkennen. Der Moses des lothringischen Künstlers hält die Tafeln mit seiner linken Hand bei ihrem oberen Rand und stützt sie auf sein Knie; überträgt man die Tafeln auf die andere Seite und vertraut sie dem rechten Arm an, so hat man die Ausgangssituation für den Moses des Michelangelo hergestellt. Wenn meine Auffassung der Geste des In-den-Bart-Greifens zulässig ist, so gibt uns der Moses aus dem Jahre 1180

---

[1] [In dieser Ausgabe gegenüber Seite 209.]

einen Moment aus dem Sturm der Leidenschaften wieder, die Statue in S. Pietro in Vincoli aber die Ruhe nach dem Sturme.

Ich glaube, daß der hier mitgeteilte Fund die Wahrscheinlichkeit der Deutung erhöht, die ich in meiner Arbeit 1914 versucht habe. Vielleicht ist es einem Kunstkenner möglich, die zeitliche Kluft zwischen dem Moses des Nicholas von Verdun und dem des Meisters der italienischen Renaissance durch den Nachweis von Mosestypen aus der Zwischenzeit auszufüllen.

Vergänglichkeit

(1916 [1915])

EDITORISCHE VORBEMERKUNG

Deutsche Ausgaben:

1916 In: *Das Land Goethes 1914–1916*. Stuttgart, Deutsche Verlagsanstalt, 37–38.

1926 *Almanach 1927*, 39–42.

1928 *G. S.*, Bd. 11, 291–4.

1946 *G. W.*, Bd. 10, 358–61.

Diesen Essay schrieb Freud im November 1915, im zweiten Jahr des Ersten Weltkrieges, auf Einladung des Berliner Goethebundes für einen Gedächtnisband, der im folgenden Jahr unter dem Titel *Das Land Goethes* erschien. Der sorgfältig herausgegebene Band enthält eine große Zahl von Beiträgen bekannter Schriftsteller der Vergangenheit und Gegenwart, so von Bülow, von Brentano, Ricarda Huch, Hauptmann und Liebermann. Freuds Abhandlung – mit dem Bild, das er von seiner Einstellung zum Krieg gibt – ist nicht zuletzt deshalb von Interesse, weil sie eine Darstellung der in der Arbeit über ›Trauer und Melancholie‹ (1917 e) entwickelten Theorie der Trauer enthält, die Freud wenige Monate zuvor niedergeschrieben hatte, welche aber erst zwei Jahre später veröffentlicht wurde.

Vor einiger Zeit machte ich in Gesellschaft eines schweigsamen Freundes und eines jungen, bereits rühmlich bekannten Dichters einen Spaziergang durch eine blühende Sommerlandschaft[1]. Der Dichter bewunderte die Schönheit der Natur um uns, aber ohne sich ihrer zu erfreuen. Ihn störte der Gedanke, daß all diese Schönheit dem Vergehen geweiht war, daß sie im Winter dahingeschwunden sein werde, aber ebenso jede menschliche Schönheit und alles Schöne und Edle, was Menschen geschaffen haben und schaffen könnten. Alles, was er sonst geliebt und bewundert hätte, schien ihm entwertet durch das Schicksal der Vergänglichkeit, zu dem es bestimmt war.

Wir wissen, daß von solcher Versenkung in die Hinfälligkeit alles Schönen und Vollkommenen zwei verschiedene seelische Regungen ausgehen können. Die eine führt zu dem schmerzlichen Weltüberdruß des jungen Dichters, die andere zur Auflehnung gegen die behauptete Tatsächlichkeit. Nein, es ist unmöglich, daß all diese Herrlichkeiten der Natur und der Kunst, unserer Empfindungswelt und der Welt draußen, wirklich in Nichts zergehen sollten. Es wäre zu unsinnig und zu frevelhaft, daran zu glauben. Sie müssen in irgendeiner Weise fortbestehen können, allen zerstörenden Einflüssen entrückt.

Allein diese Ewigkeitsforderung ist zu deutlich ein Erfolg unseres Wunschlebens, als daß sie auf einen Realitätswert Anspruch erheben könnte. Auch das Schmerzliche kann wahr sein. Ich konnte mich weder entschließen, die allgemeine Vergänglichkeit zu bestreiten, noch für das Schöne und Vollkommene eine Ausnahme zu erzwingen. Aber ich bestritt dem pessimistischen Dichter, daß die Vergänglichkeit des Schönen eine Entwertung desselben mit sich bringe.

Im Gegenteil, eine Wertsteigerung! Der Vergänglichkeitswert ist ein Seltenheitswert in der Zeit. Die Beschränkung in der Möglichkeit des Genusses erhöht dessen Kostbarkeit. Ich erklärte es für unverständlich, wie der Gedanke an die Vergänglichkeit des Schönen uns die Freude an demselben trüben sollte. Was die Schönheit der Natur betrifft, so kommt sie nach jeder Zerstörung durch den Winter im nächsten Jahre wieder,

---

[1] [Freud verbrachte im August 1913 einige Zeit in den Dolomiten; wer damals seine Begleiter waren, ließ sich nicht feststellen.]

und diese Wiederkehr darf im Verhältnis zu unserer Lebensdauer als eine ewige bezeichnet werden. Die Schönheit des menschlichen Körpers und Angesichts sehen wir innerhalb unseres eigenen Lebens für immer schwinden, aber diese Kurzlebigkeit fügt zu ihren Reizen einen neuen hinzu. Wenn es eine Blume gibt, welche nur eine einzige Nacht blüht, so erscheint uns ihre Blüte darum nicht minder prächtig. Wie die Schönheit und Vollkommenheit des Kunstwerks und der intellektuellen Leistung durch deren zeitliche Beschränkung entwertet werden sollte, vermochte ich ebensowenig einzusehen. Mag eine Zeit kommen, wenn die Bilder und Statuen, die wir heute bewundern, zerfallen sind, oder ein Menschengeschlecht nach uns, welches die Werke unserer Dichter und Denker nicht mehr versteht, oder selbst eine geologische Epoche, in der alles Lebende auf der Erde verstummt ist, der Wert all dieses Schönen und Vollkommenen wird nur durch seine Bedeutung für unser Empfindungsleben bestimmt, braucht dieses selbst nicht zu überdauern und ist darum von der absoluten Zeitdauer unabhängig.

Ich hielt diese Erwägungen für unanfechtbar, bemerkte aber, daß ich dem Dichter und dem Freunde keinen Eindruck gemacht hatte. Ich schloß aus diesem Mißerfolg auf die Einmengung eines starken affektiven Moments, welches ihr Urteil trübte, und glaubte dies auch später gefunden zu haben. Es muß die seelische Auflehnung gegen die Trauer gewesen sein, welche ihnen den Genuß des Schönen entwertete. Die Vorstellung, daß dieses Schöne vergänglich sei, gab den beiden Empfindsamen einen Vorgeschmack der Trauer um seinen Untergang, und da die Seele von allem Schmerzlichen instinktiv zurückweicht, fühlten sie ihren Genuß am Schönen durch den Gedanken an dessen Vergänglichkeit beeinträchtigt.

Die Trauer über den Verlust von etwas, das wir geliebt oder bewundert haben, erscheint dem Laien so natürlich, daß er sie für selbstverständlich erklärt. Dem Psychologen aber ist die Trauer ein großes Rätsel, eines jener Phänomene, die man selbst nicht klärt, auf die man aber anderes Dunkle zurückführt. Wir stellen uns vor, daß wir ein gewisses Maß von Liebesfähigkeit, genannt Libido, besitzen, welches sich in den Anfängen der Entwicklung dem eigenen Ich zugewendet hatte. Später, aber eigentlich von sehr frühe an, wendet es sich vom Ich ab und den Objekten zu, die wir solcherart gewissermaßen in unser Ich hineinnehmen. Werden die Objekte zerstört oder gehen sie uns verloren, so wird unsere Liebesfähigkeit (Libido) wieder frei. Sie kann sich andere Objekte zum Ersatz nehmen oder zeitweise zum Ich zurückkehren. Warum aber diese Ablösung der Libido von ihren Objekten ein so schmerzhafter Vorgang sein sollte, das verstehen wir nicht und können es derzeit aus keiner Annahme ableiten. Wir sehen nur, daß sich die Libido an ihre Objekte klammert und die verlorenen auch dann nicht aufgeben will, wenn der Ersatz bereitliegt. Das also ist die Trauer.

Die Unterhaltung mit dem Dichter fand im Sommer vor dem Kriege statt. Ein Jahr später brach der Krieg herein und raubte der Welt ihre Schönheiten. Er zerstörte nicht nur die Schönheit der Landschaften, die er durchzog, und die Kunstwerke, an die er auf seinem Wege streifte, er brach auch unseren Stolz auf die Errungenschaften unserer Kultur, unseren Respekt vor so vielen Denkern und Künstlern, unsere Hoffnungen auf eine endliche Überwindung der Verschiedenheiten unter Völkern und Rassen. Er beschmutzte die erhabene Unparteilichkeit unserer Wissenschaft, stellte unser Triebleben in seiner Nacktheit bloß, entfesselte die bösen Geister in uns, die wir durch die Jahrhunderte während Erziehung von seiten unserer Edelsten dauernd gebändigt glaubten. Er machte unser Vaterland wieder klein und die andere Erde wieder fern und weit. Er raubte uns so vieles, was wir geliebt hatten, und zeigte uns die Hinfälligkeit von manchem, was wir für beständig gehalten hatten.

Es ist nicht zu verwundern, daß unsere an Objekten so verarmte Libido mit um so größerer Intensität besetzt hat, was uns verblieben ist, daß die Liebe zum Vaterland, die Zärtlichkeit für unsere Nächsten und der Stolz auf unsere Gemeinsamkeiten jäh verstärkt worden sind. Aber jene anderen, jetzt verlorenen Güter, sind sie uns wirklich entwertet worden, weil sie sich als so hinfällig und widerstandsunfähig erwiesen haben? Vielen unter uns scheint es so, aber ich meine wiederum, mit Unrecht. Ich glaube, die so denken und zu einem dauernden Verzicht bereit scheinen, weil das Kostbare sich nicht als haltbar bewährt hat, befinden sich nur in der Trauer über den Verlust. Wir wissen, die Trauer, so schmerzhaft sie sein mag, läuft spontan ab. Wenn sie auf alles Verlorene verzichtet hat, hat sie sich auch selbst aufgezehrt, und dann wird unsere Libido wiederum frei, um sich, insofern wir noch jung und lebenskräftig sind, die verlorenen Objekte durch möglichst gleich kostbare oder kostbarere neue zu ersetzen. Es steht zu hoffen, daß es mit den Verlusten dieses Krieges nicht anders gehen wird. Wenn erst die Trauer überwunden ist, wird es sich zeigen, daß unsere Hochschätzung der Kulturgüter unter der Erfahrung von ihrer Gebrechlichkeit nicht gelitten hat. Wir werden alles wieder aufbauen, was der Krieg zerstört hat, vielleicht auf festerem Grund und dauerhafter als vorher.

Einige Charaktertypen
aus der psychoanalytischen Arbeit

(1916)

EDITORISCHE VORBEMERKUNG

Deutsche Ausgaben:
1916 *Imago,* Bd. 4 (6), 317–36.
1918 *S. K. S. N.,* Bd. 4, 521–52. (2. Aufl. 1922)
1924 *G. S.,* Bd. 10, 287–314.
1924 *Dichtung und Kunst,* 59–86.
1925 *Almanach 1926,* 21–6 (nur Teil I).
1935 *Psychoan. Pädagog.,* Bd. 9, 193–4 (nur Teil III).
1946 *G. W.,* Bd. 10, 364–91.

Diese drei Arbeiten erschienen im letzten Heft der Zeitschrift *Imago* für das Jahr 1916. Die dritte, obwohl die kürzeste, hat, da sie die Probleme der Psychologie des Verbrechens in völlig neuem Lichte erscheinen ließ, einen ebenso starken Nachhall ausgelöst wie irgendeine der anderen nichtmedizinischen Schriften Freuds.

Wenn der Arzt die psychoanalytische Behandlung eines Nervösen durchführt, so ist sein Interesse keineswegs in erster Linie auf dessen Charakter gerichtet. Er möchte viel eher wissen, was seine Symptome bedeuten, welche Triebregungen sich hinter ihnen verbergen und durch sie befriedigen, und über welche Stationen der geheimnisvolle Weg von jenen Triebwünschen zu diesen Symptomen geführt hat. Aber die Technik, der er folgen muß, nötigt den Arzt bald, seine Wißbegierde vorerst auf andere Objekte zu richten. Er bemerkt, daß seine Forschung durch Widerstände bedroht wird, die ihm der Kranke entgegensetzt, und darf diese Widerstände dem Charakter des Kranken zurechnen. Nun hat dieser Charakter den ersten Anspruch an sein Interesse.

Was sich der Bemühung des Arztes widersetzt, sind nicht immer die Charakterzüge, zu denen sich der Kranke bekennt und die ihm von seiner Umgebung zugesprochen werden. Oft zeigen sich Eigenschaften des Kranken bis zu ungeahnten Intensitäten gesteigert, von denen er nur ein bescheidenes Maß zu besitzen schien, oder es kommen Einstellungen bei ihm zum Vorschein, die sich in anderen Beziehungen des Lebens nicht verraten hatten. Mit der Beschreibung und Zurückführung einiger von diesen überraschenden Charakterzügen werden sich die nachstehenden Zeilen beschäftigen.

I

DIE AUSNAHMEN

Die psychoanalytische Arbeit sieht sich immer wieder vor die Aufgabe gestellt, den Kranken zum Verzicht auf einen naheliegenden und unmittelbaren Lustgewinn zu bewegen. Er soll nicht auf Lust überhaupt verzichten; das kann man vielleicht keinem Menschen zumuten, und selbst die Religion muß ihre Forderung, irdische Lust fahrenzulassen, mit dem Versprechen begründen, dafür ein ungleich höheres Maß von wertvollerer Lust in einem Jenseits zu gewähren. Nein, der Kranke soll bloß auf solche Befriedigungen verzichten, denen eine Schädigung unfehlbar nachfolgt, er soll bloß zeitweilig entbehren, nur den unmittelbaren Lustgewinn gegen einen besser gesicherten, wenn auch aufgeschobenen, eintauschen lernen. Oder mit anderen Worten, er soll unter der ärztlichen Leitung *jenen Fortschritt vom Lustprinzip zum Realitätsprinzip* machen, durch welchen sich der reife Mann vom Kinde scheidet. Bei diesem Erziehungswerk spielt die bessere Einsicht des Arztes kaum eine entscheidende Rolle; er weiß ja in der Regel dem Kranken nichts anderes zu sagen, als was diesem sein eigener Verstand sagen kann. Aber es ist nicht dasselbe, etwas bei sich zu wissen und dasselbe von anderer Seite zu hören; der Arzt übernimmt die Rolle dieses wirksamen anderen; er bedient sich des Einflusses, den ein Mensch auf den anderen ausübt. Oder: erinnern wir uns daran, daß es in der Psychoanalyse üblich ist, das Ursprüngliche und Wurzelhafte anstelle des Abgeleiteten und Gemilderten einzusetzen, und sagen wir, der Arzt bedient sich bei seinem Erziehungswerk irgendeiner Komponente der *Liebe*. Er wiederholt bei solcher Nacherziehung wahrscheinlich nur den Vorgang, der überhaupt die erste Erziehung ermöglicht hat. Neben der Lebensnot ist die Liebe die große Erzieherin, und der unfertige Mensch wird durch die Liebe der ihm Nächsten dazu bewogen, auf die Gebote der Not zu achten und sich die Strafen für deren Übertretung zu ersparen.

Fordert man so von den Kranken einen vorläufigen Verzicht auf irgendeine Lustbefriedigung, ein Opfer, eine Bereitwilligkeit, zeitweilig für ein besseres Ende Leiden auf sich zu nehmen, oder auch nur den Entschluß, sich einer für alle geltenden Notwendigkeit zu unterwerfen, so stößt man auf einzelne Personen, die sich mit einer besonderen Motivierung gegen solche Zumutung sträuben. Sie sagen, sie haben genug gelitten und entbehrt, sie haben Anspruch darauf, von weiteren Anforderungen verschont zu werden, sie unterwerfen sich keiner unliebsamen Notwendigkeit mehr, denn sie seien *Ausnahmen* und gedenken es auch zu bleiben. Bei einem Kranken solcher Art war dieser Anspruch zu der Überzeugung gesteigert, daß eine besondere Vorsehung über ihn wache, die ihn vor derartigen schmerzlichen Opfern bewahren werde. Gegen innere Sicherheiten, die sich mit solcher Stärke äußern, richten die Argumente des Arztes nichts aus, aber auch sein Einfluß versagt zunächst, und er wird darauf hingewiesen, den Quellen nachzuspüren, aus welchen das schädliche Vorurteil gespeist wird.

Nun ist es wohl unzweifelhaft, daß ein jeder sich für eine »Ausnahme« ausgeben und Vorrechte vor den anderen beanspruchen möchte. Aber gerade darum bedarf es einer besonderen und nicht überall vorfindlichen Begründung, wenn er sich wirklich als Ausnahme verkündet und benimmt. Es mag mehr als nur eine solche Begründung geben; in den von mir untersuchten Fällen gelang es, eine gemeinsame Eigentümlichkeit der Kranken in deren *früheren Lebensschicksalen* nachzuweisen: Ihre Neurose knüpfte an ein Erlebnis oder an ein Leiden an, das sie in den ersten Kinderzeiten betroffen hatte, an dem sie sich unschuldig wußten und das sie als eine ungerechte Benachteiligung ihrer Person bewerten konnten. Die Vorrechte, die sie aus diesem Unrecht ableiteten, und die Unbotmäßigkeit, die sich daraus ergab, hatten nicht wenig dazu beigetragen, um die Konflikte, die später zum Ausbruch der Neurose führten, zu verschärfen. Bei einer dieser Patientinnen wurde die besprochene Einstellung zum Leben vollzogen, als sie erfuhr, daß ein schmerzhaftes organisches Leiden, welches sie an der Erreichung ihrer Lebensziele gehindert hatte, kongenitalen Ursprungs war. Solange sie dieses Leiden für eine zufällige spätere Erwerbung hielt, ertrug sie es geduldig; von ihrer Aufklärung an, es sei ein Stück mitgebrachter Erbschaft, wurde sie rebellisch. Der junge Mann, der sich von einer besonderen Vorsehung bewacht glaubte, war als Säugling das Opfer einer zufälligen Infektion durch seine Amme geworden und hatte sein ganzes späteres Leben von seinen Entschädigungsansprüchen wie von einer Unfallsrente gezehrt, ohne zu ahnen, worauf er seine Ansprüche gründete. In seinem Falle wurde die Analyse, welche dieses Ergebnis aus dunklen Erinnerungsresten und Symptomdeutungen konstruierte, durch Mitteilungen der Familie objektiv bestätigt.

Aus leicht verständlichen Gründen kann ich von diesen und anderen Krankengeschichten ein mehreres nicht mitteilen. Ich will auch auf die naheliegende Analogie mit der Charakterverbildung nach langer Kränklichkeit der Kinderjahre und im Benehmen ganzer Völker mit leidenschwerer Vergangenheit nicht eingehen. Dagegen werde ich es mir nicht versagen, auf jene von dem größten Dichter geschaffene Gestalt hinzuweisen, in deren Charakter der Ausnahmsanspruch mit dem Momente der kongenitalen Benachteiligung so innig verknüpft und durch dieses motiviert ist.

Im einleitenden Monolog zu Shakespeares *Richard III.* sagt Gloster, der spätere König:

> Doch ich, zu Possenspielen nicht gemacht,
> Noch um zu buhlen mit verliebten Spiegeln;
> Ich, roh geprägt, entblößt von Liebes-Majestät
> Vor leicht sich dreh'nden Nymphen sich zu brüsten;

Ich, um dies schöne Ebenmaß verkürzt,
Von der Natur um Bildung falsch betrogen,
Entstellt, verwahrlost, vor der Zeit gesandt
In diese Welt des Atmens, halb kaum fertig
Gemacht, und zwar so lahm und ungeziemend,
Daß Hunde bellen, hink' ich wo vorbei;
− − − − − − − − − −
Und darum, weil ich nicht als ein Verliebter
Kann kürzen diese fein beredten Tage,
Bin ich gewillt ein Bösewicht zu werden
Und Feind den eitlen Freuden dieser Tage[1].

Unser erster Eindruck von dieser Programmrede wird vielleicht die Beziehung zu unserem Thema vermissen. Richard scheint nichts anderes zu sagen als: Ich langweile mich in dieser müßigen Zeit und ich will mich amüsieren. Weil ich aber wegen meiner Mißgestalt mich nicht als Liebender unterhalten kann, werde ich den Bösewicht spielen, intrigieren, morden und was mir sonst gefällt. Eine so frivole Motivierung müßte jede Spur von Anteilnahme beim Zuschauer ersticken, wenn sich nichts Ernsteres hinter ihr verbärge. Dann wäre aber auch das Stück psychologisch unmöglich, denn der Dichter muß bei uns einen geheimen Hintergrund von Sympathie für seinen Helden zu schaffen verstehen, wenn wir die Bewunderung für seine Kühnheit und Geschicklichkeit ohne inneren Einspruch verspüren sollen, und solche Sympathie kann nur im Verständnis, im Gefühle einer möglichen inneren Gemeinschaft mit ihm, begründet sein.

Ich meine darum, der Monolog Richards sagt nicht alles; er deutet bloß an und überläßt es uns, das Angedeutete auszuführen. Wenn wir aber diese Vervollständigung vornehmen, dann schwindet der Anschein von Frivolität, dann kommt die Bitterkeit und Ausführlichkeit, mit der Richard seine Mißgestalt geschildert hat, zu ihrem Rechte, und uns wird die Gemeinsamkeit klargemacht, die unsere Sympathie auch für den Bösewicht erzwingt. Es heißt dann: Die Natur hat ein schweres Unrecht an mir begangen, indem sie mir die Wohlgestalt versagt hat, welche die Liebe der Menschen gewinnt. Das Leben ist mir eine Entschädigung dafür schuldig, die ich mir holen werde. Ich habe den Anspruch darauf, eine Ausnahme zu sein, mich über die Bedenken hinwegzusetzen, durch die sich andere hindern lassen. Ich darf selbst Unrecht tun, denn an mir

---

[1] [Freud zitiert, auch auf S. 238 ff., die Schlegel-Tiecksche Übersetzung.]

ist Unrecht geschehen – und nun fühlen wir, daß wir selbst so werden könnten wie Richard, ja daß wir es im kleinen Maßstabe bereits sind. Richard ist eine gigantische Vergrößerung dieser einen Seite, die wir auch in uns finden. Wir glauben alle Grund zu haben, daß wir mit Natur und Schicksal wegen kongenitaler und infantiler Benachteiligung grollen; wir fordern alle Entschädigung für frühzeitige Kränkungen unseres Narzißmus, unserer Eigenliebe. Warum hat uns die Natur nicht die goldenen Locken Balders geschenkt oder die Stärke Siegfrieds oder die hohe Stirne des Genies, den edlen Gesichtsschnitt des Aristokraten? Warum sind wir in der Bürgerstube geboren anstatt im Königsschloß? Wir würden es ebensogut treffen, schön und vornehm zu sein wie alle, die wir jetzt darum beneiden müssen.

Es ist aber eine feine ökonomische Kunst des Dichters, daß er seinen Helden nicht alle Geheimnisse seiner Motivierung laut und restlos aussprechen läßt. Dadurch nötigt er uns, sie zu ergänzen, beschäftigt unsere geistige Tätigkeit, lenkt sie vom kritischen Denken ab und hält uns in der Identifizierung mit dem Helden fest. Ein Stümper an seiner Stelle würde alles, was er uns mitteilen will, in bewußten Ausdruck fassen und fände sich dann unserer kühlen, frei beweglichen Intelligenz gegenüber, die eine Vertiefung der Illusion unmöglich macht.

Wir wollen aber die »Ausnahmen« nicht verlassen, ohne zu bedenken, daß der Anspruch der Frauen auf Vorrechte und Befreiung von soviel Nötigungen des Lebens auf demselben Grunde ruht. Wie wir aus der psychoanalytischen Arbeit erfahren, betrachten sich die Frauen als infantil geschädigt, ohne ihre Schuld um ein Stück verkürzt und zurückgesetzt, und die Erbitterung so mancher Tochter gegen ihre Mutter hat zur letzten Wurzel den Vorwurf, daß sie sie als Weib anstatt als Mann zur Welt gebracht hat.

II

DIE AM ERFOLGE SCHEITERN

Die psychoanalytische Arbeit hat uns den Satz geschenkt: Die Menschen erkranken neurotisch infolge der *Versagung*. Die Versagung der Befriedigung für ihre libidinösen Wünsche ist gemeint, und ein längerer Umweg ist nötig, um den Satz zu verstehen. Denn zur Entstehung der Neurose bedarf es eines Konflikts zwischen den libidinösen Wünschen eines Menschen und jenem Anteil seines Wesens, den wir sein Ich heißen, der Ausdruck seiner Selbsterhaltungstriebe ist und seine Ideale von seinem eigenen Wesen einschließt. Ein solcher pathogener Konflikt kommt nur dann zustande, wenn sich die Libido auf Wege und Ziele werfen will, die vom Ich längst überwunden und geächtet sind, die es also auch für alle Zukunft verboten hat, und das tut die Libido erst dann, wenn ihr die Möglichkeit einer ichgerechten idealen Befriedigung benommen ist. Somit wird die Entbehrung, die Versagung einer realen Befriedigung, die erste Bedingung für die Entstehung der Neurose, wenn auch lange nicht die einzige.

Um so mehr muß es überraschend, ja verwirrend wirken, wenn man als Arzt die Erfahrung macht, daß Menschen gelegentlich gerade dann erkranken, wenn ihnen ein tief begründeter und lange gehegter Wunsch in Erfüllung gegangen ist. Es sieht dann so aus, als ob sie ihr Glück nicht vertragen würden, denn an dem ursächlichen Zusammenhange zwischen dem Erfolge und der Erkrankung kann man nicht zweifeln. So hatte ich Gelegenheit, in das Schicksal einer Frau Einsicht zu nehmen, das ich als vorbildlich für solche tragische Wendungen beschreiben will.

Von guter Herkunft und wohlerzogen, konnte sie als ganz junges Mädchen ihre Lebenslust nicht zügeln, riß sich vom Elternhause los und trieb sich abenteuernd in der Welt herum, bis sie die Bekanntschaft eines Künstlers machte, der ihren weiblichen Reiz zu schätzen wußte, aber auch die feinere Anlage an der Herabgewürdigten zu ahnen verstand. Er nahm sie in sein Haus und gewann an ihr eine treue Lebensgefährtin, der zum vollen Glück nur die bürgerliche Rehabilitierung zu fehlen schien. Nach jahrelangem Zusammenleben setzte er es durch, daß seine Familie sich mit ihr befreundete, und war nun bereit, sie zu seiner Frau vor dem Gesetze zu machen. In diesem Moment begann sie zu versagen. Sie vernachlässigte das Haus, dessen rechtmäßige Herrin sie nun werden sollte, hielt sich für verfolgt von den Verwandten, die sie in die

Familie aufnehmen wollten, sperrte dem Manne durch sinnlose Eifersucht jeden Verkehr, hinderte ihn an seiner künstlerischen Arbeit und verfiel bald in unheilbare seelische Erkrankung.

Eine andere Beobachtung zeigte mir einen höchst respektablen Mann, der, selbst akademischer Lehrer, durch viele Jahre den begreiflichen Wunsch genährt hatte, der Nachfolger seines Meisters zu werden, der ihn selbst in die Wissenschaft eingeführt hatte. Als nach dem Rücktritte jenes Alten die Kollegen ihm mitteilten, daß kein anderer als er zu dessen Nachfolger ausersehen sei, begann er zaghaft zu werden, verkleinerte seine Verdienste, erklärte sich für unwürdig, die ihm zugedachte Stellung auszufüllen, und verfiel in eine Melancholie, die ihn für die nächsten Jahre von jeder Tätigkeit ausschaltete.

So verschieden diese beiden Fälle sonst sind, so treffen sie doch in dem einen zusammen, daß die Erkrankung auf die Wunscherfüllung hin auftritt und den Genuß derselben zunichte macht.

Der Widerspruch zwischen solchen Erfahrungen und dem Satze, der Mensch erkranke an Versagung, ist nicht unlösbar. Die Unterscheidung einer *äußerlichen* von einer *inneren* Versagung hebt ihn auf. Wenn in der Realität das Objekt weggefallen ist, an dem die Libido ihre Befriedigung finden kann, so ist dies eine äußerliche Versagung. Sie ist an sich wirkungslos, noch nicht pathogen, solange sich nicht eine innere Versagung zu ihr gesellt. Diese muß vom Ich ausgehen und der Libido andere Objekte streitig machen, deren sie sich nun bemächtigen will. Erst dann entsteht ein Konflikt und die Möglichkeit einer neurotischen Erkrankung, d. h. einer Ersatzbefriedigung auf dem Umwege über das verdrängte Unbewußte. Die innere Versagung kommt also in allen Fällen in Betracht, nur tritt sie nicht eher in Wirkung, als bis die äußerliche reale Versagung die Situation für sie vorbereitet hat. In den Ausnahmsfällen, wenn die Menschen am Erfolge erkranken, hat die innere Versagung für sich allein gewirkt, ja sie ist erst hervorgetreten, nachdem die äußerliche Versagung der Wunscherfüllung Platz gemacht hat. Daran bleibt etwas für den ersten Anschein Auffälliges, aber bei näherer Erwägung besinnen wir uns doch, es sei gar nicht ungewöhnlich, daß das Ich einen Wunsch als harmlos toleriert, solange er ein Dasein als Phantasie führt und ferne von der Erfüllung scheint, während es sich scharf gegen ihn zur Wehr setzt, sobald er sich der Erfüllung nähert und Realität zu werden droht. Der Unterschied gegen wohlbekannte Situationen der Neurosenbildung liegt nur darin, daß sonst innerliche Steigerungen der Libidobesetzung die bisher geringgeschätzte und geduldete Phantasie zum gefürchteten Gegner machen, während in unseren Fällen das Signal zum Ausbruch des Konflikts durch eine reale äußere Wandlung gegeben wird.

Die analytische Arbeit zeigt uns leicht, daß es *Gewissensmächte* sind, welche der Person verbieten, aus der glücklichen realen Veränderung den lange erhofften Gewinn zu ziehen. Eine schwierige Aufgabe aber ist es, Wesen und Herkunft dieser richtenden und strafenden Tendenzen zu erkunden, die uns durch ihre Existenz oft dort überraschen, wo wir sie zu finden nicht erwarteten. Was wir darüber wissen oder vermuten, will ich aus den bekannten Gründen nicht an Fällen der ärztlichen Beobachtung, sondern an Gestalten erörtern, die große Dichter aus der Fülle ihrer Seelenkenntnis erschaffen haben.

Eine Person, die nach erreichtem Erfolge zusammenbricht, nachdem sie mit unbeirrter Energie um ihn gerungen hat, ist Shakespeares Lady Macbeth. Es ist vorher kein Schwanken und kein Anzeichen eines inneren Kampfes in ihr, kein anderes Streben, als die Bedenken ihres ehrgeizigen und doch mildfühlenden Mannes zu besiegen. Dem Mordvorsatz will sie selbst ihre Weiblichkeit opfern, ohne zu erwägen, welche entscheidende Rolle dieser Weiblichkeit zufallen muß, wenn es dann gelten soll, das durch Verbrechen erreichte Ziel ihres Ehrgeizes zu behaupten.

(Akt I, Szene 5):

>»Kommt, ihr Geister,
> Die ihr auf Mordgedanken lauscht, entweibt mich.
> – – – – – – – – – An meine Brüste,
> Ihr Mordhelfer! Saugt mir Milch zu Galle!«

(Akt I, Szene 7):

>»Ich gab die Brust und weiß,
> Wie zärtlich man das Kind liebt, das man tränkt.
> Und doch, dieweil es mir ins Antlitz lächelt,
> Wollt' reißen ich von meinem Mutterbusen
> Sein zahnlos Mündlein, und sein Hirn ausschmettern,
> Hätt' ich's geschworen, wie du jenes schwurst!«

Eine einzige leise Regung des Widerstrebens ergreift sie vor der Tat:

(Akt II, Szene 2):

>»Hätt' er geglichen meinem Vater nicht
> Als er so schlief, ich hätt's getan.«

Nun, da sie Königin geworden durch den Mord an Duncan, meldet sich flüchtig etwas wie eine Enttäuschung, wie ein Überdruß. Wir wissen nicht, woher.

(Akt III, Szene 2):

»Nichts hat man, alles Lüge,
Gelingt der Wunsch, und fehlt doch die Genüge,
'S ist sichrer das zu sein, was wir zerstören,
Als durch Zerstörung ew'ger Angst zu schwören.«

Doch hält sie aus. In der nach diesen Worten folgenden Szene des Banketts bewahrt sie allein die Besinnung, deckt die Verwirrung ihres Mannes, findet einen Vorwand, um die Gäste zu entlassen. Und dann entschwindet sie uns. Wir sehen sie (in der ersten Szene des fünften Aktes) als Somnambule wieder, an die Eindrücke jener Mordnacht fixiert. Sie spricht ihrem Manne wieder Mut zu wie damals:

»Pfui, mein Gemahl, pfui, ein Soldat und furchtsam? – Was haben wir zu fürchten, wer es weiß? Niemand zieht unsere Macht zur Rechenschaft.« – – –

Sie hört das Klopfen ans Tor, das ihren Mann nach der Tat erschreckte. Daneben aber bemüht sie sich, »die Tat ungeschehen zu machen, die nicht mehr ungeschehen werden« kann. Sie wäscht ihre Hände, die mit Blut befleckt sind und nach Blut riechen, und wird der Vergeblichkeit dieser Bemühung bewußt. Die Reue scheint sie niedergeworfen zu haben, die so reuelos schien. Als sie stirbt, findet Macbeth, der unterdes so unerbittlich geworden ist, wie sie sich anfänglich zeigte, nur die eine kurze Nachrede für sie:

(Akt V, Szene 5):

»Sie konnte später sterben.
Es war noch Zeit genug für solch ein Wort.«

Und nun fragt man sich, was hat diesen Charakter zerbrochen, der aus dem härtesten Metall geschmiedet schien? Ist's nur die Enttäuschung, das andere Gesicht, das die vollzogene Tat zeigt [1], sollen wir rückschließen, daß auch in der Lady Macbeth ein ursprünglich weiches und weiblich mildes Seelenleben sich zu einer Konzentration und Hochspannung emporgearbeitet hatte, der keine Andauer beschieden sein konnte, oder

---

[1] [Anspielung auf Schillers *Braut von Messina* (Akt IV, Szene 5):
»Ein andres Antlitz, eh' sie geschehen,
Ein anderes zeigt die vollbrachte Tat.«]

dürfen wir nach Anzeichen forschen, die uns diesen Zusammenbruch durch eine tiefere Motivierung menschlich näherbringen?

Ich halte es für unmöglich, hier eine Entscheidung zu treffen. Shakespeares *Macbeth* ist ein Gelegenheitsstück, zur Thronbesteigung des bisherigen Schottenkönigs James gedichtet. Der Stoff war gegeben und gleichzeitig von anderen Autoren behandelt worden, deren Arbeit Shakespeare wahrscheinlich in gewohnter Weise genützt hat. Er bot merkwürdige Anspielungen an die gegenwärtige Situation. Die »jungfräuliche« Elisabeth, von der ein Gerede wissen wollte, daß sie nie imstande gewesen wäre, ein Kind zu gebären, die sich einst bei der Nachricht von James' Geburt im schmerzlichen Aufschrei als »einen dürren Stamm« bezeichnet hatte[1], war eben durch ihre Kinderlosigkeit genötigt worden, den Schottenkönig zu ihrem Nachfolger werden zu lassen. Der war aber der Sohn jener Maria, deren Hinrichtung sie, wenn auch widerwillig, angeordnet hatte und die trotz aller Trübung der Beziehungen durch politische Rücksichten doch ihre Blutsverwandte und ihr Gast genannt werden konnte.

Die Thronbesteigung Jakobs I. war wie eine Demonstration des Fluches der Unfruchtbarkeit und der Segnungen der fortlaufenden Generation. Und auf diesen nämlichen Gegensatz ist die Entwicklung in Shakespeares Macbeth eingestellt. Die Schicksalsschwestern haben ihm verheißen, daß er selbst König werden, dem Banquo aber, daß seine Kinder die Krone überkommen sollen. Macbeth empört sich gegen diesen Schicksalsspruch, er begnügt sich nicht mit der Befriedigung des eigenen Ehrgeizes, er will Gründer einer Dynastie sein und nicht zum Vorteile Fremder gemordet haben. Man übersieht diesen Punkt, wenn man in Shakespeares Stück nur die Tragödie des Ehrgeizes erblicken will. Es ist klar, da Macbeth selbst nicht ewig leben kann, so gibt es für ihn nur einen Weg, den Teil der Prophezeiung, der ihm widerstrebt, zu entkräften, wenn er nämlich selbst Kinder hat, die ihm nachfolgen können. Er scheint sie auch von seinem starken Weibe zu erwarten:

(Akt I, Szene 7):
»Du, gebier nur Söhne,
Nur Männer sollte dein unschreckbar Mark
Zusammensetzen.« – – – – – – – –

---

[1] Vgl. *Macbeth* (Akt II, Szene 1):
»Auf mein Haupt setzten sie unfruchtbar Gold,
Ein dürres Zepter reichten sie der Faust,
Daß es entgleite dann in fremde Hand,
Da nicht mein Sohn mir nachfolgt.« – – –

Und ebenso klar ist, wenn er in dieser Erwartung getäuscht wird, dann muß er sich dem Schicksal unterwerfen, oder sein Handeln verliert Ziel und Zweck und verwandelt sich in das blinde Wüten eines zum Untergange Verurteilten, der vorher noch, was ihm erreichbar ist, vernichten will. Wir sehen, daß Macbeth diese Entwicklung durchmacht, und auf der Höhe der Tragödie finden wir jenen erschütternden, so oft schon als vieldeutig erkannten Ausruf, der den Schlüssel für seine Wandlung enthalten könnte, den Ausruf Macduffs:

(Akt IV, Szene 3):
»Er hat keine Kinder.«

Das heißt gewiß: Nur weil er selbst kinderlos ist, konnte er meine Kinder morden, aber es kann auch mehr in sich fassen, und vor allem könnte es das tiefste Motiv bloßlegen, welches sowohl Macbeth weit über seine Natur hinausdrängt, als auch den Charakter der harten Frau an seiner einzigen schwachen Stelle trifft. Hält man aber Umschau von dem Gipfelpunkt, den diese Worte Macduffs bezeichnen, so sieht man das ganze Stück von Beziehungen auf das Vater-Kinderverhältnis durchsetzt. Der Mord des gütigen Duncan ist wenig anders als ein Vatermord; im Falle Banquos hat Macbeth den Vater getötet, während ihm der Sohn entgeht; bei Macduff tötet er die Kinder, weil ihm der Vater entflohen ist. Ein blutiges und gekröntes Kind lassen ihm die Schicksalsschwestern in der Beschwörungsszene erscheinen; das bewaffnete Haupt vorher ist wohl Macbeth selbst. Im Hintergrunde aber erhebt sich die düstere Gestalt des Rächers Macduff, der selbst eine Ausnahme von den Gesetzen der Generation ist, da er nicht von seiner Mutter geboren, sondern aus ihrem Leib geschnitten wurde.

Es wäre nun durchaus im Sinne der auf Talion aufgebauten poetischen Gerechtigkeit, wenn die Kinderlosigkeit Macbeths und die Unfruchtbarkeit seiner Lady die Strafe wären für ihre Verbrechen gegen die Heiligkeit der Generation, wenn Macbeth nicht Vater werden könnte, weil er den Kindern den Vater und dem Vater die Kinder geraubt, und wenn sich so an der Lady Macbeth die Entweibung vollzogen hätte, zu der sie die Geister des Mordes aufgerufen hat. Ich glaube, man verstünde ohneweiters die Erkrankung der Lady, die Verwandlung ihres Frevelmuts in Reue, als Reaktion auf ihre Kinderlosigkeit, durch die sie von ihrer Ohnmacht gegen die Satzungen der Natur überzeugt und gleichzeitig daran gemahnt wird, daß ihr Verbrechen durch ihr eigenes Verschulden um den besseren Teil seines Ertrags gebracht worden ist.

In der Chronik von Holinshed (1577), aus welcher Shakespeare den Stoff des *Macbeth* schöpfte, findet die Lady nur eine einzige Erwähnung als Ehrgeizige, die ihren Mann zum Morde aufstachelt, um selbst Königin zu werden. Von ihren weiteren Schicksalen und von einer Entwicklung ihres Charakters ist nicht die Rede. Dagegen scheint es, als ob dort die Wandlung im Charakter Macbeths zum blutigen Wüterich ähnlich motiviert werden sollte, wie wir es eben versucht haben. Denn bei Holinshed liegen zwischen dem Morde an Duncan, durch den Macbeth König wird, und seinen weiteren Missetaten *zehn Jahre*, in denen er sich als strenger, aber gerechter Herrscher erweist. Erst nach diesem Zeitraume tritt bei ihm die Änderung ein, unter dem Einflusse der quälenden Befürchtung, daß die Banquo erteilte Prophezeiung sich ebenso erfüllen könne wie die seines eigenen Schicksals. Nun erst läßt er Banquo töten und wird wie bei Shakespeare von einem Verbrechen zum andern fortgerissen. Es wird auch bei Holinshed nicht ausdrücklich gesagt, daß es seine Kinderlosigkeit ist, welche ihn auf diesen Weg treibt, aber es bleibt Zeit und Raum für diese naheliegende Motivierung. Anders bei Shakespeare. In atemraubender Hast jagen in der Tragödie die Ereignisse an uns vorüber, so daß sich aus den Angaben der Personen im Stücke etwa *eine Woche* als die Zeitdauer ihres Ablaufes berechnen läßt[1]. Durch diese Beschleunigung wird all unseren Konstruktionen über die Motivierung des Umschwungs im Charakter Macbeths und seiner Lady der Boden entzogen. Es fehlt die Zeit, innerhalb welcher die fortgesetzte Enttäuschung der Kinderhoffnung das Weib zermürben und den Mann in trotzige Raserei treiben könnte, und es bleibt der Widerspruch bestehen, daß so viele feine Zusammenhänge innerhalb des Stückes und zwischen ihm und seinem Anlaß ein Zusammentreffen im Motiv der Kinderlosigkeit anstreben, während die zeitliche Ökonomie der Tragödie eine Charakterentwicklung aus anderen als den innerlichsten Motiven ausdrücklich ablehnt.

Welches aber diese Motive sein können, die in so kurzer Zeit aus dem zaghaften Ehrgeizigen einen hemmungslosen Wüterich und aus der stahlharten Anstifterin eine von Reue zerknirschte Kranke machen, das läßt sich meines Erachtens nicht erraten. Ich meine, wir müssen darauf verzichten, das dreifach geschichtete Dunkel zu durchdringen, zu dem sich die schlechte Erhaltung des Textes, die unbekannte Intention des Dichters und der geheime Sinn der Sage hier verdichtet haben. Ich

---

[1] Darmstetter (1881, LXXV).

möchte es auch nicht gelten lassen, daß jemand einwende, solche Untersuchungen seien müßig angesichts der großartigen Wirkung, die die Tragödie auf den Zuschauer ausübt. Der Dichter kann uns zwar durch seine Kunst während der Darstellung überwältigen und unser Denken dabei lähmen, aber er kann uns nicht daran hindern, daß wir uns nachträglich bemühen, diese Wirkung aus ihrem psychologischen Mechanismus zu begreifen. Auch die Bemerkung, es stehe dem Dichter frei, die natürliche Zeitfolge der von ihm vorgeführten Begebenheiten in beliebiger Weise zu verkürzen, wenn er durch das Opfer der gemeinen Wahrscheinlichkeit eine Steigerung des dramatischen Effekts erzielen kann, scheint mir hier nicht an ihrem Platze. Denn ein solches Opfer ist doch nur zu rechtfertigen, wo es bloß die Wahrscheinlichkeit stört [1], aber nicht, wo es die kausale Verknüpfung aufhebt, und der dramatischen Wirkung wäre kaum Abbruch geschehen, wenn der Zeitablauf unbestimmt gelassen wäre, anstatt durch ausdrückliche Äußerungen auf wenige Tage eingeengt zu werden.

Es fällt so schwer, ein Problem wie das des *Macbeth* als unlösbar zu verlassen, daß ich noch den Versuch wage, eine Bemerkung anzufügen, die nach einem neuen Ausweg weist. Ludwig Jekels hat kürzlich in einer Shakespeare-Studie [2] ein Stück der Technik des Dichters zu erraten geglaubt, welches auch für *Macbeth* in Betracht kommen könnte. Er meint, daß Shakespeare häufig einen Charakter in zwei Personen zerlegt, von denen dann jede unvollkommen begreiflich erscheint, solange man sie nicht mit der anderen wiederum zur Einheit zusammensetzt. So könnte es auch mit Macbeth und der Lady sein, und dann würde es natürlich zu nichts führen, wollte man sie als selbständige Person fassen und nach der Motivierung ihrer Umwandlung forschen, ohne auf den sie ergänzenden Macbeth Rücksicht zu nehmen. Ich folge dieser Spur nicht weiter, aber ich will doch anführen, was in so auffälliger Weise diese Auffassung stützt, daß die Angstkeime, die in der Mordnacht bei Macbeth hervorbrechen, nicht bei ihm, sondern bei der Lady zur Entwicklung gelangen [3]. Er ist es, der vor der Tat die Halluzination des Dolches gehabt hat, aber sie, die später der geistigen Erkrankung verfällt; er hat nach

---

[1] Wie in der Werbung Richards III. um Anna an der Bahre des von ihm ermordeten Königs.
[2] [Diese scheint nicht gedruckt vorzuliegen. In einer späteren Arbeit über *Macbeth* (1917) zitiert Jekels zwar den obigen Absatz, erwähnt diese Theorie jedoch kaum. In einer noch späteren Arbeit, ›Zur Psychologie der Komödie‹ (1926), kommt Jekels dann noch einmal auf das Thema zurück, aber wiederum nur kurz.]
[3] Vgl. Darmstetter, l. c.

dem Morde im Hause schreien gehört: Schlaft nicht mehr, Macbeth
mordet den Schlaf und also soll Macbeth nicht mehr schlafen, aber wir
vernehmen nichts davon, daß König Macbeth nicht mehr schläft, während wir sehen, daß die Königin aus ihrem Schlafe aufsteht und nacht-
wandelnd ihre Schuld verrät; er stand hilflos da mit blutigen Händen
und klagte, daß all des Meergottes Flut nicht reinwasche seine Hand; sie
tröstete damals: Ein wenig Wasser spült uns ab die Tat, aber dann ist
sie es, die eine Viertelstunde lang ihre Hände wäscht und die Befleckung
des Blutes nicht beseitigen kann. »Alle Wohlgerüche Arabiens machen
nicht süßduftend diese kleine Hand.« (Akt V, Szene 1.) So erfüllt sich
an ihr, was er in seiner Gewissensangst gefürchtet; sie wird die Reue
nach der Tat, er wird der Trotz, sie erschöpfen miteinander die Möglichkeiten der Reaktion auf das Verbrechen, wie zwei uneinige Anteile einer
einzigen psychischen Individualität und vielleicht Nachbilder eines einzigen Vorbildes.

Haben wir an der Gestalt der Lady Macbeth die Frage nicht beantworten können, warum sie nach dem Erfolge als Kranke zusammenbricht, so
winkt uns vielleicht eine bessere Aussicht bei der Schöpfung eines anderen großen Dramatikers, der die Aufgabe der psychologischen Rechenschaft mit unnachsichtiger Strenge zu verfolgen liebt.

Rebekka Gamvik, die Tochter einer Hebamme, ist von ihrem Adoptiv-
vater Doktor West zur Freidenkerin und Verächterin jener Fesseln erzogen worden, welche eine auf religiösem Glauben gegründete Sittlichkeit den Lebenswünschen anlegen möchte. Nach dem Tode des Doktors
verschafft sie sich Aufnahme in Rosmersholm, dem Stammsitze eines
alten Geschlechtes, dessen Mitglieder das Lachen nicht kennen und die
Freude einer starren Pflichterfüllung geopfert haben. Auf Rosmersholm
hausen der Pastor Johannes Rosmer und seine kränkliche, kinderlose
Gattin Beate. »Von wildem, unbezwinglichem Gelüst« nach der Liebe
des adeligen Mannes ergriffen, beschließt Rebekka, die Frau, die ihr im
Wege steht, wegzuräumen, und bedient sich dabei ihres »mutigen, freigeborenen«, durch keine Rücksichten gehemmten Willens. Sie spielt ihr
ein ärztliches Buch in die Hand, in dem die Kindererzeugung als der
Zweck der Ehe hingestellt wird, so daß die Arme an der Berechtigung
ihrer Ehe irrewird, sie läßt sie erraten, daß Rosmer, dessen Lektüre und
Gedankengänge sie teilt, im Begriffe ist, sich vom alten Glauben loszu-
machen und die Partei der Aufklärung zu nehmen, und nachdem sie so
das Vertrauen der Frau in die sittliche Verläßlichkeit ihres Mannes erschüttert hat, gibt sie ihr endlich zu verstehen, daß sie selbst, Rebekka,

bald das Haus verlassen wird, um die Folgen eines unerlaubten Verkehrs mit Rosmer zu verheimlichen. Der verbrecherische Plan gelingt. Die arme Frau, die für schwermütig und unzurechnungsfähig gegolten hat, stürzt sich vom Mühlensteg herab ins Wasser, im Gefühle des eigenen Unwertes und um dem Glücke des geliebten Mannes nicht im Wege zu sein.

Seit Jahr und Tag leben nun Rebekka und Rosmer allein auf Rosmersholm in einem Verhältnis, welches er für eine rein geistige und ideelle Freundschaft halten will. Als aber von außen her die ersten Schatten der Nachrede auf dieses Verhältnis fallen und gleichzeitig quälende Zweifel in Rosmer rege gemacht werden, aus welchen Motiven seine Frau in den Tod gegangen ist, bittet er Rebekka, seine zweite Frau zu werden, um der traurigen Vergangenheit eine neue lebendige Wirklichkeit entgegenstellen zu können. (Akt II.) Sie jubelt bei diesem Antrage einen Augenblick lang auf, aber schon im nächsten erklärt sie, es sei unmöglich, und wenn er weiter in sie dringe, werde sie »den Weg gehen, den Beate gegangen ist«. Verständnislos nimmt Rosmer die Abweisung entgegen; noch unverständlicher aber ist sie für uns, die wir mehr von Rebekkas Tun und Absichten wissen. Wir dürfen bloß nicht daran zweifeln, daß ihr Nein ernst gemeint ist.

Wie konnte es kommen, daß die Abenteurerin mit dem mutigen, freigeborenen Willen, die sich ohne jede Rücksicht den Weg zur Verwirklichung ihrer Wünsche gebahnt, nun nicht zugreifen will, da ihr angeboten wird, die Frucht des Erfolges zu pflücken? Sie gibt uns selbst die Aufklärung im vierten Akt: »Das ist doch eben das Furchtbare, jetzt, da alles Glück der Welt mir mit vollen Händen geboten wird – jetzt bin ich eine solche geworden, daß meine eigene Vergangenheit mir den Weg zum Glück versperrt.« Sie ist also eine andere geworden unterdes, ihr Gewissen ist erwacht, sie hat ein Schuldbewußtsein bekommen, welches ihr den Genuß versagt.

Und wodurch wurde ihr Gewissen geweckt? Hören wir sie selbst und überlegen wir dann, ob wir ihr voll Glauben schenken dürfen: »Es ist die Lebensanschauung des Hauses Rosmer – oder wenigstens deine Lebensanschauung –, die meinen Willen angesteckt hat... Und ihn krank gemacht hat. Ihn geknechtet hat mit Gesetzen, die früher für mich nicht gegolten haben. Das Zusammenleben mit dir – du, das hat meinen Sinn geadelt.«

Dieser Einfluß, ist hinzuzunehmen, hat sich erst geltend gemacht, als sie mit Rosmer allein zusammenleben durfte: »– in Stille – in Einsamkeit –

als du mir deine Gedanken alle ohne Vorbehalt gabst – eine jegliche Stimmung, so weich und so fein wie du sie fühltest –, da trat die große Umwandlung ein.«

Kurz vorher hatte sie die andere Seite dieser Wandlung beklagt: »Weil Rosmersholm mir die Kraft genommen hat, hier ist mein mutiger Wille gelähmt worden. Und verschandelt! Für mich ist die Zeit vorbei, da ich alles und jedes wagen durfte. Ich habe die Energie zum Handeln verloren, Rosmer.«

Diese Erklärung gibt Rebekka, nachdem sie sich durch ein freiwilliges Geständnis vor Rosmer und dem Rektor Kroll, dem Bruder der von ihr beseitigten Frau, als Verbrecherin bloßgestellt hat. Ibsen hat durch kleine Züge von meisterhafter Feinheit festgelegt, daß diese Rebekka nicht lügt, aber auch nie ganz aufrichtig ist. Wie sie trotz aller Freiheit von Vorurteilen ihr Alter um ein Jahr herabgesetzt hat, so ist auch ihr Geständnis vor den beiden Männern unvollständig und wird durch das Drängen Krolls in einigen wesentlichen Punkten ergänzt. Auch uns bleibt die Freiheit anzunehmen, daß die Aufklärung ihres Verzichts das eine nur preisgibt, um ein anderes zu verschweigen.

Gewiß, wir haben keinen Grund, ihrer Aussage zu mißtrauen, daß die Luft auf Rosmersholm, ihr Umgang mit dem edlen Rosmer, veredelnd und – lähmend auf sie gewirkt hat. Sie sagt damit, was sie weiß und empfunden hat. Aber es brauchte nicht alles zu sein, was in ihr vorgegangen ist; auch ist es nicht notwendig, daß sie sich über alles Rechenschaft geben konnte. Der Einfluß Rosmers konnte auch nur ein Deckmantel sein, hinter dem sich eine andere Wirkung verbirgt, und nach dieser anderen Richtung weist ein bemerkenswerter Zug.

Noch nach ihrem Geständnis, in der letzten Unterredung, die das Stück beendet, bittet sie Rosmer nochmals, seine Frau zu werden. Er verzeiht ihr, was sie aus Liebe zu ihm verbrochen hat. Und nun antwortet sie nicht, was sie sollte, daß keine Verzeihung ihr das Schuldgefühl nehmen könne, das sie durch den tückischen Betrug an der armen Beate erworben, sondern sie belastet sich mit einem anderen Vorwurf, der uns bei der Freidenkerin fremdartig berühren muß, keinesfalls die Stelle verdient, an die er von Rebekka gesetzt wird: »Ach, mein Freund – komm nie wieder darauf! Es ist ein Ding der Unmöglichkeit –! Denn du mußt wissen, Rosmer, ich habe eine Vergangenheit.« Sie will natürlich andeuten, daß sie sexuelle Beziehungen zu einem anderen Manne gehabt hat, und wir wollen uns merken, daß ihr diese Beziehungen zu einer Zeit, da sie frei und niemandem verantwortlich war, ein stärkeres Hindernis der Vereinigung mit Rosmer dünken als ihr wirklich verbrecherisches Benehmen gegen seine Frau.

Rosmer lehnt es ab, von dieser Vergangenheit zu hören. Wir können sie erraten, obwohl alles, was dahin weist, im Stücke sozusagen unterirdisch bleibt und aus Andeutungen erschlossen werden muß. Aus Andeutungen freilich, die mit solcher Kunst eingefügt sind, daß ein Mißverständnis derselben unmöglich wird.

Zwischen Rebekkas erster Ablehnung und ihrem Geständnis geht etwas vor, was von entscheidender Bedeutung für ihr weiteres Schicksal ist. Der Rektor Kroll besucht sie, um sie durch die Mitteilung zu demütigen, er wisse, daß sie ein illegitimes Kind sei, die Tochter eben jenes Doktors West, der sie nach dem Tode ihrer Mutter adoptiert hat. Der Haß hat seinen Spürsinn geschärft, aber er meint nicht, ihr damit etwas Neues zu sagen. »In der Tat, ich meinte, Sie wüßten ganz genau Bescheid. Es wäre doch sonst recht merkwürdig gewesen, daß Sie sich von Dr. West adoptieren ließen –.« »Und da nimmt er Sie zu sich – gleich nach dem Tode Ihrer Mutter. Er behandelt Sie hart. Und doch bleiben Sie bei ihm. Sie wissen, daß er Ihnen nicht einen Pfennig hinterlassen wird. Sie haben ja auch nur eine Kiste Bücher bekommen. Und doch halten Sie bei ihm aus. Ertragen seine Launen. Pflegen ihn bis zum letzten Augenblick.« – »Was Sie für ihn getan haben, das leite ich aus dem natürlichen Instinkt der Tochter her. Ihr ganzes übriges Auftreten halte ich für ein natürliches Ergebnis Ihrer Herkunft.«

Aber Kroll war im Irrtum. Rebekka hatte nichts davon gewußt, daß sie die Tochter des Dr. West sein sollte. Als Kroll mit dunklen Anspielungen auf ihre Vergangenheit begann, mußte sie annehmen, er meine etwas anderes. Nachdem sie begriffen hat, worauf er sich bezieht, kann sie noch eine Weile ihre Fassung bewahren, denn sie darf glauben, daß ihr Feind seiner Berechnung jenes Alter zugrunde gelegt hat, das sie ihm bei einem früheren Besuche fälschlich angegeben. Aber nachdem Kroll diese Einwendung siegreich zurückgewiesen: »Mag sein. Aber die Rechnung mag dennoch richtig sein, denn ein Jahr, ehe er angestellt wurde, ist West dort oben vorübergehend zu Besuch gewesen«, nach dieser neuen Mitteilung verliert sie jeden Halt. »Das ist nicht wahr.« – Sie geht umher und ringt die Hände: »Es ist unmöglich. Sie wollen mir das bloß einreden. Das kann ja nun und nimmermehr wahr sein. Kann nicht wahr sein! Nun und nimmermehr –!« Ihre Ergriffenheit ist so arg, daß Kroll sie nicht auf seine Mitteilung zurückzuführen vermag.

Kroll: »Aber, meine Liebe – warum um Gottes willen, werden Sie denn so heftig? Sie machen mir geradezu Angst? Was soll ich glauben und denken –!«

Rebekka: »Nichts. Sie sollen weder etwas glauben noch etwas denken.«

Kroll: »Dann müßten Sie mir aber wirklich erklären, warum Sie sich diese Sache – diese Möglichkeit so zu Herzen nehmen.«

Rebekka (faßt sich wieder): »Das ist doch sehr einfach, Herr Rektor. Ich habe doch keine Lust, für ein uneheliches Kind zu gelten.«

Das Rätsel im Benehmen Rebekkas läßt nur eine Lösung zu. Die Mitteilung, daß Dr. West ihr Vater sein kann, ist der schwerste Schlag, der sie betreffen konnte, denn sie war nicht nur die Adoptivtochter, sondern auch die Geliebte dieses Mannes. Als Kroll seine Reden begann, meinte sie, er wolle auf diese Beziehungen anspielen, die sie wahrscheinlich unter Berufung auf ihre Freiheit einbekannt hätte. Aber das lag dem Rektor ferne; er wußte nichts von dem Liebesverhältnis mit Dr. West, wie sie nichts von dessen Vaterschaft. Nichts anderes als dieses Liebesverhältnis *kann* sie im Sinne haben, wenn sie bei der letzten Weigerung gegen Rosmer vorschützt, sie habe eine Vergangenheit, die sie unwürdig mache, seine Frau zu werden. Wahrscheinlich hätte sie Rosmer, wenn er gewollt hätte, auch nur die eine Hälfte ihres Geheimnisses mitgeteilt und den schwereren Anteil desselben verschwiegen.

Aber nun verstehen wir freilich, daß diese Vergangenheit ihr als das schwerere Hindernis der Eheschließung erscheint, als das schwerere – Verbrechen.

Nachdem sie erfahren hat, daß sie die Geliebte ihres eigenen Vaters gewesen ist, unterwirft sie sich ihrem jetzt übermächtig hervorbrechenden Schuldgefühl. Sie legt vor Rosmer und Kroll das Geständnis ab, durch das sie sich zur Mörderin stempelt, verzichtet endgültig auf das Glück, zu dem sie sich durch Verbrechen den Weg gebahnt hatte, und rüstet zur Abreise. Aber das eigentliche Motiv ihres Schuldbewußtseins, welches sie am Erfolge scheitern läßt, bleibt geheim. Wir haben gesehen, es ist noch etwas ganz anderes als die Atmosphäre von Rosmersholm und der sittigende Einfluß Rosmers.

Wer uns so weit gefolgt ist, wird jetzt nicht versäumen, einen Einwand vorzubringen, der dann manchen Zweifel rechtfertigen kann. Die erste Abweisung Rosmers durch Rebekka erfolgt ja vor dem zweiten Besuch Krolls, also vor seiner Aufdeckung ihrer unehelichen Geburt, und zu einer Zeit, da sie um ihren Inzest noch nicht weiß – wenn wir den Dichter richtig verstanden haben. Doch ist diese Abweisung energisch und ernst gemeint. Das Schuldbewußtsein, das sie auf den Gewinn aus ihren

Taten verzichten heißt, ist also schon vor ihrer Kenntnis um ihr Kapital-
verbrechen wirksam, und wenn wir so viel zugeben, dann ist der Inzest
als Quelle des Schuldbewußtseins vielleicht überhaupt zu streichen.

Wir haben bisher Rebekka West behandelt, als wäre sie eine lebende
Person und nicht eine Schöpfung der von dem kritischsten Verstand ge-
leiteten Phantasie des Dichters Ibsen. Wir dürfen versuchen, bei der Erledigung dieses Einwandes denselben Standpunkt festzuhalten. Der Einwand ist gut, ein Stück Gewissen war auch vor der Kenntnis des Inzests
bei Rebekka erwacht. Es steht nichts im Wege, für diese Wandlung den
Einfluß verantwortlich zu machen, den Rebekka selbst anerkennt und
anklagt. Aber damit kommen wir von der Anerkennung des zweiten
Motivs nicht frei. Das Benehmen Rebekkas bei der Mitteilung des
Rektors, ihre unmittelbar darauffolgende Reaktion durch das Geständnis lassen keinen Zweifel daran, daß erst jetzt das stärkere und das entscheidende Motiv des Verzichts in Wirkung tritt. Es liegt eben ein Fall
von mehrfacher Motivierung vor, bei dem hinter dem oberflächlicheren
Motiv ein tieferes zum Vorschein kommt. Gebote der poetischen Ökonomie hießen den Fall so gestalten, denn dies tiefere Motiv sollte nicht
laut erörtert werden, es mußte gedeckt bleiben, der bequemen Wahrnehmung des Zuhörers im Theater oder des Lesers entzogen, sonst hätten
sich bei diesem schwere Widerstände erhoben, auf die peinlichsten Gefühle begründet, welche die Wirkung des Schauspiels in Frage stellen
könnten.

Mit Recht dürfen wir aber verlangen, daß das vorgeschobene Motiv
nicht ohne inneren Zusammenhang mit dem von ihm gedeckten sei,
sondern sich als eine Milderung und Ableitung aus dem letzteren er-
weise. Und wenn wir dem Dichter zutrauen dürfen, daß seine bewußte
poetische Kombination folgerichtig aus unbewußten Voraussetzungen
hervorgegangen ist, so können wir auch den Versuch machen zu zeigen,
daß er diese Forderung erfüllt hat. Rebekkas Schuldbewußtsein entspringt aus der Quelle des Inzestvorwurfs, noch ehe der Rektor ihr
diesen mit analytischer Schärfe zum Bewußtsein gebracht hat. Wenn
wir ausführend und ergänzend ihre vom Dichter angedeutete Vergangenheit rekonstruieren, so werden wir sagen, sie kann nicht ohne Ahnung der intimen Beziehung zwischen ihrer Mutter und dem Doktor
West gewesen sein. Es muß ihr einen großen Eindruck gemacht haben,
als sie die Nachfolgerin der Mutter bei diesem Manne wurde, und sie
stand unter der Herrschaft des Ödipus-Komplexes, auch wenn sie nicht
wußte, daß diese allgemeine Phantasie in ihrem Falle zur Wirklichkeit

geworden war. Als sie nach Rosmersholm kam, trieb sie die innere Gewalt jenes ersten Erlebnisses dazu an, durch tatkräftiges Handeln dieselbe Situation herbeizuführen, die sich das erstemal ohne ihr Dazutun verwirklicht hatte, die Frau und Mutter zu beseitigen, um beim Manne und Vater ihre Stelle einzunehmen. Sie schildert mit überzeugender Eindringlichkeit, wie sie gegen ihren Willen genötigt wurde, Schritt um Schritt zur Beseitigung Beatens zu tun.

»Aber glaubt Ihr denn, ich ging und handelte mit kühler Überlegung! Damals war ich doch nicht, was ich heute bin, wo ich vor Euch stehe und erzähle. Und dann gibt es doch auch, sollte ich meinen, zwei Arten Willen in einem Menschen. Ich wollte Beate weg haben! Auf irgendeine Art. Aber ich glaubte doch nicht, es würde jemals dahin kommen. Bei jedem Schritt, den es mich reizte, vorwärts zu wagen, war es mir, als schrie etwas in mir: Nun nicht weiter! Keinen Schritt mehr! – Und doch konnte ich es nicht lassen. Ich mußte noch ein winziges Spürchen weiter. Und noch ein einziges Spürchen. Und dann noch eins – und immer noch eins –. Und so ist es geschehen. Auf diese Weise geht so etwas vor sich.«

Das ist nicht Beschönigung, sondern wahrhafte Rechenschaft. Alles, was auf Rosmersholm mit ihr vorging, die Verliebtheit in Rosmer und die Feindseligkeit gegen seine Frau, war bereits Erfolg des Ödipus-Komplexes, erzwungene Nachbildung ihres Verhältnisses zu ihrer Mutter und zu Dr. West.

Und darum ist das Schuldgefühl, das sie zuerst die Werbung Rosmers abweisen läßt, im Grunde nicht verschieden von jenem größeren, das sie nach der Mitteilung Krolls zum Geständnis zwingt. Wie sie aber unter dem Einfluß des Dr. West zur Freidenkerin und Verächterin der religiösen Moral geworden war, so wandelte sie sich durch die neue Liebe zu Rosmer zum Gewissens- und Adelsmenschen. Soviel verstand sie selbst von ihren inneren Vorgängen, und darum durfte sie mit Recht den Einfluß Rosmers als das ihr zugänglich gewordene Motiv ihrer Änderung bezeichnen.

Der psychoanalytisch arbeitende Arzt weiß, wie häufig oder wie regelmäßig das Mädchen, welches als Dienerin, Gesellschafterin, Erzieherin in ein Haus eintritt, dort bewußt oder unbewußt am Tagtraum spinnt, dessen Inhalt dem Ödipus-Komplex entnommen ist, daß die Frau des Hauses irgendwie wegfallen und der Herr an deren Stelle sie zur Frau nehmen wird. *Rosmersholm* ist das höchste Kunstwerk der Gattung, welche diese alltägliche Phantasie der Mädchen behandelt. Es wird eine tragische Dichtung durch den Zusatz, daß dem Tagtraum der Heldin

die ganz entsprechende Wirklichkeit in ihrer Vorgeschichte voraus-
gegangen ist[1].

Nach langem Aufenthalte bei der Dichtung kehren wir nun zur ärztlichen Erfahrung zurück. Aber nur, um mit wenigen Worten die volle
Übereinstimmung beider festzustellen. Die psychoanalytische Arbeit
lehrt, daß die Gewissenskräfte, welche am Erfolg erkranken lassen anstatt wie sonst an der Versagung, in intimer Weise mit dem Ödipus-
Komplex zusammenhängen, mit dem Verhältnis zu Vater und Mutter,
wie vielleicht unser Schuldbewußtsein überhaupt[2].

---

[1] Der Nachweis des Inzestthemas in *Rosmersholm* ist bereits mit denselben Mitteln wie
hier in dem überaus reichhaltigen Werke von O. Rank, *Das Inzestmotiv in Dichtung
und Sage*, 1912, erbracht worden.

[2] [Fast zwanzig Jahre später verglich Freud in seinem offenen Brief an Romain
Rolland, in dem er seinen ersten Besuch der Akropolis in Athen beschreibt (1936 a), das
Gefühl, es sei ›too good to be true‹, mit der in der vorliegenden Arbeit analysierten
Situation.]

DIE VERBRECHER AUS SCHULDBEWUSSTSEIN

In den Mitteilungen über ihre Jugend, besonders über die Jahre der Vorpubertät, haben mir oft später sehr anständige Personen von unerlaubten Handlungen berichtet, die sie sich damals hatten zuschulden kommen lassen, von Diebstählen, Betrügereien und selbst Brandstiftungen. Ich pflegte über diese Angaben mit der Auskunft hinwegzugehen, daß die Schwäche der moralischen Hemmungen in dieser Lebenszeit bekannt sei, und versuchte nicht, sie in einen bedeutsameren Zusammenhang einzureihen. Aber endlich wurde ich durch grelle und günstigere Fälle, bei denen solche Vergehen begangen wurden, während die Kranken sich in meiner Behandlung befanden, und wo es sich um Personen jenseits jener jungen Jahre handelte, zum gründlicheren Studium solcher Vorfälle aufgefordert. Die analytische Arbeit brachte dann das überraschende Ergebnis, daß solche Taten vor allem darum vollzogen wurden, weil sie verboten und weil mit ihrer Ausführung eine seelische Erleichterung für den Täter verbunden war. Er litt an einem drückenden Schuldbewußtsein unbekannter Herkunft, und nachdem er ein Vergehen begangen hatte, war der Druck gemildert. Das Schuldbewußtsein war wenigstens irgendwie untergebracht.

So paradox es klingen mag, ich muß behaupten, daß das Schuldbewußtsein früher da war als das Vergehen, daß es nicht aus diesem hervorging, sondern umgekehrt das Vergehen aus dem Schuldbewußtsein. Diese Personen durfte man mit gutem Recht als Verbrecher aus Schuldbewußtsein bezeichnen. Die Präexistenz des Schuldgefühls hatte sich natürlich durch eine ganze Reihe von anderen Äußerungen und Wirkungen nachweisen lassen.

Die Feststellung eines Kuriosums setzt der wissenschaftlichen Arbeit aber kein Ziel. Es sind zwei weitere Fragen zu beantworten, woher das dunkle Schuldgefühl vor der Tat stammt und ob es wahrscheinlich ist, daß eine solche Art der Verursachung an den Verbrechen der Menschen einen größeren Anteil hat.

Die Verfolgung der ersten Frage versprach eine Auskunft über die Quelle des menschlichen Schuldgefühls überhaupt. Das regelmäßige Ergebnis der analytischen Arbeit lautete, daß dieses dunkle Schuldgefühl aus dem Ödipus-Komplex stamme, eine Reaktion sei auf die beiden großen verbrecherischen Absichten, den Vater zu töten und mit der

Mutter sexuell zu verkehren. Im Vergleich mit diesen beiden waren allerdings die zur Fixierung des Schuldgefühls begangenen Verbrechen Erleichterungen für den Gequälten. Man muß sich hier daran erinnern, daß Vatermord und Mutterinzest die beiden großen Verbrechen der Menschen sind, die einzigen, die in primitiven Gesellschaften als solche verfolgt und verabscheut werden. Auch daran, wie nahe wir durch andere Untersuchungen der Annahme gekommen sind, daß die Menschheit ihr Gewissen, das nun als vererbte Seelenmacht auftritt, am *Ödipus-Komplex* erworben hat.

Die Beantwortung der zweiten Frage geht über die psychoanalytische Arbeit hinaus. Bei Kindern kann man ohneweiters beobachten, daß sie »schlimm« werden, um Strafe zu provozieren, und nach der Bestrafung beruhigt und zufrieden sind. Eine spätere analytische Untersuchung führt oft auf die Spur des Schuldgefühls, welches sie die Strafe suchen hieß. Von den erwachsenen Verbrechern muß man wohl alle die abziehen, die ohne Schuldgefühl Verbrechen begehen, die entweder keine moralischen Hemmungen entwickelt haben oder sich im Kampf mit der Gesellschaft zu ihrem Tun berechtigt glauben. Aber bei der Mehrzahl der anderen Verbrecher, bei denen, für die die Strafsatzungen eigentlich gemacht sind, könnte eine solche Motivierung des Verbrechens sehr wohl in Betracht kommen, manche dunkle Punkte in der Psychologie des Verbrechers erhellen und der Strafe eine neue psychologische Fundierung geben.

Ein Freund hat mich dann darauf aufmerksam gemacht, daß der »Verbrecher aus Schuldgefühl« auch Nietzsche bekannt war. Die Präexistenz des Schuldgefühls und die Verwendung der Tat zur Rationalisierung desselben schimmern uns aus den Reden [1] Zarathustras »Über den bleichen Verbrecher« entgegen. Überlassen wir es zukünftiger Forschung zu entscheiden, wieviele von den Verbrechern zu diesen »bleichen« zu rechnen sind.

---

[1] [In den Ausgaben vor 1924: »dunklen Reden«. – Schon in der Falldarstellung des »Kleinen Hans« (1909 *b*), *Studienausgabe*, Bd. 8, 41, und ferner in der des »Wolfsmannes« (1918 *b*), ibid., 147, klingt die Vorstellung an, Schuldgefühle könnten ein Motiv für die Missetat sein. Die letztere Arbeit wurde zwar später als der vorliegende Essay veröffentlicht, ihre Niederschrift erfolgte jedoch zum größten Teil schon im Jahr davor.]

Eine Kindheitserinnerung aus *Dichtung und Wahrheit*

(1917)

EDITORISCHE VORBEMERKUNG

Deutsche Ausgaben:

1917 *Imago*, Bd. 5 (2), 49–57.

1918 *S. K. S. N.*, Bd. 4, 564–77 (2. Aufl. 1922).

1924 *G. S.*, Bd. 10, 357–68.

1924 *Dichtung und Kunst*, 87–98.

1947 *G. W.*, Bd. 12, 15–26.

Diese Arbeit geht auf zwei Vorträge zurück, die Freud vor der Wiener Psychoanalytischen Vereinigung hielt: den ersten Teil am 13. Dezember 1916, den zweiten am 18. April 1917. Die eigentliche Niederschrift erfolgte erst im September 1917 in der Eisenbahn, bei der Rückkehr Freuds von seinen Sommerferien in der Tatra. Das genaue Veröffentlichungsdatum ist unsicher, da die Zeitschrift *Imago* wegen der Kriegsumstände damals sehr unregelmäßig erschien. Eine Zusammenfassung seiner Schlußfolgerungen findet sich in einer langen Anmerkung, die Freud 1919 dem Kapitel II seiner Studie über ›Eine Kindheitserinnerung des Leonardo da Vinci‹ (im vorliegenden Band, S. 111) hinzufügte.

»Wenn man sich erinnern will, was uns in der frühesten Zeit der Kindheit[1] begegnet ist, so kommt man oft in den Fall, dasjenige, was wir von andern gehört, mit dem zu verwechseln, was wir wirklich aus eigener anschauender Erfahrung besitzen.« Diese Bemerkung macht Goethe auf einem der ersten Blätter der Lebensbeschreibung, die er im Alter von sechzig Jahren aufzuzeichnen begann. Vor ihr stehen nur einige Mitteilungen über seine »am 28. August 1749, mittags mit dem Glockenschlag zwölf« erfolgte Geburt. Die Konstellation der Gestirne war ihm günstig und mag wohl Ursache seiner Erhaltung gewesen sein, denn er kam »für tot« auf die Welt, und nur durch vielfache Bemühungen brachte man es dahin, daß er das Licht erblickte. Nach dieser Bemerkung folgt eine kurze Schilderung des Hauses und der Räumlichkeit, in welcher sich die Kinder – er und seine jüngere Schwester – am liebsten aufhielten. Dann aber erzählt Goethe eigentlich nur eine *einzige* Begebenheit, die man in die »früheste Zeit der Kindheit« (in die Jahre bis vier?) versetzen kann und an welche er eine eigene Erinnerung bewahrt zu haben scheint.

Der Bericht hierüber lautet: »und mich gewannen drei gegenüber wohnende Brüder von Ochsenstein, hinterlassene Söhne des verstorbenen Schultheißen, gar lieb, und beschäftigten und neckten sich mit mir auf mancherlei Weise.«

»Die Meinigen erzählten gern allerlei Eulenspiegeleien, zu denen mich jene sonst ernsten und einsamen Männer angereizt. Ich führe nur einen von diesen Streichen an. Es war eben Topfmarkt gewesen, und man hatte nicht allein die Küche für die nächste Zeit mit solchen Waren versorgt, sondern auch uns Kindern dergleichen Geschirr im kleinen zu spielender Beschäftigung eingekauft. An einem schönen Nachmittag, da alles ruhig im Hause war, trieb ich im Geräms« (der erwähnten, gegen die Straße gerichteten Örtlichkeit) »mit meinen Schüsseln und Töpfen mein Wesen, und da weiter nichts dabei herauskommen wollte, warf ich ein Geschirr auf die Straße und freute mich, daß es so lustig zerbrach. Die

---

[1] [»Jugend« in Goethes Original; einige kleine Korrekturen in den Goethe-Zitaten wurden entsprechend der Ausgabe des Insel Verlages von 1914 vorgenommen – *Goethes Werke,* hrsg. von Erich Schmidt, Bd. 5, S. 4.]

von Ochsenstein, welche sahen, wie ich mich daran ergötzte, daß ich so gar fröhlich in die Händchen patschte, riefen: Noch mehr! Ich säumte nicht, sogleich einen Topf und, auf immer fortwährendes Rufen: Noch mehr! nach und nach sämtliche Schüsselchen, Tiegelchen, Kännchen gegen das Pflaster zu schleudern. Meine Nachbarn fuhren fort, ihren Beifall zu bezeigen, und ich war höchlich froh, ihnen Vergnügen zu machen. Mein Vorrat aber war aufgezehrt, und sie riefen immer: Noch mehr! Ich eilte daher stracks in die Küche und holte die irdenen Teller, welche nun freilich im Zerbrechen ein noch lustigeres Schauspiel gaben; und so lief ich hin und wider, brachte einen Teller nach dem andern, wie ich sie auf dem Topfbrett der Reihe nach erreichen konnte, und weil sich jene gar nicht zufrieden gaben, so stürzte ich alles, was ich von Geschirr erschleppen konnte, in gleiches Verderben. Nur später erschien jemand, zu hindern und zu wehren. Das Unglück war geschehen, und man hatte für so viel zerbrochene Töpferware wenigstens eine lustige Geschichte, an der sich besonders die schalkischen Urheber bis an ihr Lebensende ergötzten.«

Dies konnte man in voranalytischen Zeiten ohne Anlaß zum Verweilen und ohne Anstoß lesen; aber später wurde das analytische Gewissen rege. Man hatte sich ja über Erinnerungen aus der frühesten Kindheit bestimmte Meinungen und Erwartungen gebildet, für die man gerne allgemeine Gültigkeit in Anspruch nahm. Es sollte nicht gleichgültig oder bedeutungslos sein, welche Einzelheit des Kindheitslebens sich dem allgemeinen Vergessen der Kindheit entzogen hatte. Vielmehr durfte man vermuten, daß dies im Gedächtnis Erhaltene auch das Bedeutsamste des ganzen Lebensabschnittes sei, und zwar entweder so, daß es solche Wichtigkeit schon zu seiner Zeit besessen oder anders, daß es sie durch den Einfluß späterer Erlebnisse nachträglich erworben habe.

Allerdings war die hohe Wertigkeit solcher Kindheitserinnerungen nur in seltenen Fällen offensichtlich. Meist erschienen sie gleichgültig, ja nichtig, und es blieb zunächst unverstanden, daß es gerade ihnen gelungen war, der Amnesie zu trotzen; auch wußte derjenige, der sie als sein eigenes Erinnerungsgut seit langen Jahren bewahrt hatte, sie so wenig zu würdigen wie der Fremde, dem er sie erzählte. Um sie in ihrer Bedeutsamkeit zu erkennen, bedurfte es einer gewissen Deutungsarbeit, die entweder nachwies, wie ihr Inhalt durch einen anderen zu ersetzen sei, oder ihre Beziehung zu anderen, unverkennbar wichtigen Erlebnissen aufzeigte, für welche sie als sogenannte *Deckerinnerungen* eingetreten waren.

In jeder psychoanalytischen Bearbeitung einer Lebensgeschichte gelingt es, die Bedeutung der frühesten Kindheitserinnerungen in solcher Weise aufzuklären. Ja, es ergibt sich in der Regel, daß gerade diejenige Erinnerung, die der Analysierte voranstellt, die er zuerst erzählt, mit der er seine Lebensbeichte einleitet, sich als die wichtigste erweist, als diejenige, welche die Schlüssel zu den Geheimfächern seines Seelenlebens in sich birgt [1]. Aber im Falle jener kleinen Kinderbegebenheit, die in *Dichtung und Wahrheit* erzählt wird, kommt unseren Erwartungen zu wenig entgegen. Die Mittel und Wege, die bei unseren Patienten zur Deutung führen, sind uns hier natürlich unzugänglich; der Vorfall an sich scheint einer aufspürbaren Beziehung zu wichtigen Lebenseindrücken späterer Zeit nicht fähig zu sein. Ein Schabernack zum Schaden der häuslichen Wirtschaft, unter fremdem Einfluß verübt, ist sicherlich keine passende Vignette für all das, was Goethe aus seinem reichen Leben mitzuteilen hat. Der Eindruck der vollen Harmlosigkeit und Beziehungslosigkeit will sich für diese Kindererinnerung behaupten, und wir mögen die Mahnung mitnehmen, die Anforderungen der Psychoanalyse nicht zu überspannen oder am ungeeigneten Orte vorzubringen.

So hatte ich denn das kleine Problem längst aus meinen Gedanken fallenlassen, als mir der Zufall einen Patienten zuführte, bei dem sich eine ähnliche Kindheitserinnerung in durchsichtigerem Zusammenhange ergab. Es war ein siebenundzwanzigjähriger, hochgebildeter und begabter Mann, dessen Gegenwart durch einen Konflikt mit seiner Mutter ausgefüllt war, der sich so ziemlich auf alle Interessen des Lebens erstreckte, unter dessen Wirkung die Entwicklung seiner Liebesfähigkeit und seiner selbständigen Lebensführung schwer gelitten hatte. Dieser Konflikt ging weit in die Kindheit zurück; man kann wohl sagen, bis in sein viertes Lebensjahr. Vorher war er ein sehr schwächliches, immer kränkelndes Kind gewesen, und doch hatten seine Erinnerungen diese üble Zeit zum Paradies verklärt, denn damals besaß er die uneingeschränkte, mit niemandem geteilte Zärtlichkeit der Mutter. Als er noch nicht vier Jahre war, wurde ein – heute noch lebender – Bruder geboren, und in der Reaktion auf diese Störung wandelte er sich zu einem eigensinnigen, unbotmäßigen Jungen, der unausgesetzt die Strenge der Mutter herausforderte. Er kam auch nie mehr in das richtige Geleise.

Als er in meine Behandlung trat – nicht zum mindesten darum, weil die bigotte Mutter die Psychoanalyse verabscheute – war die Eifersucht auf

---

[1] [Vgl. die Anmerkung im »Rattenmann« (1909*d*), am Anfang der Falldarstellung.]

den nachgeborenen Bruder, die sich seinerzeit selbst in einem Attentat auf den Säugling in der Wiege geäußert hatte, längst vergessen. Er behandelte jetzt seinen jüngeren Bruder sehr rücksichtsvoll, aber sonderbare Zufallshandlungen, durch die er sonst geliebte Tiere wie seinen Jagdhund oder sorgsam von ihm gepflegte Vögel plötzlich zu schwerem Schaden brachte, waren wohl als Nachklänge jener feindseligen Impulse gegen den kleinen Bruder zu verstehen.

Dieser Patient berichtete nun, daß er um die Zeit des Attentats gegen das ihm verhaßte Kind einmal alles ihm erreichbare Geschirr aus dem Fenster des Landhauses auf die Straße geworfen. Also dasselbe, was Goethe in *Dichtung und Wahrheit* aus seiner Kindheit erzählt! Ich bemerke, daß mein Patient von fremder Nationalität und nicht in deutscher Bildung erzogen war; er hatte Goethes Lebensbeschreibung niemals gelesen.

Diese Mitteilung mußte mir den Versuch nahelegen, die Kindheitserinnerungen Goethes in dem Sinne zu deuten, der durch die Geschichte meines Patienten unabweisbar geworden war. Aber waren in der Kindheit des Dichters die für solche Auffassung erforderlichen Bedingungen nachzuweisen? Goethe selbst macht zwar die Aneiferung der Herren von Ochsenstein für seinen Kinderstreich verantwortlich. Aber seine Erzählung selbst läßt erkennen, daß die erwachsenen Nachbarn ihn nur zur Fortsetzung seines Treibens aufgemuntert hatten. Den Anfang dazu hatte er spontan gemacht, und die Motivierung, die er für dies Beginnen gibt: »Da weiter nichts dabei (beim Spiele) herauskommen wollte«, läßt sich wohl ohne Zwang als Geständnis deuten, daß ihm ein wirksames Motiv seines Handelns zur Zeit der Niederschrift und wahrscheinlich auch lange Jahre vorher nicht bekannt war.

Es ist bekannt, daß Joh. Wolfgang und seine Schwester Cornelia die ältesten Überlebenden einer größeren, recht hinfälligen Kinderreihe waren. Dr. Hanns Sachs war so freundlich, mir die Daten zu verschaffen, die sich auf diese früh verstorbenen Geschwister Goethes beziehen.

Geschwister Goethes:

a) Hermann Jakob, getauft Montag, den 27. November 1752, erreichte ein Alter von sechs Jahren und sechs Wochen, beerdigt 13. Jänner 1759.

b) Katharina Elisabetha, getauft Montag, den 9. September 1754, beerdigt Donnerstag, den 22. Dezember 1755 (ein Jahr, vier Monate alt).

c) Johanna Maria, getauft Dienstag, den 29. März 1757, und beerdigt Samstag, den 11. August 1759 (zwei Jahre, vier Monate alt). (Dies war jedenfalls das von ihrem Bruder gerühmte sehr schöne und angenehme Mädchen.)

d) Georg Adolph, getauft Sonntag, den 15. Juni 1760; beerdigt, acht Monate alt, Mittwoch, den 18. Februar 1761.

Goethes nächste Schwester, Cornelia Friederica Christiana, war am 7. Dezember 1750 geboren, als er fünfviertel Jahre alt war. Durch diese geringe Altersdifferenz ist sie als Objekt der Eifersucht so gut wie ausgeschlossen. Man weiß, daß Kinder, wenn ihre Leidenschaften erwachen, niemals so heftige Reaktionen gegen die Geschwister entwickeln, welche sie vorfinden, sondern ihre Abneigung gegen die neu Ankommenden richten. Auch ist die Szene, um deren Deutung wir uns bemühen, mit dem zarten Alter Goethes bei oder bald nach der Geburt Cornelias unvereinbar.

Bei der Geburt des ersten Brüderchens Hermann Jakob war Joh. Wolfgang dreieinviertel Jahre alt. Ungefähr zwei Jahre später, als er etwa fünf Jahre alt war, wurde die zweite Schwester geboren. Beide Altersstufen kommen für die Datierung des Geschirrhinauswerfens in Betracht; die erstere verdient vielleicht den Vorzug, sie würde auch die bessere Übereinstimmung mit dem Falle meines Patienten ergeben, der bei der Geburt seines Bruders etwa dreidreiviertel Jahre zählte.

Der Bruder Hermann Jakob, auf den unser Deutungsversuch in solcher Art hingelenkt wird, war übrigens kein so flüchtiger Gast in der Goetheschen Kinderstube wie die späteren Geschwister. Man könnte sich verwundern, daß die Lebensgeschichte seines großen Bruders nicht ein Wörtchen des Gedenkens an ihn bringt[1]. Er wurde über sechs Jahre alt, und Joh. Wolfgang war nahe an zehn Jahre, als er starb. Dr. Ed. Hitschmann, der so freundlich war, mir seine Notizen über diesen Stoff zur Verfügung zu stellen, meint:

»Auch der kleine Goethe hat ein Brüderchen nicht ungern sterben gesehen. Wenigstens berichtete seine Mutter nach Bettina Brentanos Wiedererzählung folgendes: ›Sonderbar fiel es der Mutter auf, daß er bei

---

[1] (Zusatz 1924:) Ich bediene mich dieser Gelegenheit, um eine unrichtige Behauptung, die nicht hätte vorfallen sollen, zurückzunehmen. An einer späteren Stelle dieses ersten Buches wird der jüngere Bruder doch erwähnt und geschildert. Es geschieht bei der Erinnerung an die lästigen Kinderkrankheiten, unter denen auch dieser Bruder »nicht wenig litt«. »Er war von zarter Natur, still und eigensinnig, und wir hatten niemals ein eigentliches Verhältnis zusammen. Auch überlebte er kaum die Kinderjahre.«

dem Tod seines jüngeren Bruders Jakob, der sein Spielkamerad war, keine Träne vergoß, er schien vielmehr eine Art Ärger über die Klagen der Eltern und Geschwister zu haben; da die Mutter nun später den Trotzigen fragte, ob er den Bruder nicht lieb gehabt habe, lief er in seine Kammer, brachte unter dem Bett hervor eine Menge Papiere, die mit Lektionen und Geschichtchen beschrieben waren, er sagte ihr, daß er dies alles gemacht habe, um es dem Bruder zu lehren.‹ Der ältere Bruder hätte also immerhin gern Vater mit dem Jüngeren gespielt und ihm seine Überlegenheit gezeigt.«

Wir könnten uns also die Meinung bilden, das Geschirrhinauswerfen sei eine symbolische, oder sagen wir es richtiger: eine *magische* Handlung, durch welche das Kind (Goethe sowie mein Patient) seinen Wunsch nach Beseitigung des störenden Eindringlings zu kräftigem Ausdruck bringt. Wir brauchen das Vergnügen des Kindes beim Zerschellen der Gegenstände nicht zu bestreiten; wenn eine Handlung bereits an sich lustbringend ist, so ist dies keine Abhaltung, sondern eher eine Verlockung, sie auch im Dienste anderer Absichten zu wiederholen. Aber wir glauben nicht, daß es die Lust am Klirren und Brechen war, welche solchen Kinderstreichen einen dauernden Platz in der Erinnerung des Erwachsenen sichern konnte. Wir sträuben uns auch nicht, die Motivierung der Handlung um einen weiteren Beitrag zu komplizieren. Das Kind, welches das Geschirr zerschlägt, weiß wohl, daß es etwas Schlechtes tut, worüber die Erwachsenen schelten werden, und wenn es sich durch dieses Wissen nicht zurückhalten läßt, so hat es wahrscheinlich einen Groll gegen die Eltern zu befriedigen; es will sich schlimm zeigen.

Der Lust am Zerbrechen und am Zerbrochenen wäre auch Genüge getan, wenn das Kind die gebrechlichen Gegenstände einfach auf den Boden würfe. Die Hinausbeförderung durch das Fenster auf die Straße bliebe dabei ohne Erklärung. Dies »*Hinaus*« scheint aber ein wesentliches Stück der magischen Handlung zu sein und dem verborgenen Sinn derselben zu entstammen. Das neue Kind soll *fortgeschafft* werden, durchs Fenster möglicherweise darum, weil es durchs Fenster gekommen ist. Die ganze Handlung wäre dann gleichwertig jener uns bekanntgewordenen wörtlichen Reaktion eines Kindes, als man ihm mitteilte, daß der Storch ein Geschwisterchen gebracht. »Er soll es wieder mitnehmen«, lautete sein Bescheid[1].

Indes, wir verhehlen uns nicht, wie mißlich es – von allen inneren Un-

---

[1] [S. *Die Traumdeutung* (1900 a), Kapitel V (D), nahe dem Anfang des Abschnitts *β*.]

sicherheiten abgesehen – bleibt, die Deutung einer Kinderhandlung auf eine einzige Analogie zu begründen. Ich hatte darum auch meine Auffassung der kleinen Szene aus *Dichtung und Wahrheit* durch Jahre zurückgehalten. Da bekam ich eines Tages einen Patienten, der seine Analyse mit folgenden, wortgetreu fixierten Sätzen einleitete:

»Ich bin das älteste von acht oder neun Geschwistern [1]. Eine meiner ersten Erinnerungen ist, daß der Vater, in Nachtkleidung auf seinem Bette sitzend, mir lachend erzählt, daß ich einen Bruder bekommen habe. Ich war damals dreidreiviertel Jahre alt; so groß ist der Altersunterschied zwischen mir und meinem nächsten Bruder. Dann weiß ich, daß ich kurze Zeit nachher (oder war es ein Jahr vorher?) [2] einmal verschiedene Gegenstände, Bürsten – oder war es nur eine Bürste? – Schuhe und anderes aus dem Fenster auf die Straße geworfen habe. Ich habe auch noch eine frühere Erinnerung. Als ich zwei Jahre alt war, übernachtete ich mit den Eltern in einem Hotelzimmer in Linz auf der Reise ins Salzkammergut. Ich war damals so unruhig in der Nacht und machte ein solches Geschrei, daß mich der Vater schlagen mußte.«

Vor dieser Aussage ließ ich jeden Zweifel fallen. Wenn bei analytischer Einstellung zwei Dinge unmittelbar nacheinander, wie in einem Atem vorgebracht werden, so sollen wir diese Annäherung auf Zusammenhang umdeuten. Es war also so, als ob der Patient gesagt hätte: *Weil* ich erfahren, daß ich einen Bruder bekommen habe, habe ich einige Zeit nachher jene Gegenstände auf die Straße geworfen. Das Hinauswerfen der Bürsten, Schuhe usw. gibt sich als Reaktion auf die Geburt des Bruders zu erkennen. Es ist auch nicht unerwünscht, daß die fortgeschafften Gegenstände in diesem Falle nicht Geschirr, sondern andere Dinge waren, wahrscheinlich solche, wie sie das Kind eben erreichen konnte... Das Hinausbefördern (durchs Fenster auf die Straße) erweist sich so als das Wesentliche der Handlung, die Lust am Zerbrechen, am Klirren und die Art der Dinge, an denen »die Exekution vollzogen wird«, als inkonstant und unwesentlich.

Natürlich gilt die Forderung des Zusammenhanges auch für die dritte Kindheitserinnerung des Patienten, die, obwohl die früheste, an das Ende der kleinen Reihe gerückt ist. Es ist leicht, sie zu erfüllen. Wir verstehen, daß das zweijährige Kind darum so unruhig war, weil es

---

[1] Ein flüchtiger Irrtum auffälliger Natur. Es ist nicht abzuweisen, daß er bereits durch die Beseitigungstendenz gegen den Bruder induziert ist. (Vgl. Ferenczi, ›Über passagere Symptombildung während der Analyse‹, 1912.)

[2] Dieser den wesentlichen Punkt der Mitteilung als Widerstand annagende Zweifel wurde vom Patienten bald nachher selbständig zurückgezogen.

das Beisammensein von Vater und Mutter im Bette nicht leiden wollte. Auf der Reise war es wohl nicht anders möglich, als das Kind zum Zeugen dieser Gemeinschaft werden zu lassen. Von den Gefühlen, die sich damals in dem kleinen Eifersüchtigen regten, ist ihm die Erbitterung gegen das Weib verblieben, und diese hat eine dauernde Störung seiner Liebesentwicklung zur Folge gehabt.

Als ich nach diesen beiden Erfahrungen im Kreise der psychoanalytischen Gesellschaft die Erwartung äußerte, Vorkommnisse solcher Art dürften bei kleinen Kindern nicht zu den Seltenheiten gehören, stellte mir Frau Dr. v. Hug-Hellmuth zwei weitere Beobachtungen zur Verfügung, die ich hier folgen lasse:

I

»Mit zirka dreieinhalb Jahren hatte der kleine Erich ›urplötzlich‹ die Gewohnheit angenommen, alles, was ihm nicht paßte, zum Fenster hinauszuwerfen. Aber er tat es auch mit Gegenständen, die ihm nicht im Wege waren und ihn nichts angingen. Gerade am Geburtstag des Vaters – da zählte er drei Jahre viereinhalb Monate – warf er eine schwere Teigwalze, die er flugs aus der Küche ins Zimmer geschleppt hatte, aus einem Fenster der im dritten Stockwerk gelegenen Wohnung auf die Straße. Einige Tage später ließ er den Mörserstößel, dann ein Paar schwerer Bergschuhe des Vaters, die er erst aus dem Kasten nehmen mußte, folgen[1].

Damals machte die Mutter im siebenten oder achten Monate ihrer Schwangerschaft eine *fausse couche*, nach der das Kind ›wie ausgewechselt brav und zärtlich still‹ war. Im fünften oder sechsten Monate sagte er wiederholt zur Mutter: ›Mutti, ich spring' dir auf den Bauch‹ oder ›Mutti, ich drück' dir den Bauch ein‹. Und kurz vor der *fausse couche*, im Oktober: ›Wenn ich schon einen Bruder bekommen soll, so wenigstens nach dem Christkindl.‹«

II

»Eine junge Dame von neunzehn Jahren gibt spontan als früheste Kindheitserinnerung folgende:

›Ich sehe mich furchtbar ungezogen, zum Hervorkriechen bereit, unter dem Tische im Speisezimmer sitzen. Auf dem Tische steht meine Kaffee-

---

[1] »Immer wählte er schwere Gegenstände.«

schale – ich sehe noch jetzt deutlich das Muster des Porzellans vor mir –, die ich in dem Augenblick, als Großmama ins Zimmer trat, zum Fenster hinauswerfen wollte.

Es hatte sich nämlich niemand um mich gekümmert, und indessen hatte sich auf dem Kaffee eine ›Haut‹ gebildet, was mir immer fürchterlich war und heute noch ist.

An diesem Tage wurde mein um zweieinhalb Jahre jüngerer Bruder geboren, deshalb hatte niemand Zeit für mich.

Man erzählt mir noch immer, daß ich an diesem Tage unausstehlich war; zu Mittag hatte ich das Lieblingsglas des Papas vom Tische geworfen, tagsüber mehrmals mein Kleidchen beschmutzt und war von früh bis abends übelster Laune. Auch ein Badepüppchen hatte ich in meinem Zorne zertrümmert.‹«

Diese beiden Fälle bedürfen kaum eines Kommentars. Sie bestätigen ohne weitere analytische Bemühung, daß die Erbitterung des Kindes über das erwartete oder erfolgte Auftreten eines Konkurrenten sich in dem Hinausbefördern von Gegenständen durch das Fenster wie auch durch andere Akte von Schlimmheit und Zerstörungssucht zum Ausdruck bringt. In der ersten Beobachtung symbolisieren wohl die »schweren Gegenstände« die Mutter selbst, gegen welche sich der Zorn des Kindes richtet, solange das neue Kind noch nicht da ist. Der dreieinhalbjährige Knabe weiß um die Schwangerschaft der Mutter und ist nicht im Zweifel darüber, daß sie das Kind in ihrem Leibe beherbergt. Man muß sich hierbei an den »kleinen Hans«[1] erinnern und an seine besondere Angst vor schwer beladenen Wagen[2]. An der zweiten Beobachtung ist das frühe Alter des Kindes, zweieinhalb Jahre, bemerkenswert.

Wenn wir nun zur Kindheitserinnerung Goethes zurückkehren und an ihrer Stelle in *Dichtung und Wahrheit* einsetzen, was wir aus der Beobachtung anderer Kinder erraten zu haben glauben, so stellt sich ein tadel-

---

[1] ›Analyse der Phobie eines fünfjährigen Knaben‹ [1909 *b*), *Studienausgabe*, Bd. 8, 81 und 109.]

[2] Für diese Symbolik der Schwangerschaft hat mir vor einiger Zeit eine mehr als fünfzigjährige Dame eine weitere Bestätigung erbracht. Es war ihr wiederholt erzählt worden, daß sie als kleines Kind, das kaum sprechen konnte, den Vater aufgeregt zum Fenster zu ziehen pflegte, wenn ein schwerer Möbelwagen auf der Straße vorbeifuhr. Mit Rücksicht auf ihre Wohnungserinnerungen läßt sich feststellen, daß sie damals jünger war als zweidreiviertel Jahre. Um diese Zeit wurde ihr nächster Bruder geboren und infolge dieses Zuwachses die Wohnung gewechselt. Ungefähr gleichzeitig hatte sie oft vor dem Einschlafen die ängstliche Empfindung von etwas unheimlich Großem, das auf sie zukam, und dabei »wurden ihr die Hände so dick«.

loser Zusammenhang her, den wir sonst nicht entdeckt hätten. Es heißt dann: Ich bin ein Glückskind gewesen; das Schicksal hat mich am Leben erhalten, obwohl ich für tot zur Welt gekommen bin. Meinen Bruder aber hat es beseitigt, so daß ich die Liebe der Mutter nicht mit ihm zu teilen brauchte. Und dann geht der Gedankenweg weiter, zu einer anderen in jener Frühzeit Verstorbenen, der Großmutter, die wie ein freundlicher, stiller Geist in einem anderen Wohnraum hauste.

Ich habe es aber schon an anderer Stelle ausgesprochen[1]: Wenn man der unbestrittene Liebling der Mutter gewesen ist, so behält man fürs Leben jenes Eroberungsgefühl, jene Zuversicht des Erfolges, welche nicht selten wirklich den Erfolg nach sich zieht. Und eine Bemerkung solcher Art wie: Meine Stärke wurzelt in meinem Verhältnis zur Mutter, hätte Goethe seiner Lebensgeschichte mit Recht voranstellen dürfen.

---

[1] [In einer 1911 an das Kapitel VI der *Traumdeutung* (1900 *a*) angefügten Anmerkung, gegen Ende des Abschnitts E.]

Dostojewski und die Vatertötung

(1928 [1927])

EDITORISCHE VORBEMERKUNG

Deutsche Ausgaben:
1928 In: *Die Urgestalt der Brüder Karamasoff*, hrsg. von R. Fülöp-Miller und
F. Eckstein, München, S. XI–XXXVI.
1929 *Almanach 1930*, 9–31.
1934 *G. S.*, Bd. 12, 7–26.
1948 *G. W.*, Bd. 14, 399–418.

Seit 1925 haben Fülöp-Miller und Eckstein eine Folge von Zusatzbänden zur
großen deutschen, von Moeller van den Bruck besorgten und einige Jahre zuvor
abgeschlossenen Gesamtausgabe der Werke Dostojewskis herausgegeben. Die Zu-
satzbände, in gleicher Ausstattung wie die Gesamtausgabe, sammelten Posthu-
mes, unbeendete Entwürfe und Material aus verschiedenen Quellen, das geeignet
schien, die Persönlichkeit und das Werk Dostojewskis zu beleuchten. Einer dieser
Bände sollte eine Sammlung der Vorentwürfe und Skizzen zu den *Brüdern
Karamasoff* sowie Erörterungen über die Quellen des Werkes enthalten. Den
Herausgebern lag sehr daran, Freud zu einer Einführung in die Psychologie
des Buches und auch des Autors zu gewinnen. Anscheinend waren sie schon
Anfang 1926 mit dieser Bitte an ihn herangetreten, jedenfalls begann Freud
gegen Ende Juni desselben Jahres mit der Niederschrift seines Beitrages. Er
wurde dann jedoch durch dringendere Arbeiten abgelenkt und scheint das
Interesse an dem Stoff verloren zu haben, und zwar, wie Ernest Jones (Bd. 3,
1962 b, 173) berichtet, vor allem deshalb, weil er ein Buch gefunden hatte (Neufeld, 1923), in welchem, wie Freud in einer Anmerkung (S. 286) – vielleicht allzu
bescheiden – sagt, die meisten der Ansichten, die er vortragen wollte, schon enthalten waren. Es läßt sich nicht eindeutig feststellen, wann Freud die Arbeit
an dem Artikel wieder aufgenommen hat. Jones (l. c.) nimmt an, daß er Anfang 1927 abgeschlossen war. Das ist jedoch wenig wahrscheinlich, da die
Novelle von Stefan Zweig, auf die in der zweiten Hälfte des Essays Bezug
genommen wird, nicht vor 1927 erschienen ist. Der Zusatzband zu den Gesammelten Werken Dostojewskis, dessen Einleitung Freuds Essay bildet, wurde
jedenfalls erst im Herbst 1928 veröffentlicht.
Die Schrift setzt sich aus zwei deutlich voneinander zu unterscheidenden Teilen
zusammen. Der erste Teil behandelt den Charakter Dostojewskis, seinen
Masochismus, seine Schuldgefühle, seine »epileptoiden« Anfälle und seine zwie-
spältige Einstellung in der Ödipussituation. Der zweite Teil erörtert die spe-
zielle Frage seiner Spielerleidenschaft und enthält die Inhaltsangabe einer

Novelle von Stefan Zweig, die ein Licht auf die Entstehung dieser Sucht wirft. Auf den ersten Blick scheinen die beiden Teile nur lose miteinander verknüpft. Hierfür findet sich eine Erklärung in einem Brief an Theodor Reik, den Freud als Erwiderung auf Reiks Kritik an der vorliegenden Arbeit schrieb (vgl. Reik, 1929, Freud 1930 *f* [1929]). Freud entschuldigt sich darin wegen des schwachen Aufbaues des Essays, gibt zu, daß er ihn nur ungern geschrieben habe, vor allem deshalb, weil er sich durch den Ort gehemmt gefühlt habe, an welchem die Arbeit erscheinen sollte. Ohne diese Rücksichtnahme würde er mit größerer Deutlichkeit festgestellt haben, man müsse bei einem Krankheitsbild wie der Neurose Dostojewskis erwarten, daß der Kampf gegen die Onanie eine wichtige Rolle spielte, wofür die Spielleidenschaft Dostojewskis ein Beweis sei. Damit wäre der Zusammenhang mit der Zweigschen Novelle hergestellt und ohne Aufwand gezeigt worden, daß es Freud mehr um die Beziehung zwischen Onanie und Neurose als um das Verhältnis Dostojewski/Zweig ging.

In demselben Brief an Reik gesteht Freud, daß er Dostojewski eigentlich nicht sonderlich liebe; seine Geduld mit Neurotikern erschöpfe sich in der Analyse. Es besteht jedoch kein Zweifel, daß er ihm als Schriftsteller den höchsten Rang zubilligte.

An der reichen Persönlichkeit Dostojewskis möchte man vier Fassaden unterscheiden: Den Dichter, den Neurotiker, den Ethiker und den Sünder. Wie soll man sich in der verwirrenden Komplikation zurechtfinden?

Am Dichter ist am wenigsten Zweifel, er hat seinen Platz nicht weit hinter Shakespeare. *Die Brüder Karamasoff* sind der großartigste Roman, der je geschrieben wurde, die Episode des Großinquisitors eine der Höchstleistungen der Weltliteratur, kaum zu überschätzen. Leider muß die Analyse vor dem Problem des Dichters die Waffen strecken.

Am ehesten angreifbar ist der Ethiker in Dostojewski. Wenn man ihn als sittlichen Menschen hochstellen will, mit der Begründung, daß nur der die höchste Stufe der Sittlichkeit erreicht, der durch die tiefste Sündhaftigkeit gegangen ist, so setzt man sich über ein Bedenken hinweg. Sittlich ist jener, der schon auf die innerlich verspürte Versuchung reagiert, ohne ihr nachzugeben. Wer abwechselnd sündigt und dann in seiner Reue hohe sittliche Forderungen aufstellt, der setzt sich dem Vorwurf aus, daß er sich's zu bequem gemacht hat. Er hat das Wesentliche an der Sittlichkeit, den Verzicht, nicht geleistet, denn die sittliche Lebensführung ist ein praktisches Menschheitsinteresse. Er erinnert an die Barbaren der Völkerwanderung, die morden und dafür Buße tun, wo die Buße direkt eine Technik wird, um den Mord zu ermöglichen. Iwan der Schreckliche benimmt sich auch nicht anders; ja dieser Ausgleich mit der Sittlichkeit ist ein charakteristisch russischer Zug. Auch ist das Endergebnis von Dostojewskis sittlichem Ringen kein rühmliches. Nach den heftigsten Kämpfen, die Triebansprüche des Individuums mit den Forderungen der menschlichen Gemeinschaft zu versöhnen, landet er rückläufig bei der Unterwerfung unter die weltliche wie unter die geistliche Autorität, bei der Ehrfurcht vor dem Zaren und dem Christengott und bei einem engherzigen russischen Nationalismus, eine Station, zu der geringere Geister mit weniger Mühe gelangt sind. Hier ist der schwache Punkt der großen Persönlichkeit. Dostojewski hat es versäumt, ein Lehrer und Befreier der Menschen zu werden, er hat sich zu ihren Kerkermeistern gesellt; die kulturelle Zukunft der

Menschen wird ihm wenig zu danken haben. Es läßt sich wahrscheinlich zeigen, daß er durch seine Neurose zu solchem Scheitern verdammt wurde. Nach der Höhe seiner Intelligenz und der Stärke seiner Menschenliebe wäre ihm ein anderer, ein apostolischer Lebensweg eröffnet gewesen.

Dostojewski als Sünder oder Verbrecher zu betrachten, ruft ein heftiges Sträuben hervor, das nicht in der philiströsen Einschätzung des Verbrechers begründet zu sein braucht. Man wird bald des wirklichen Motivs gewahr; für den Verbrecher sind zwei Züge wesentlich, die grenzenlose Eigensucht und die starke destruktive Tendenz; beiden gemeinsam und Voraussetzung für deren Äußerungen ist die Lieblosigkeit, der Mangel an affektiver Wertung der (menschlichen) Objekte. Man erinnert sich sofort an den Gegensatz hiezu bei Dostojewski, an seine große Liebesbedürftigkeit und seine enorme Liebesfähigkeit, die sich selbst in Erscheinungen der Übergüte äußert und ihn lieben und helfen läßt, wo er selbst das Recht zum Haß und zur Rache hatte, z. B. im Verhältnis zu seiner ersten Frau und ihrem Geliebten. Dann muß man fragen, woher überhaupt die Versuchung rührt, Dostojewski den Verbrechern zuzurechnen. Antwort: Es ist die Stoffwahl des Dichters, die gewalttätige, mörderische, eigensüchtige Charaktere vor allen anderen auszeichnet, was auf die Existenz solcher Neigungen in seinem Inneren hindeutet, ferner einiges Tatsächliche aus seinem Leben, wie seine Spielsucht, vielleicht der sexuelle Mißbrauch eines unreifen Mädchens (Geständnis) [1]. Der Widerspruch löst sich durch die Einsicht, daß der sehr starke Destruktionstrieb Dostojewskis, der ihn leicht zum Verbrecher gemacht hätte, im Leben hauptsächlich gegen die eigene Person (nach innen anstatt nach außen) gerichtet ist und so als Masochismus und Schuldgefühl zum Ausdruck kommt. Seine Person behält immerhin genug sadistische Züge übrig, die sich in seiner Reizbarkeit, Quälsucht, Intoleranz, auch gegen geliebte Personen, äußern und noch in der Art, wie er als Autor seine Leser behandelt, zum Vorschein kommen, also in

---

[1] Siehe die Diskussion hierüber in Fülöp-Miller und Eckstein (1926). – Stefan Zweig (1920): »Er macht nicht halt vor den Zäunen der bürgerlichen Moral, und niemand weiß genau zu sagen, wie weit er in seinem Leben die juristische Grenze überschritten, wieviel von den verbrecherischen Instinkten seiner Helden in ihm selbst zur Tat geworden ist.« Über die intimen Beziehungen zwischen Dostojewskis Gestalten und seinen eigenen Erlebnissen siehe die Ausführungen René Fülöp-Millers im einleitenden Abschnitt zu Fülöp-Miller und Eckstein (1925), die an Nikolai Strachoff [1921] anknüpfen. [Das Thema des sexuellen Mißbrauchs eines unreifen Mädchens taucht bei Dostojewski mehrmals auf, so in der posthum veröffentlichten *Beichte Stavrogins* und im *Leben eines großen Sünders*.]

kleinen Dingen Sadist nach außen, in größeren Sadist nach innen, also Masochist, das heißt der weichste, gutmütigste, hilfsbereiteste Mensch.

Aus der Komplikation der Person Dostojewskis haben wir drei Faktoren herausgeholt, einen quantitativen und zwei qualitative: Die außerordentliche Höhe seiner Affektivität, die perverse Triebanlage, die ihn zum Sado-Masochisten oder zum Verbrecher veranlagen mußte, und die unanalysierbare, künstlerische Begabung. Dies Ensemble wäre sehr wohl ohne Neurose existenzfähig; es gibt ja nicht-neurotische Vollmasochisten. Nach dem Kräfteverhältnis zwischen den Triebansprüchen und den ihnen entgegenstehenden Hemmungen (plus der verfügbaren Sublimierungswege) wäre Dostojewski immer noch als ein sogenannter »triebhafter Charakter« zu klassifizieren. Aber die Situation wird getrübt durch die Mitanwesenheit der Neurose, die, wie gesagt, nicht unter diesen Bedingungen unerläßlich wäre, aber doch um so eher zustande kommt, je reichhaltiger die vom Ich zu bewältigende Komplikation ist. Die Neurose ist doch nur ein Zeichen dafür, daß dem Ich eine solche Synthese nicht gelungen ist, daß es bei solchem Versuch seine Einheitlichkeit eingebüßt hat.

Wodurch wird nun im strengen Sinne die Neurose erwiesen? Dostojewski nannte sich selbst und galt bei den anderen als Epileptiker auf Grund seiner schweren, mit Bewußtseinsverlust, Muskelkrämpfen und nachfolgender Verstimmung einhergehenden Anfälle. Es ist nun überaus wahrscheinlich, daß diese sogenannte Epilepsie nur ein Symptom seiner Neurose war, die demnach als Hysteroepilepsie, das heißt als schwere Hysterie, klassifiziert werden müßte. Volle Sicherheit ist aus zwei Gründen nicht zu erreichen, erstens, weil die anamnestischen Daten über Dostojewskis sogenannte Epilepsie mangelhaft und unzuverlässig sind, zweitens, weil die Auffassung der mit epileptoiden Anfällen verbundenen Krankheitszustände nicht geklärt ist.

Zunächst zum zweiten Punkt. Es ist überflüssig, die ganze Pathologie der Epilepsie hier zu wiederholen, die doch nichts Entscheidendes bringt, doch kann man sagen: Immer hebt sich noch als scheinbare klinische Einheit der alte *Morbus sacer* hervor, die unheimliche Krankheit mit ihren unberechenbaren, anscheinend nicht provozierten Krampfanfällen, der Charakterveränderung ins Reizbare und Aggressive und der progressiven Herabsetzung aller geistigen Leistungen. Aber an allen Enden zerflattert dies Bild ins Unbestimmte. Die Anfälle, die brutal auftreten, mit Zungenbiß und Harnentleerung, gehäuft zum lebensbedrohlichen *Status epilepticus,* der schwere Selbstbeschädigung herbeiführt, können sich doch ermäßigen zu kurzen Absenzen, zu bloßen rasch vorübergehenden Schwindelzuständen, können sich ersetzen durch kurze Zeiten, in denen der Kranke, wie unter der Herrschaft des Unbewußten, etwas ihm Fremdartiges tut. Sonst in unfaßbarer Weise rein körperlich bedingt, können sie doch ihre erste Entstehung einem rein seelischen Einfluß (Schreck) verdankt haben oder weiterhin auf seelische Erregungen reagieren. So charakteristisch die intellektuelle Herabsetzung für die übergroße Mehrzahl der Fälle sein mag, so ist doch wenigstens *ein* Fall bekannt, in dem das Leiden intellektuelle Höchstleistungen nicht zu stören vermochte (Helmholtz). (Andere Fälle, von denen das gleiche behauptet wurde, sind unsicher oder unterliegen denselben Bedenken wie Dostojewski selbst.) Die Personen, die von der Epilepsie befallen sind, können den Eindruck von Stumpfheit, behinderter Entwicklung machen, wie doch das Leiden oft greifbarste Idiotie und größte Hirndefekte begleitet, wenn auch nicht als notwendiger Bestandteil des Krankheitsbildes; aber diese Anfälle finden sich mit allen ihren Variationen auch bei anderen Personen vor, die eine volle seelische Entwicklung und eher übergroße, meist ungenügend beherrschte Affektivität bekunden. Kein Wunder, daß man es unter diesen Umständen für unmöglich findet, die Einheit einer klinischen Affektion »Epilepsie« festzuhalten. Was in der Gleichartigkeit der geäußerten Symptome zum Vorschein kommt, scheint eine funktionelle Auffassung zu fordern, als ob ein Mechanismus der abnormen Triebabfuhr organisch vorgebildet wäre, der unter ganz verschiedenen Verhältnissen in Anspruch genommen wird, sowohl bei Störungen der Gehirntätigkeit durch schwere gewebliche und toxische Erkrankung als auch bei unzulänglicher Beherrschung der seelischen Ökonomie, krisenhaftem Betrieb der in der Seele wirkenden Energie. Hinter dieser Zweiteilung ahnt man die Identität des zugrunde liegenden Mechanismus der Triebabfuhr. Derselbe kann auch den Sexualvorgängen, die im Grunde toxisch verursacht sind, nicht fernestehen; schon die ältesten Ärzte nannten den Koitus eine kleine Epilepsie, erkannten also im sexuellen Akt die Milderung und Adaptierung der epileptischen Reizabfuhr[1].

Die »epileptische Reaktion«, wie man dies Gemeinsame nennen kann, stellt sich ohne Zweifel auch der Neurose zur Verfügung, deren Wesen darin besteht, Erregungsmassen, mit denen sie psychisch nicht fertigwird, auf somatischem Wege zu erledigen. Der epileptische Anfall wird

---

[1] [Vgl. den Schlußabschnitt der früheren Arbeit Freuds ›Allgemeines über den hysterischen Anfall‹ (1909 *a*).]

so ein Symptom der Hysterie und von ihr adaptiert und modifiziert, ähnlich wie vom normalen Sexualablauf. Man hat also ganz recht, eine organische von einer »affektiven« Epilepsie zu unterscheiden. Die praktische Bedeutung ist die: wer die eine hat, ist ein Gehirnkranker, wer die andere hat, ein Neurotiker. Im ersteren Fall unterliegt das Seelenleben einer ihm fremden Störung von außen, im anderen ist die Störung ein Ausdruck des Seelenlebens selbst.

Es ist überaus wahrscheinlich, daß Dostojewskis Epilepsie von der zweiten Art ist. Strenge erweisen kann man es nicht, man müßte denn imstande sein, das erste Auftreten und die späteren Schwankungen der Anfälle in den Zusammenhang seines seelischen Lebens einzureihen, und dafür weiß man zu wenig. Die Beschreibungen der Anfälle selbst lehren nichts, die Auskünfte über Beziehungen zwischen Anfällen und Erlebnissen sind mangelhaft und oft widersprechend. Am wahrscheinlichsten ist die Annahme, daß die Anfälle weit in Dostojewskis Kindheit zurückgehen, daß sie zuerst durch mildere Symptome vertreten waren und erst nach dem erschütternden Erlebnis im achtzehnten Jahr, nach der Ermordung des Vaters, die epileptische Form annahmen[1]. Es wäre sehr passend, wenn sich bewahrheitete, daß sie während der Strafzeit in Sibirien völlig sistiert hätten, aber andere Angaben widersprechen dem[2]. Die unverkennbare Beziehung zwischen der Vatertötung in den *Brüdern Karamasoff* und dem Schicksal von Dostojewskis Vater ist mehr als

---

[1] Vgl. hiezu René Fülöp-Miller (1924). [Vgl. auch die Darstellung, die Aimée Dostojewski (1920) in der Biographie ihres Vaters gibt.] Besonderes Interesse erweckt die Mitteilung, daß sich in des Dichters Kindheit »etwas Furchtbares, Unvergeßliches und Qualvolles« ereignet habe, auf das die ersten Anzeichen seines Leidens zurückzuführen seien (Suworin in einem Artikel der [Zeitung] *Nowoje Wremja*, 1881, nach dem Zitat in der Einleitung zu Fülöp-Miller und Eckstein, 1925, XLV). Ferner Orest Miller (1921, 140): »Es gibt über die Krankheit Fjodor Michailowitschs allerdings noch eine besondere Aussage, die sich auf seine früheste Jugend bezieht und die Krankheit mit einem tragischen Fall in dem Familienleben der Eltern Dostojewskis in Verbindung bringt. Doch obgleich mir diese Aussage von einem Menschen, der Fjodor Michailowitsch sehr nahestand, mündlich mitgeteilt worden ist, kann ich mich nicht entschließen, da ich von keiner Seite eine Bestätigung dieses Gerüchts erhalten habe, die erwähnte Angabe hier ausführlich und genau wiederzugeben.« Biographik und Neurosenforschung können dieser Diskretion nicht zu Dank verpflichtet sein.

[2] Die meisten Angaben, darunter Dostojewskis eigene Auskunft, behaupten vielmehr, daß die Krankheit erst während der sibirischen Strafzeit ihren definitiven, epileptischen Charakter angenommen habe. Leider hat man Grund, den autobiographischen Mitteilungen der Neurotiker zu mißtrauen. Die Erfahrung zeigt, daß ihre Erinnerung Verfälschungen unternimmt, die dazu bestimmt sind, einen unliebsamen Kausalzusammenhang zu zerreißen. Doch scheint es gesichert, daß der Aufenthalt im sibirischen Kerker auch den Krankheitszustand Dostojewskis eingreifend verändert hat. Vgl. hiezu: Fülöp-Miller (1924, 1186).

einem Biographen aufgefallen und hat sie zu einem Hinweis auf eine
»gewisse moderne psychologische Richtung« veranlaßt. Die psychoanalytische Betrachtung, denn diese ist gemeint, ist versucht, in diesem Ereignis das schwerste Trauma und in Dostojewskis Reaktion darauf den
Angelpunkt seiner Neurose zu erkennen.

Wenn ich es aber unternehme, diese Aufstellung psychoanalytisch zu
begründen, muß ich befürchten, allen denen unverständlich zu bleiben,
die mit den Ausdrucksweisen und Lehren der Psychoanalyse nicht vertraut sind.

Wir haben einen gesicherten Ausgangspunkt. Wir kennen den Sinn der
ersten Anfälle Dostojewskis in seinen jungen Jahren lange vor dem
Auftreten der »Epilepsie«. Diese Anfälle hatten Todesbedeutung, sie
wurden von Todesangst eingeleitet und bestanden in lethargischen
Schlafzuständen. Als plötzliche, grundlose Schwermut kam sie (die
Krankheit) zuerst über ihn, da er noch ein Knabe war; ein Gefühl, so
erzählte er später seinem Freunde Solowjoff, als ob er sogleich sterben
müßte; und tatsächlich folgte dann auch ein dem wirklichen Tode vollkommen ähnlicher Zustand ... Sein Bruder Andree hat berichtet, daß
Fedor schon in jungen Jahren vor dem Einschlafen Zettelchen hinzulegen pflegte, er fürchte in der Nacht in den scheintodähnlichen Schlaf
zu verfallen und bitte darum, man möge ihn erst nach fünf Tagen be-
erdigen lassen. (Fülöp-Miller und Eckstein, 1925, LX.)

Wir kennen den Sinn und die Absicht solcher Todesanfälle. Sie bedeuten
eine Identifizierung mit einem Toten, einer Person, die wirklich gestorben ist oder die noch lebt und der man den Tod wünscht. Der letztere Fall ist der bedeutsamere. Der Anfall hat dann den Wert einer Bestrafung. Man hat einen anderen tot gewünscht, nun ist man dieser
andere und ist selbst tot. Hier setzt die psychoanalytische Lehre die Behauptung ein, daß dieser andere für den Knaben in der Regel der Vater
ist, der – hysterisch genannte – Anfall also eine Selbstbestrafung für den
Todeswunsch gegen den gehaßten Vater.

Der Vatermord ist nach bekannter Auffassung das Haupt- und Urver-
brechen der Menschheit wie des einzelnen[1]. Er ist jedenfalls die Haupt-
quelle des Schuldgefühls, wir wissen nicht, ob die einzige; die Untersuchungen konnten den seelischen Ursprung von Schuld und Sühnebe-
dürfnis noch nicht sicherstellen. Er braucht aber nicht die einzige zu sein.
Die psychologische Situation ist kompliziert und bedarf einer Erläu-

---

[1] Siehe des Verfassers *Totem und Tabu* (1912–13).

terung. Das Verhältnis des Knaben zum Vater ist ein, wie wir sagen, ambivalentes. Außer dem Haß, der den Vater als Rivalen beseitigen möchte, ist regelmäßig ein Maß von Zärtlichkeit für ihn vorhanden. Beide Einstellungen treten zur Vateridentifizierung zusammen, man möchte an Stelle des Vaters sein, weil man ihn bewundert, so sein möchte wie er und weil man ihn wegschaffen will. Diese ganze Entwicklung stößt nun auf ein mächtiges Hindernis. In einem gewissen Moment lernt das Kind verstehen, daß der Versuch, den Vater als Rivalen zu beseitigen, von ihm durch die Kastration gestraft werden würde. Aus Kastrationsangst, also im Interesse der Bewahrung seiner Männlichkeit, gibt es also den Wunsch nach dem Besitz der Mutter und der Beseitigung des Vaters auf. Soweit er im Unbewußten erhalten bleibt, bildet er die Grundlage des Schuldgefühls. Wir glauben hierin normale Vorgänge beschrieben zu haben, das normale Schicksal des sogenannten Ödipuskomplexes; eine wichtige Ergänzung haben wir allerdings noch nachzutragen.

Eine weitere Komplikation stellt sich her, wenn beim Kinde jener konstitutionelle Faktor, den wir die Bisexualität heißen, stärker ausgebildet ist. Dann wird unter der Bedrohung der Männlichkeit durch die Kastration die Neigung gekräftigt, nach der Richtung der Weiblichkeit auszuweichen, sich vielmehr an die Stelle der Mutter zu setzen und ihre Rolle als Liebesobjekt beim Vater zu übernehmen. Allein die Kastrationsangst macht auch diese Lösung unmöglich. Man versteht, daß man auch die Kastration auf sich nehmen muß, wenn man vom Vater wie ein Weib geliebt werden will. So verfallen beide Regungen, Vaterhaß wie Vaterverliebtheit, der Verdrängung. Ein gewisser psychologischer Unterschied besteht darin, daß der Vaterhaß aufgegeben wird infolge der Angst vor einer äußeren Gefahr (der Kastration); die Vaterverliebtheit aber wird als innere Triebgefahr behandelt, die doch im Grunde wieder auf die nämliche äußere Gefahr zurückgeht.

Was den Vaterhaß unannehmbar macht, ist die Angst vor dem Vater; die Kastration ist schrecklich, sowohl als Strafe wie auch als Preis der Liebe. Von den beiden Faktoren, die den Vaterhaß verdrängen, ist der erste, die direkte Straf- und Kastrationsangst, der normale zu nennen, die pathogene Verstärkung scheint erst durch den anderen Faktor, die Angst vor der femininen Einstellung, hinzuzukommen. Eine stark bisexuelle Anlage wird so zu einer der Bedingungen oder Bekräftigungen der Neurose. Eine solche ist für Dostojewski sicherlich anzunehmen und zeigt sich in existenzmöglicher Form (latente Homosexualität) in der

Bedeutung von Männerfreundschaften für sein Leben, in seinem sonderbar zärtlichen Verhalten gegen Liebesrivalen und in seinem ausgezeichneten Verständnis für Situationen, die sich nur durch verdrängte Homosexualität erklären, wie viele Beispiele aus seinen Novellen zeigen. Ich bedaure es, kann es aber nicht ändern, wenn diese Ausführungen über die Haß- und Liebeseinstellungen zum Vater und deren Wandlungen unter dem Einfluß der Kastrationsdrohung dem der Psychoanalyse unkundigen Leser unschmackhaft und unglaubwürdig erscheinen. Ich würde selbst erwarten, daß gerade der Kastrationskomplex der allgemeinsten Ablehnung sicher ist. Aber ich kann nur beteuern, daß die psychoanalytische Erfahrung gerade diese Verhältnisse über jeden Zweifel hinaushebt und uns in ihnen den Schlüssel zu jeder Neurose erkennen heißt. Den müssen wir also auch an der sogenannten Epilepsie unseres Dichters versuchen. So fremd sind aber unserem Bewußtsein die Dinge, von denen unser unbewußtes Seelenleben beherrscht wird. Mit dem bisher Mitgeteilten sind die Folgen der Verdrängung des Vaterhasses im Ödipuskomplex nicht erschöpft. Es kommt als neu hinzu, daß die Vateridentifizierung sich am Ende doch einen dauernden Platz im Ich erzwingt. Sie wird ins Ich aufgenommen, stellt sich aber darin als eine besondere Instanz dem anderen Inhalt des Ichs entgegen. Wir heißen sie dann das Über-Ich und schreiben ihr, der Erbin des Elterneinflusses, die wichtigsten Funktionen zu.

War der Vater hart, gewalttätig, grausam, so nimmt das Über-Ich diese Eigenschaften von ihm an, und in seiner Relation zum Ich stellt sich die Passivität wieder her, die gerade verdrängt werden sollte. Das Über-Ich ist sadistisch geworden, das Ich wird masochistisch, d. h. im Grunde weiblich passiv. Es entsteht ein großes Strafbedürfnis im Ich, das teils als solches dem Schicksal bereitliegt, teils in der Mißhandlung durch das Über-Ich (Schuldbewußtsein) Befriedigung findet. Jede Strafe ist ja im Grunde die Kastration und als solche Erfüllung der alten passiven Einstellung zum Vater. Auch das Schicksal ist endlich nur eine spätere Vaterprojektion.

Die normalen Vorgänge bei der Gewissensbildung müssen so ähnlich sein wie die hier dargestellten abnormen. Es ist uns noch nicht gelungen, die Abgrenzung beider herzustellen. Man bemerkt, daß hier der größte Anteil am Ausgang der passiven Komponente der verdrängten Weiblichkeit zugeschrieben wird. Außerdem muß als akzidenteller Faktor bedeutsam werden, ob der in jedem Fall gefürchtete Vater auch in der Realität besonders gewalttätig ist. Dies trifft für Dostojewski zu, und

die Tatsache seines außerordentlichen Schuldgefühls wie seiner masochistischen Lebensführung werden wir auf eine besonders starke femi-
nine Komponente zurückführen. So ist die Formel für Dostojewski: ein
besonders stark bisexuell Veranlagter, der sich mit besonderer Intensität
gegen die Abhängigkeit von einem besonders harten Vater wehren kann.
Diesen Charakter der Bisexualität fügen wir zu den früher erkannten
Komponenten seines Wesens hinzu. Das frühzeitige Symptom der »Todesanfälle« läßt sich also verstehen als eine vom Über-Ich strafweise
zugelassene Vateridentifizierung des Ichs. Du hast den Vater töten
wollen, um selbst der Vater zu sein. Nun bist du der Vater, aber der
tote Vater; der gewöhnliche Mechanismus hysterischer Symptome. Und
dabei: jetzt tötet dich der Vater. Für das Ich ist das Todessymptom
Phantasiebefriedigung des männlichen Wunsches und gleichzeitig masochistische Befriedigung; für das Über-Ich Strafbefriedigung, also sadistische Befriedigung. Beide, Ich und Über-Ich, spielen die Vaterrolle
weiter. – Im ganzen hat sich die Relation zwischen Person und Vater-
objekt bei Erhaltung ihres Inhalts in eine Relation zwischen Ich und
Über-Ich gewandelt, eine Neuinszenierung auf einer zweiten Bühne.
Solche infantile Reaktionen aus dem Ödipuskomplex mögen erlöschen,
wenn die Realität ihnen keine weitere Nahrung zuführt. Aber der Charakter des Vaters bleibt derselbe, nein, er verschlechtert sich mit den
Jahren, und so bleibt auch der Vaterhaß Dostojewskis erhalten, sein
Todeswunsch gegen diesen bösen Vater. Nun ist es gefährlich, wenn die
Realität solche verdrängte Wünsche erfüllt. Die Phantasie ist Realität
geworden, alle Abwehrmaßregeln werden nun verstärkt. Nun nehmen
Dostojewskis Anfälle epileptischen Charakter an, sie bedeuten gewiß
noch immer die strafweise Vateridentifizierung, sind aber fürchterlich
geworden wie der schreckliche Tod des Vaters selbst. Welchen, insbesondere sexuellen, Inhalt sie dazu noch aufgenommen haben, entzieht
sich dem Erraten.

Eines ist merkwürdig: in der Aura des Anfalles wird ein Moment der
höchsten Seligkeit erlebt, der sehr wohl den Triumph und die Befreiung
bei der Todesnachricht fixiert haben kann, auf den dann sofort die um so
grausamere Strafe folgte. So eine Folge von Triumph und Trauer, Fest-
freude und Trauer, haben wir auch bei den Brüdern der Urhorde, die
den Vater erschlugen, erraten und finden ihn in der Zeremonie der
Totemmahlzeit wiederholt [1]. Wenn es zutrifft, daß Dostojewski in Sibi-

---

[1] [S. *Totem und Tabu* (1912–13), Abschnitt 5 des vierten Aufsatzes.]

rien frei von Anfällen war, so bestätigte dies nur, daß seine Anfälle
seine Strafe waren. Er brauchte sie nicht mehr, wenn er anders gestraft
war. Allein dies ist unerweisbar. Eher erklärt diese Notwendigkeit der
Strafe für Dostojewskis seelische Ökonomie, daß er ungebrochen durch
diese Jahre des Elends und der Demütigungen hindurchging. Dostojewskis Verurteilung als politischer Verbrecher war ungerecht, er mußte
das wissen, aber er akzeptierte die unverdiente Strafe von Väterchen
Zar als Ersatz für die Strafe, die seine Sünde gegen den wirklichen
Vater verdient hatte. Anstelle der Selbstbestrafung ließ er sich vom
Stellvertreter des Vaters bestrafen. Man blickt hier ein Stück in die
psychologische Rechtfertigung der von der Gesellschaft verhängten Strafen hinein. Es ist wahr, daß große Gruppen von Verbrechern nach der
Strafe verlangen. Ihr Über-Ich fordert sie, erspart sich damit, sie selbst
zu verhängen [1].

Wer den komplizierten Bedeutungswandel hysterischer Symptome
kennt, wird verstehen, daß hier kein Versuch unternommen wird, den
Sinn der Anfälle Dostojewskis über diesen Anfang hinaus zu ergründen [2]. Genug, daß man annehmen darf, ihr ursprünglicher Sinn sei
hinter allen späteren Überlagerungen unverändert geblieben. Man darf
sagen, Dostojewski ist niemals von der Gewissensbelastung durch die
Absicht des Vatermordes frei geworden. Sie hat auch sein Verhalten
zu den zwei anderen Gebieten bestimmt, auf denen die Vaterrelation
maßgebend ist, zur staatlichen Autorität und zum Gottesglauben. Auf
ersterem landete er bei der vollen Unterwerfung unter Väterchen Zar,
der in der Wirklichkeit die Komödie der Tötung mit ihm einmal aufgeführt hatte, welche ihm sein Anfall so oft vorzuspielen pflegte. Die
Buße gewann hier die Oberhand. Auf religiösem Gebiet blieb ihm
mehr Freiheit, nach anscheinend guten Berichten soll er bis zum letzten
Augenblick seines Lebens zwischen Gläubigkeit und Atheismus ge-
schwankt haben. Sein großer Intellekt machte es ihm umöglich, irgendeine der Denkschwierigkeiten, zu denen die Gläubigkeit führt, zu über-

---

[1] [Vgl. ›Die Verbrecher aus Schuldbewußtsein‹; den dritten Essay in Freuds Arbeit
›Einige Charaktertypen aus der psychoanalytischen Arbeit‹ (1916 d), oben S. 252.]
[2] Siehe *Totem und Tabu*. Die beste Auskunft übr den Sinn und Inhalt seiner Anfälle
gibt Dostojewski selbst, wenn er seinem Freunde Strachoff mitteilt, daß seine Reizbarkeit und Depression nach einem epileptischen Anfall darin begründet sei, daß er
sich als Verbrecher erscheine und das Gefühl nicht loswerden könne, eine ihm unbekannte Schuld auf sich geladen, eine große Missetat verübt zu haben, die ihn bedrücke
(Fülöp-Miller, 1924, 1188). In solchen Anklagen erblickt die Psychoanalyse ein Stück
Erkenntnis der »psychischen Realität« und bemüht sich, die unbekannte Schuld dem
Bewußtsein bekannt zu machen.

sehen. In individueller Wiederholung einer welthistorischen Entwicklung hoffte er im Christusideal einen Ausweg und eine Schuldbefreiung
zu finden, seine Leiden selbst als Anspruch auf eine Christusrolle zu
verwenden. Wenn er es im ganzen nicht zur Freiheit brachte und Reak-
tionär wurde, so kam es daher, daß die allgemein menschliche Sohnes-
schuld, auf der sich das religiöse Gefühl aufbaut, bei ihm eine überindividuelle Stärke erreicht hatte und selbst seiner großen Intelligenz
unüberwindlich blieb. Wir setzen uns hier dem Vorwurf aus, daß wir
die Unparteilichkeit der Analyse aufgeben und Dostojewski Wertungen
unterziehen, die nur vom Parteistandpunkt einer gewissen Weltanschauung berechtigt sind. Ein Konservativer würde die Partei des Großinquisitors nehmen und anders über Dostojewski urteilen. Der Vorwurf
ist berechtigt, zu seiner Milderung kann man nur sagen, daß die Entscheidung Dostojewskis durch seine Denkhemmung infolge seiner Neurose bestimmt erscheint.

Es ist kaum ein Zufall, daß drei Meisterwerke der Literatur aller Zeiten
das gleiche Thema, das der Vatertötung, behandeln: Der *König Ödipus*
des Sophokles, der *Hamlet* Shakespeares und Dostojewskis *Brüder
Karamasoff*. In allen dreien ist auch das Motiv der Tat, die sexuale
Rivalität um das Weib, bloßgelegt. Am aufrichtigsten ist gewiß die
Darstellung im Drama, das sich der griechischen Sage anschließt. Hier
hat der Held noch selbst die Tat vollbracht. Aber ohne Milderung und
Verhüllung ist die poetische Bearbeitung nicht möglich. Das nackte Geständnis der Absicht zur Vatertötung, wie wir es in der Analyse erzielen, scheint ohne analytische Vorbereitung unerträglich. Im griechischen Drama wird die unerläßliche Abschwächung in meisterhafter
Weise bei Erhaltung des Tatbestandes dadurch herbeigeführt, daß das
unbewußte Motiv des Helden als ein ihm fremder Schicksalszwang ins
Reale projiziert wird. Der Held begeht die Tat unabsichtlich und scheinbar ohne Einfluß des Weibes, doch wird diesem Zusammenhang Rechnung getragen, indem er die Mutter Königin erst nach einer Wiederholung der Tat an dem Ungeheuer, das den Vater symbolisiert, erringen
kann. Nachdem seine Schuld aufgedeckt, bewußtgemacht ist, erfolgt
kein Versuch, sie mit Berufung auf die Hilfskonstruktion des Schicksals-
zwanges von sich abzuwälzen, sondern sie wird anerkannt und wie eine
bewußte Vollschuld bestraft, was der Überlegung ungerecht erscheinen
muß, aber psychologisch vollkommen korrekt ist. Die Darstellung des
englischen Dramas ist indirekter, der Held hat die Handlung nicht
selbst vollbracht, sondern ein anderer, für den sie keinen Vatermord

bedeutet. Das anstößige Motiv der sexualen Rivalität beim Weibe braucht darum nicht verschleiert zu werden. Auch den Ödipuskomplex des Helden erblicken wir gleichsam im reflektierten Licht, indem wir die Wirkung der Tat des anderen auf ihn erfahren. Er sollte die Tat rächen, findet sich in merkwürdiger Weise unfähig dazu. Wir wissen, es ist sein Schuldgefühl, das ihn lähmt; in einer den neurotischen Vorgängen durchaus gemäßen Weise wird das Schuldgefühl auf die Wahrnehmung seiner Unzulänglichkeit zur Erfüllung dieser Aufgabe verschoben. Es ergeben sich Anzeichen, daß der Held diese Schuld als eine überindividuelle empfindet. Er verachtet die anderen nicht minder als sich. »Behandelt jeden Menschen nach seinem Verdienst, und wer ist vor Schlägen sicher?«[1] In dieser Richtung geht der Roman des Russen einen Schritt weiter. Auch hier hat ein anderer den Mord vollbracht, aber einer, der zu dem Ermordeten in derselben Sohnesbeziehung stand wie der Held Dmitri, bei dem das Motiv der sexuellen Rivalität offen zugestanden wird, ein anderer Bruder, dem bemerkenswerterweise Dostojewski seine eigene Krankheit, die vermeintliche Epilepsie, angehängt hat, als ob er gestehen wollte, der Epileptiker, Neurotiker in mir ist ein Vatermörder. Und nun folgt in dem Plädoyer vor dem Gerichtshof der berühmte Spott auf die Psychologie, sie sei ein Stock mit zwei Enden. Eine großartige Verhüllung, denn man braucht sie nur umzukehren, um den tiefsten Sinn der Dostojewskischen Auffassung zu finden. Nicht die Psychologie verdient den Spott, sondern das gerichtliche Ermittlungsverfahren. Es ist ja gleichgültig, wer die Tat wirklich ausgeführt hat, für die Psychologie kommt es nur darauf an, wer sie in seinem Gefühl gewollt und, als sie geschehen, willkommen geheißen hat, und darum sind bis auf die Kontrastfigur des Aljoscha alle Brüder gleich schuldig, der triebhafte Genußmensch, der skeptische Zyniker und der epileptische Verbrecher. In den *Brüdern Karamasoff* findet sich eine für Dostojewski höchst bezeichnende Szene. Der Staretz hat im Gespräch mit Dmitri erkannt, daß er die Bereitschaft zum Vatermord in sich trägt, und wirft sich vor ihm nieder. Das kann nicht Ausdruck der Bewunderung sein, es muß heißen, daß der Heilige die Versuchung, den Mörder zu verachten oder zu verabscheuen, von sich weist und sich darum vor ihm demütigt. Dostojewskis Sympathie für den Verbrecher ist in der Tat schrankenlos, sie geht weit über das Mitleid hinaus, auf das der Unglückliche Anspruch hat, erinnert an die heilige Scheu, mit der das

---

[1] [*Hamlet*, Akt II, Szene 2.]

Altertum den Epileptiker und den Geistesgestörten betrachtet hat. Der Verbrecher ist ihm fast wie ein Erlöser, der die Schuld auf sich genommen hat, die sonst die anderen hätten tragen müssen. Man braucht nicht mehr zu morden, nachdem er bereits gemordet hat, aber man muß ihm dafür dankbar sein, sonst hätte man selbst morden müssen. Das ist nicht gütiges Mitleid allein, es ist Identifizierung auf Grund der gleichen mörderischen Impulse, eigentlich ein um ein Geringes verschobener Narzißmus. Der ethische Wert dieser Güte soll damit nicht bestritten werden. Vielleicht ist dies überhaupt der Mechanismus der gütigen Teilnahme am anderen Menschen, den man in dem extremen Falle des vom Schuldbewußtsein beherrschten Dichters besonders leicht durchschaut. Kein Zweifel, daß diese Identifizierungssympathie die Stoffwahl Dostojewskis entscheidend bestimmt hat. Er hat aber zuerst den gemeinen Verbrecher – aus Eigensucht –, den politischen und religiösen Verbrecher behandelt, ehe er am Ende seines Lebens zum Urverbrecher, zum Vatermörder, zurückkehrte und an ihm sein poetisches Geständnis ablegte.

Die Veröffentlichung seines Nachlasses und der Tagebücher seiner Frau hat eine Episode seines Lebens grell beleuchtet, die Zeit, da Dostojewski in Deutschland von der Spielsucht besessen war. (Fülöp-Miller und Eckstein, 1925.) Ein unverkennbarer Anfall von pathologischer Leidenschaft, der auch von keiner Seite anders gewertet werden konnte. Es fehlte nicht an Rationalisierungen für dies merkwürdige und unwürdige Tun. Das Schuldgefühl hatte sich, wie nicht selten bei Neurotikern, eine greifbare Vertretung durch eine Schuldenlast geschaffen und Dostojewski konnte vorschützen, daß er sich durch den Spielgewinn die Möglichkeit erwerben wolle, nach Rußland zurückzukommen, ohne von seinen Gläubigern eingesperrt zu werden. Aber das war nur Vorwand, Dostojewski war scharfsinnig genug, es zu erkennen, und ehrlich genug, es zu gestehen. Er wußte, die Hauptsache war das Spiel an und für sich, *le jeu pour le jeu*[1]. Alle Einzelheiten seines triebhaft unsinnigen Benehmens beweisen dies und noch etwas anderes. Er ruhte nie, ehe er nicht alles verloren hatte. Das Spiel war ihm auch ein Weg zur Selbstbestrafung. Er hatte ungezählte Male der jungen Frau sein Wort oder sein Ehrenwort gegeben, nicht mehr zu spielen oder an diesem Tag nicht mehr zu spielen, und er brach es, wie sie sagt, fast immer. Hatte er durch Verluste sich und sie ins äußerste Elend gebracht, so zog er daraus eine

[1] »Die Hauptsache ist das Spiel selbst«, schrieb er in einem seiner Briefe. »Ich schwöre Ihnen, es handelt sich dabei nicht um Habgier, obwohl ich ja freilich vor allem Geld nötig hatte.«

zweite pathologische Befriedigung. Er konnte sich vor ihr beschimpfen, demütigen, sie auffordern, ihn zu verachten, zu bedauern, daß sie ihn alten Sünder geheiratet, und nach dieser Entlastung des Gewissens ging dies Spiel am nächsten Tag weiter. Und die junge Frau gewöhnte sich an diesen Zyklus, weil sie bemerkt hatte, daß dasjenige, von dem in Wirklichkeit allein die Rettung zu erwarten war, die literarische Produktion, nie besser vor sich ging, als nachdem sie alles verloren und ihre letzte Habe verpfändet hatten. Sie verstand den Zusammenhang natürlich nicht. Wenn sein Schuldgefühl durch die Bestrafungen befriedigt war, die er selbst über sich verhängt hatte, dann ließ seine Arbeitshemmung nach, dann gestattete er sich, einige Schritte auf dem Wege zum Erfolg zu tun[1].

Welches Stück längst verschütteten Kinderlebens sich im Spielzwang Wiederholung erzwingt, läßt sich unschwer in Anlehnung an eine Novelle eines jüngeren Dichters erraten. Stefan Zweig, der übrigens Dostojewski selbst eine Studie gewidmet hat (*Drei Meister* [1920]), erzählt in seiner Sammlung von drei Novellen *Die Verwirrung der Gefühle* [1927] eine Geschichte, die er ›Vierundzwanzig Stunden aus dem Leben einer Frau‹ betitelt. Das kleine Meisterwerk will angeblich nur dartun, ein wie unverantwortliches Wesen das Weib ist, zu welchen es selbst überraschenden Überschreitungen es durch einen unerwarteten Lebenseindruck gedrängt werden kann. Allein die Novelle sagt weit mehr, stellt ohne solche entschuldigende Tendenz etwas ganz anderes, allgemein Menschliches oder vielmehr Männliches dar, wenn man sie einer analytischen Deutung unterzieht, und eine solche Deutung ist so aufdringlich nahegelegt, daß man sie nicht abweisen kann. Es ist bezeichnend für die Natur des künstlerischen Schaffens, daß der mir befreundete Dichter auf Befragen versichern konnte, daß die ihm mitgeteilte Deutung seinem Wissen und seiner Absicht völlig fremd gewesen sei, obwohl in die Erzählung manche Details eingeflochten sind, die geradezu berechnet scheinen, auf die geheime Spur hinzuweisen. In der Novelle Zweigs erzählt eine vornehme ältere Dame dem Dichter ein Erlebnis, das sie vor mehr als zwanzig Jahren betroffen hat. Früh verwitwet, Mutter zweier Söhne, die sie nicht mehr brauchten, von allen Lebenserwartungen abgewendet, geriet sie in ihrem zweiundvierzigsten

---

[1] Immer blieb er so lange am Spieltisch, bis er alles verloren hatte, bis er vollständig vernichtet dastand. Nur wenn sich das Unheil ganz erfüllt hatte, wich endlich der Dämon von seiner Seele und überließ dem schöpferischen Genius den Platz. (Fülöp-Miller und Eckstein, 1925, LXXXVI.)

Jahr auf einer ihrer zwecklosen Reisen in den Spielsaal des Kasinos von
Monaco und wurde unter all den merkwürdigen Eindrücken des Orts
bald von dem Anblick zweier Hände fasziniert, die alle Empfindungen
des unglücklichen Spielers mit erschütternder Aufrichtigkeit und Intensität zu verraten schienen. Diese Hände gehörten einem schönen Jüngling – der Dichter gibt ihm wie absichtslos das Alter des ersten Sohnes
der Zuschauerin –, der, nachdem er alles verloren, in tiefster Verzweif-
lung den Saal verläßt, voraussichtlich um im Park sein hoffnungsloses
Leben zu beenden. Eine unerklärliche Sympathie zwingt sie, ihm zu
folgen und alle Versuche zu seiner Rettung zu unternehmen. Er hält sie
für eine der am Orte so zahlreichen zudringlichen Frauen und will sie
abschütteln, aber sie bleibt bei ihm und sieht sich auf die natürlichste
Weise genötigt, seine Unterkunft im Hotel und endlich sein Bett zu
teilen. Nach dieser improvisierten Liebesnacht läßt sie sich von dem
anscheinend beruhigten Jüngling unter den feierlichsten Umständen die
Versicherung geben, daß er nie wieder spielen wird, stattet ihn mit
Geld für die Heimreise aus und verspricht, ihn vor Abgang des Zuges
auf dem Bahnhof zu treffen. Dann aber erwacht in ihr eine große Zärtlichkeit für ihn, sie will alles opfern, um ihn zu behalten, beschließt, mit
ihm zu reisen, anstatt von ihm Abschied zu nehmen. Widrige Zufälligkeiten halten sie auf, so daß sie den Zug versäumt; in der Sehnsucht nach
dem Verschwundenen sucht sie den Spielsaal wieder auf und findet dort
entsetzt die Hände wieder, die zuerst ihre Sympathie entzündeten; der
Pflichtvergessene ist zum Spiel zurückgekehrt. Sie mahnt ihn an sein
Versprechen, aber von der Leidenschaft besessen, schilt er sie Spielver-
derberin, heißt sie gehen und wirft ihr das Geld hin, mit dem sie ihn
loskaufen wollte. In tiefster Beschämung muß sie fliehen und kann
später in Erfahrung bringen, daß es ihr nicht gelungen war, ihn vor dem
Selbstmord zu bewahren.

Diese glänzend erzählte, lückenlos motivierte Geschichte ist gewiß für
sich allein existenzfähig und einer großen Wirkung auf den Leser sicher.
Die Analyse lehrt aber, daß ihre Erfindung auf dem Urgrund einer
Wunschphantasie der Pubertätszeit ruht, die bei manchen Personen
selbst als bewußt erinnert wird. Die Phantasie lautet, die Mutter möge
selbst den Jüngling ins sexuelle Leben einführen, um ihn vor den gefürchteten Schädlichkeiten der Onanie zu retten. Die so häufigen Er-
lösungsdichtungen haben denselben Ursprung. Das »Laster« der Onanie
ist durch das der Spielsucht ersetzt, die Betonung der leidenschaftlichen
Tätigkeit der Hände ist für diese Ableitung verräterisch. Wirklich ist

die Spielwut ein Äquivalent des alten Onaniezwanges, mit keinem anderen Wort als »Spielen« ist in der Kinderstube die Betätigung der Hände am Genitale benannt worden. Die Unwiderstehlichkeit der Versuchung, die heiligen und doch nie gehaltenen Vorsätze, es nie wieder zu tun, die betäubende Lust und das böse Gewissen, man richte sich zugrunde (Selbstmord), sind bei der Ersetzung unverändert erhalten geblieben. Die Zweigsche Novelle wird zwar von der Mutter, nicht vom Sohne, erzählt. Es muß dem Sohne schmeicheln zu denken: wenn die Mutter wüßte, in welche Gefahren mich die Onanie bringt, würde sie mich gewiß durch die Gestattung aller Zärtlichkeiten an ihrem eigenen Leib vor ihnen retten. Die Gleichstellung der Mutter mit der Dirne, die der Jüngling in der Zweigschen Novelle vollzieht, gehört in den Zusammenhang derselben Phantasie. Sie macht die Unzugängliche leicht erreichbar; das böse Gewissen, das diese Phantasie begleitet, setzt den schlechten Ausgang der Dichtung durch. Es ist auch interessant zu bemerken, wie die der Novelle vom Dichter gegebene Fassade deren analytischen Sinn zu verhüllen sucht. Denn es ist sehr bestreitbar, daß das Liebesleben der Frau von plötzlichen und rätselhaften Impulsen beherrscht wird. Die Analyse deckt vielmehr eine zureichende Motivierung für das überraschende Benehmen der bis dahin von der Liebe abgewandten Frau auf. Dem Andenken ihres verlorenen Ehemannes getreu, hat sie sich gegen alle ihm ähnlichen Ansprüche gewappnet, aber – darin behält die Phantasie des Sohnes recht – einer ihr ganz unbewußten Liebesübertragung auf den Sohn war sie als Mutter nicht entgangen, und an dieser unbewachten Stelle kann das Schicksal sie packen. Wenn die Spielsucht mit ihren erfolglosen Abgewöhnungskämpfen und ihren Gelegenheiten zur Selbstbestrafung eine Wiederholung des Onaniezwanges ist, so werden wir nicht verwundert sein, daß sie sich im Leben Dostojewskis einen so großen Raum erobert hat. Wir finden doch keinen Fall von schwerer Neurose, in dem die autoerotische Befriedigung der Frühzeit und der Pubertätszeit nicht ihre Rolle gespielt hätte, und die Beziehungen zwischen den Bemühungen, sie zu unterdrücken, und der Angst vor dem Vater sind zu sehr bekannt, um mehr als einer Erwähnung zu bedürfen[1].

---

[1] Die meisten der hier vorgetragenen Ansichten sind auch in der 1923 erschienenen trefflichen Schrift von Jolan Neufeld, *Dostojewski, Skizze zu seiner Psychoanalyse* (Imago-Bücher, Nr. IV), enthalten.

Goethe-Preis

(1930)

EDITORISCHE VORBEMERKUNG

›Brief an Dr. Alfons Paquet‹

Deutsche Ausgaben:

1930 *Psychoanal. Bewegung*, Bd. 2 (5) (Sept.-Okt.), 419.
1934 *G. S.*, Bd. 12, 406–7.
1948 *G. W.*, Bd. 14, 545–6.

›Ansprache im Frankfurter Goethe-Haus‹

Deutsche Ausgaben:

1930 *Psychoanal. Bewegung*, Bd. 2 (5) (Sept.-Okt.), 421–6.
1934 *G. S.*, Bd. 12, 408–11.
1948 *G. W.*, Bd. 14, 547–50.

Der Goethe-Preis der Stadt Frankfurt war 1927 gestiftet worden und sollte alljährlich »einer mit ihrem Schaffen bereits zur Geltung gelangten Persönlichkeit zuerkannt werden, deren schöpferisches Wirken einer dem Andenken Goethes gewidmeten Ehrung würdig ist«. Die ersten drei Empfänger des Preises waren Stefan George, Albert Schweitzer und Leopold Ziegler. Die Summe betrug 10 000 Reichsmark.

Auf Vorschlag von Dr. Alfons Paquet, eines bekannten Schriftstellers und des Sekretärs des Kuratoriums des Goethe-Preises, wurde beschlossen, im Jahre 1930 den Preis Sigmund Freud zu verleihen. Paquet teilte ihm dies in einem Brief vom 26. Juli 1930 mit (Freud hielt sich in den Sommerferien im Salzkammergut auf); der Brief Paquets wurde in der *Psychoanalytischen Bewegung*, Bd. 2, 417–18, abgedruckt. Es heißt dort unter anderem: »Indem das Kuratorium Ihnen, sehr verehrter Herr Professor, den Preis zuerkennt, wünscht es die hohe Wertung zum Ausdruck zu bringen, die es den umwälzenden Wirkungen der von Ihnen geschaffenen neuen Forschungsformen auf die gestaltenden Kräfte unserer Zeit beimißt. In streng naturwissenschaftlicher Methode, zugleich in kühner Deutung der von Dichtern geprägten Gleichnisse hat Ihre Forschung einen Zugang zu den Triebkräften der Seele gebahnt und dadurch die Möglichkeit geschaffen, Entstehen und Aufbau vieler Kulturformen in ihrer Wurzel zu verstehen und Krankheiten zu heilen, zu denen die ärztliche Kunst bisher den Schlüssel nicht besaß. Ihre Psychologie hat aber nicht nur die ärztliche Wissenschaft, sondern auch die Vorstellungen der Künstler und Seelsorger, der Geschichtsschreiber und Erzieher aufgewühlt und bereichert.«

Freud beantwortete den Brief am 3. August[1]. Wie Paquet noch erwähnt, erfolgte die Verleihung jeweils am 28. August in einer Festsitzung im Goethe-Haus; vom Empfänger des Preises wurde erwartet, daß er in einer Ansprache seine innere Beziehung zu Goethe erläutere. Wegen seiner Krankheit war Freud außerstande, diese Ansprache selbst zu halten; statt seiner las Anna Freud am 28. August 1930 der Festversammlung den von ihm vorbereiteten Text vor.

---

[1] In den *G. S.* und den *G. W.* wird als Datum der 5. August genannt. Der Brief ist auch in den Freud-Briefen (1960*a*) abgedruckt, wo als Datum der 26. Juli angegeben ist.

BRIEF AN DR. ALFONS PAQUET

Ich bin durch öffentliche Ehrungen nicht verwöhnt worden und habe
mich darum so eingerichtet, daß ich solche entbehren konnte. Ich mag
aber nicht bestreiten, daß mich die Verleihung des Goethe-Preises der
Stadt Frankfurt sehr erfreut hat. Es ist etwas an ihm, was die Phantasie
besonders erwärmt und eine seiner Bestimmungen räumt die Demütigung weg, die sonst durch solche Auszeichnungen mitbedingt wird.

Für Ihren Brief habe ich Ihnen besonderen Dank zu sagen, er hat mich
ergriffen und verwundert. Von der liebenswürdigen Vertiefung in den
Charakter meiner Arbeit abzusehen, habe ich doch nie zuvor die geheimen persönlichen Absichten derselben mit solcher Klarheit erkannt
gefunden wie von Ihnen und hätte Sie gern gefragt, woher Sie es
wissen.

Leider erfahre ich aus Ihrem Brief an meine Tochter, daß ich Sie in
nächster Zeit nicht sehen soll, und Aufschub ist in meinen Lebenszeiten
immerhin bedenklich. Natürlich bin ich gern bereit, den von Ihnen an-
gekündigten Herrn (Dr. Michel) zu empfangen.

Zur Feier nach Frankfurt kann ich leider nicht kommen, ich bin zu ge-
brechlich für diese Unternehmung. Die Festgesellschaft wird nichts dadurch verlieren, meine Tochter Anna ist gewiß angenehmer anzusehen
und anzuhören als ich. Sie soll einige Sätze vorlesen, die Goethes Beziehungen zur Psychoanalyse behandeln und die Analytiker selbst
gegen den Vorwurf in Schutz nehmen, daß sie durch analytische Versuche an ihm die dem Großen schuldige Ehrfurcht verletzt haben. Ich
hoffe, daß es angeht, das mir gestellte Thema: »Die inneren Beziehungen
des Menschen und Forschers zu Goethe« in solcher Weise umzubeugen,
oder Sie würden noch so liebenswürdig sein, mir davon abzuraten.

Meine Lebensarbeit war auf ein einziges Ziel eingestellt. Ich beobachtete die feineren Störungen der seelischen Leistung bei Gesunden und Kranken und wollte aus solchen Anzeichen erschließen – oder, wenn Sie es lieber hören: erraten –, wie der Apparat gebaut ist, der diesen Leistungen dient, und welche Kräfte in ihm zusammen- und gegeneinanderwirken. Was wir, ich, meine Freunde und Mitarbeiter, auf diesem Wege lernen konnten, erschien uns bedeutsam für den Aufbau einer Seelenkunde, die normale wie pathologische Vorgänge als Teile des nämlichen natürlichen Geschehens verstehen läßt.

Von solcher Einengung ruft mich Ihre mich überraschende Auszeichnung zurück. Indem sie die Gestalt des großen Universellen heraufbeschwört, der in diesem Hause geboren wurde, in diesen Räumen seine Kindheit erlebte, mahnt sie, sich gleichsam vor ihm zu rechtfertigen, wirft sie die Frage auf, wie *er* sich verhalten hätte, wenn sein für jede Neuerung der Wissenschaft aufmerksamer Blick auch auf die Psychoanalyse gefallen wäre.

An Vielseitigkeit kommt Goethe ja Leonardo da Vinci, dem Meister der Renaissance, nahe, der Künstler und Forscher war wie er. Aber Menschenbilder können sich nie wiederholen, es fehlt auch nicht an tiefgehenden Unterschieden zwischen den beiden Großen. In Leonardos Natur vertrug sich der Forscher nicht mit dem Künstler, er störte ihn und erdrückte ihn vielleicht am Ende. In Goethes Leben fanden beide Persönlichkeiten Raum nebeneinander, sie lösten einander zeitweise in der Vorherrschaft ab. Es liegt nahe, die Störung bei Leonardo mit jener Entwicklungshemmung zusammenzubringen, die alles Erotische und damit die Psychologie seinem Interesse entrückte. In diesem Punkt durfte Goethes Wesen sich freier entfalten.

Ich denke, Goethe hätte nicht, wie so viele unserer Zeitgenossen, die Psychoanalyse unfreundlichen Sinnes abgelehnt. Er war ihr selbst in manchen Stücken nahegekommen, hatte in eigener Einsicht vieles erkannt, was wir seither bestätigen konnten, und manche Auffassungen, die uns Kritik und Spott eingetragen haben, werden von ihm wie selbstverständlich vertreten. So war ihm z. B. die unvergleichliche Stärke der ersten affektiven Bindungen des Menschenkindes vertraut. Er feierte sie in der Zueignung der *Faust*-Dichtung in Worten, die wir für jede unserer Analysen wiederholen könnten:

> »Ihr naht euch wieder, schwankende Gestalten,
> Die früh sich einst dem trüben Blick gezeigt.
> Versuch' ich wohl, euch diesmal festzuhalten?«

– – – – – – – – – –

> »Gleich einer alten, halbverklungnen Sage
> Kommt erste Lieb' und Freundschaft mit herauf.«

Von der stärksten Liebesanziehung, die er als reifer Mann erfuhr, gab er sich Rechenschaft, indem er der Geliebten zurief: »Ach, du warst in abgelebten Zeiten meine Schwester oder meine Frau.«[1]
Er stellte somit nicht in Abrede, daß diese unvergänglichen ersten Neigungen Personen des eigenen Familienkreises zum Objekt nehmen.
Den Inhalt des Traumlebens umschreibt Goethe mit den so stimmungsvollen Worten:

> »Was von Menschen nicht gewußt
> Oder nicht bedacht,
> Durch das Labyrinth der Brust
> Wandelt in der Nacht.«[2]

Hinter diesem Zauber erkennen wir die altehrwürdige, unbestreitbar richtige Aussage des Aristoteles, das Träumen sei die Fortsetzung unserer Seelentätigkeit in den Schlafzustand, vereint mit der Anerkennung des Unbewußten, die erst die Psychoanalyse hinzugefügt hat. Nur das Rätsel der Traumentstellung findet dabei keine Auflösung.
In seiner vielleicht erhabensten Dichtung, der *Iphigenie*, zeigt uns Goethe ein ergreifendes Beispiel einer Entsühnung, einer Befreiung der leidenden Seele von dem Druck der Schuld, und er läßt diese Katharsis sich vollziehen durch einen leidenschaftlichen Gefühlsausbruch unter dem wohltätigen Einfluß einer liebevollen Teilnahme. Ja, er hat sich selbst wiederholt in psychischer Hilfeleistung versucht, so an jenem Unglücklichen, der in den Briefen Kraft genannt wird, an dem Professor Plessing, von dem er in der *Campagne in Frankreich* erzählt, und das Verfahren, das er anwendete, geht über das Vorgehen der katho-

---

[1] [Aus dem an Charlotte von Stein gerichteten Gedicht: ›Warum gabst du uns die tiefen Blicke‹.]
[2] [Aus dem Gedicht ›An den Mond‹, letzte Fassung.]

lischen Beichte hinaus und berührt sich in merkwürdigen Einzelheiten
mit der Technik unserer Psychoanalyse. Ein von Goethe als scherzhaft
bezeichnetes Beispiel einer psychotherapeutischen Beeinflussung möchte
ich hier ausführlich mitteilen, weil es vielleicht weniger bekannt und
doch sehr charakteristisch ist. Aus einem Brief an Frau v. Stein (Nr.
1444 vom 5. September 1785):

»Gestern Abend habe ich ein[1] psychologisches Kunststück gemacht. Die
Herder war immer noch auf das Hypochondrischste gespannt über alles,
was ihr im Carlsbad unangenehmes begegnet war. Besonders von ihrer
Hausgenossin. Ich ließ mir alles erzählen und beichten, fremde Untaten[2]
und eigene Fehler mit den kleinsten Umständen und Folgen, und zuletzt
absolvirte ich sie und machte ihr scherzhaft unter dieser Formel begreiflich, daß diese Dinge nun abgethan und in die Tiefe des Meeres
geworfen seyen. Sie ward selbst lustig darüber und ist würklich kurirt.«

Den Eros hat Goethe immer hochgehalten, seine Macht nie zu verklei-
nern versucht, ist seinen primitiven oder selbst mutwilligen Äußerungen
nicht minder achtungsvoll gefolgt wie seinen hochsublimierten und hat,
wie mir scheint, seine Weseneinheit durch alle seine Erscheinungsformen
nicht weniger entschieden vertreten als vor Zeiten Plato. Ja, vielleicht
ist es mehr als zufälliges Zusammentreffen, wenn er in den *Wahlver-
wandtschaften* eine Idee aus dem Vorstellungskreis der Chemie auf das
Liebesleben anwendete, eine Beziehung, von der der Name selbst der
Psychoanalyse zeugt.
Ich bin auf den Vorwurf vorbereitet, wir Analytiker hätten das Recht
verwirkt, uns unter die Patronanz Goethes zu stellen, weil wir die ihm
schuldige Ehrfurcht verletzt haben, indem wir die Analyse auf ihn selbst
anzuwenden versuchten, den großen Mann zum Objekt der analytischen
Forschung erniedrigten. Ich aber bestreite zunächst, daß dies eine Erniedrigung beabsichtigt oder bedeutet.
Wir alle, die wir Goethe verehren, lassen uns doch ohne viel Sträuben
die Bemühungen der Biographen gefallen, die sein Leben aus den vorhandenen Berichten und Aufzeichnungen wiederherstellen wollen. Was
aber sollen uns diese Biographien leisten? Auch die beste und vollstän-
digste könnte die beiden Fragen nicht beantworten, die allein wissens-
wert scheinen.
Sie würde das Rätsel der wunderbaren Begabung nicht aufklären, die

---

[1] [In Goethes Original steht hier das Wort »recht«.]
[2] [Goethe hat eigentlich »Unarten« geschrieben.]

den Künstler macht, und sie könnte uns nicht helfen, den Wert und die Wirkung seiner Werke besser zu erfassen. Und doch ist es unzweifelhaft, daß eine solche Biographie ein starkes Bedürfnis bei uns befriedigt. Wir verspüren dies so deutlich, wenn die Ungunst der historischen Überlieferung diesem Bedürfnis die Befriedigung versagt hat, z. B. im Falle Shakespeares. Es ist uns allen unleugbar peinlich, daß wir noch immer nicht wissen, wer die Komödien, Trauerspiele und Sonette Shakespeares verfaßt hat, ob wirklich der ungelehrte Sohn des Stratforder Kleinbürgers, der in London eine bescheidene Stellung als Schauspieler erreicht, oder doch eher der hochgeborene und feingebildete, leidenschaftlich unordentliche, einigermaßen deklassierte Aristokrat Edward de Vere, siebzehnter Earl of Oxford, erblicher Lord Great Chamberlain von England [1]. Wie rechtfertigt sich aber ein solches Bedürfnis, von den Lebensumständen eines Mannes Kunde zu erhalten, wenn dessen Werke für uns so bedeutungsvoll geworden sind? Man sagt allgemein, es sei das Verlangen, uns einen solchen Mann auch menschlich näherzubringen. Lassen wir das gelten; es ist also das Bedürfnis, affektive Beziehungen zu solchen Menschen zu gewinnen, sie den Vätern, Lehrern, Vorbildern anzureihen, die wir gekannt oder deren Einfluß wir bereits erfahren haben, unter der Erwartung, daß ihre Persönlichkeiten ebenso großartig und bewundernswert sein werden wie die Werke, die wir von ihnen besitzen.

Immerhin wollen wir zugestehen, daß noch ein anderes Motiv im Spiele ist. Die Rechtfertigung des Biographen enthält auch ein Bekenntnis. Nicht herabsetzen zwar will der Biograph den Heros, sondern ihn uns näherbringen. Aber das heißt doch die Distanz, die uns von ihm trennt, verringern, wirkt doch in der Richtung einer Erniedrigung. Und es ist unvermeidlich, wenn wir vom Leben eines Großen mehr erfahren, werden wir auch von Gelegenheiten hören, in denen er es wirklich nicht

---

[1] [Diese Ansicht über die Autorschaft der Werke Shakespeares veröffentlichte Freud erstmals in einer 1930 in Kapitel V (D) der *Traumdeutung* (1900 a) hinzugefügten Anmerkung, obgleich er sie schon in einem Brief vom 25. Dezember 1928 an Lytton Strachey erörtert hatte (der Brief ist in der zweiten, erweiterten Auflage, 1968, von Freud 1960 a enthalten). Hier, im obigen Text, geht er noch etwas ausführlicher auf diese Frage ein und erwähnt sie abermals in einer 1935 seiner *Selbstdarstellung* (1925 d) hinzugefügten Anmerkung, ziemlich zu Anfang des Kapitels VI. Noch einmal findet sich dieser Hinweis in dem posthum veröffentlichten *Abriß* (1940 a [1938]), in einer Anmerkung zu einer der letzten Seiten von Kapitel VII. Eine längere Argumentation zugunsten dieser Ansicht findet sich in dem Brief Freuds vom 25. März 1934 an J. S. H. Branson, abgedruckt in Anhang I (Nr. 27) des dritten Bandes der Freud-Biographie von Ernest Jones (1962 b, 528–529).]

besser gemacht hat als wir, uns menschlich wirklich nahegekommen ist. Dennoch meine ich, wir erklären die Bemühungen der Biographik für legitim. Unsere Einstellung zu Vätern und Lehrern ist nun einmal eine ambivalente, denn unsere Verehrung für sie deckt regelmäßig eine Komponente von feindseliger Auflehnung. Das ist ein psychologisches Verhängnis, läßt sich ohne gewaltsame Unterdrückung der Wahrheit nicht ändern und muß sich auf unser Verhältnis zu den großen Männern, deren Lebensgeschichte wir erforschen wollen, fortsetzen[1].

Wenn die Psychoanalyse sich in den Dienst der Biographik begibt, hat sie natürlich das Recht, nicht härter behandelt zu werden als diese selbst. Die Psychoanalyse kann manche Aufschlüsse bringen, die auf anderen Wegen nicht zu erhalten sind, und so neue Zusammenhänge aufzeigen in dem Webermeisterstück[2], das sich zwischen den Triebanlagen, den Erlebnissen und den Werken eines Künstlers ausbreitet. Da es eine der hauptsächlichsten Funktionen unseres Denkens ist, den Stoff der Außenwelt psychisch zu bewältigen, meine ich, man müßte der Psychoanalyse danken, wenn sie auf den großen Mann angewendet zum Verständnis seiner großen Leistung beiträgt. Aber ich gestehe, im Falle von Goethe haben wir es noch nicht weit gebracht. Das rührt daher, daß Goethe nicht nur als Dichter ein großer Bekenner war, sondern auch trotz der Fülle autobiographischer Aufzeichnungen ein sorgsamer Verhüller. Wir können nicht umhin, hier der Worte Mephistos zu gedenken:

> »Das Beste, was du wissen kannst,
> Darfst du den Buben doch nicht sagen.«[3]

---

[1] [Eine ähnliche Bemerkung über die Beziehung der Psychoanalyse zur Biographie hatte Freud auch in seiner Leonardo-Studie gemacht (in diesem Band, S. 156 f.).]

[2] [Nach Faust I, vierte Szene, Mephistopheles' Beschreibung der »Gedankenfabrik«. In der *Traumdeutung* (1900 a), Kapitel VI (A) zitiert Freud die Verse im Zusammenhang mit der Komplexität der Traum-Assoziationen vollständig.]

[3] [Freud hat diese Formulierung (ebenfalls aus Faust I, vierte Szene) sehr geschätzt und im Laufe seines Lebens immer wieder zitiert.]

Anhang

BILDNACHWEIS

Tafel gegenüber S. 80:
Relief der ›Gradiva‹ (Museo Vaticano)

Tafel gegenüber S. 81:
Mona Lisa des Leonardo da Vinci (Louvre, Paris)

Tafel gegenüber S. 144:
Heilige Anna Selbdritt des Leonardo da Vinci (Louvre, Paris)

Tafel gegenüber S. 145:
Moses des Michelangelo (Kirche S. Pietro in Vincoli, Rom)

Tafel gegenüber S. 208:
Moses des Michelangelo, Detail

Tafel gegenüber S. 209:
Mosesstatuette, Nicholas von Verdun zugeschrieben (Ashmolean Museum, Oxford)

Der Abdruck der Tafel des Gradiva-Reliefs sowie der Tafeln des Moses des Michelangelo erfolgt hier mit freundlicher Genehmigung der Fratelli Alinari Soc., Florenz; für die Abdruckserlaubnis der Tafeln der Mona Lisa und der Anna Selbdritt von Leonardo da Vinci haben wir Photographie Giraudon, Paris, zu danken, für die der Tafel der Mosesstatuette dem Ashmolean Museum, Oxford.

BIBLIOGRAPHIE

Vorbemerkung: Titel von Büchern und Zeitschriften sind kursiv, Titel von Beiträgen zu Zeitschriften oder Büchern in einfache Anführungszeichen gesetzt. Die Abkürzungen entsprechen der *World List of Scientific Periodicals* (London, 1952). Weitere in diesem Band verwendete Abkürzungen finden sich in der *Liste der Abkürzungen* auf Seite 308. Die in runde Klammern gesetzten Zahlen am Ende bibliographischer Eintragungen geben die Seite bzw. Seiten des vorliegenden Bandes an, wo auf das betreffende Werk hingewiesen wird. Die kursivierten Kleinbuchstaben hinter den Jahreszahlen der unten aufgeführten Freud-Schriften beziehen sich auf die verbindliche Freud-Gesamtbibliographie, die im letzten Band der englischen Gesamtausgabe, der *Standard Edition of the Complete Psychological Works of Sigmund Freud,* erscheinen wird. Eine vorläufige, nicht vollständige Fassung dieser Gesamtbibliographie ist bereits publiziert worden (*Int. J. Psycho-Analysis,* Bd. 37, 1956). Für nichtwissenschaftliche Autoren und für wissenschaftliche Autoren, von denen kein spezielles Werk zitiert wird, siehe das Namen- und Sachregister.

BINET, A. (1888) *Études de psychologie expérimentale: le fétichisme dans l'amour,* Paris. (45–6)

BLEULER, E. (1906) *Affektivität, Suggestibilität, Paranoia,* Halle. (51)

BOITO, C. (1883) *Leonardo, Michelangelo, Andrea Palladio* (2. Aufl.), Mailand. (200)

BOTTAZZI, F. (1910) ›Leonardo biologico e anatomico‹, in *Conferenze Fiorentine,* Mailand, S. 181. (96, 100)

BRANDES, G. (1896) *William Shakespeare,* Paris. (183)

BREUER, J. und FREUD, S. (1895) *siehe* Freud, S. (1895 *d*)

BURCKHARDT, J. (1927) *Der Cicerone, Leipzig.* (1. Aufl., 1855.) (200, 201–2)

CONFERENZE FIORENTINE (1910) *Leonardo da Vinci: Conferenze Fiorentine,* Mailand. (100, 103)

CONTI, A. (1910) ›Leonardo pittore‹, in *Conferenze Fiorentine,* Mailand, S. 81. (133–4)

DARMSTETTER, J. (1881) (hrsg. von) *Macbeth,* Paris. (242–3)

DOSTOJEWSKI, A. (1920) *Dostojewski, geschildert von seiner Tochter* (aus dem Französischen), München. (275)

ECKSTEIN, F. und   *siehe* Fülöp-Miller, R., und Eckstein, F.
FÜLÖP-MILLER, R.

ELLIS, HAVELOCK   (1910) Referat über S. Freuds *Eine Kindheitserinnerung des Leonardo da Vinci, J. ment. Sci.*, Bd. 56, S. 522. (109 bis 110)

FEDERN, P.   (1914) ›Über zwei typische Traumsensationen‹, *Jb. Psychoanalyse*, Bd. 6, S. 89. (148)

FERENCZI, S.   (1912) ›Über passagère Symptombildung während der Analyse‹, *Zentbl. Psychoanal.*, Bd. 2, S. 588. (263)

FREUD, S.   (1895 d) und Breuer, J., *Studien über Hysterie*, Wien; Neuausgabe (Fischer Taschenbuch), Frankfurt am Main 1970. G. W., Bd. 1, S. 77 (ohne die Beiträge von Breuer). (52, 79–80)

                         (1900 a) *Die Traumdeutung*, Wien. G. W., Bd. 2–3; *Studienausgabe*, Bd. 2. (11, 13–15, 53–5, 57, 68, 75, 119, 148, 166, 175, 184, 186, 198, 262, 266, 295, 296)

                         (1905 c) *Der Witz und seine Beziehung zum Unbewußten*, Wien. G. W., Bd. 6; *Studienausgabe*, Bd. 4. (172, 179)

                         (1905 d) *Drei Abhandlungen zur Sexualtheorie*, Wien. G. W., Bd. 5, S. 29; *Studienausgabe*, Bd. 5. (12, 46, 125, 126, 140)

                         (1905 e) ›Bruchstück einer Hysterie-Analyse‹, G. W., Bd. 5, S. 163; *Studienausgabe*, Bd. 6. (12, 52, 113)

                         (1906 f) Antwort auf eine Rundfrage *Vom Lesen und von guten Büchern, Neue Blätter für Literatur und Kunst*, Heft 1, Wien. (88)

                         (1907 a [1906]) *Der Wahn und die Träume in W. Jensens* ›*Gradiva*‹, Wien. G. W., Bd. 7, S. 31; *Studienausgabe*, Bd. 10, S. 9. (170)

                         (1908 b) ›Charakter und Analerotik‹, G. W., Bd. 7, S. 203; *Studienausgabe*, Bd. 7. (131)

                         (1908 c) ›Über infantile Sexualtheorien‹, G. W., Bd. 7, S. 171; *Studienausgabe*, Bd. 5. (106, 118, 120)

                         (1908 e [1907]) ›Der Dichter und das Phantasieren‹, G. W., Bd. 7, S. 213; *Studienausgabe*, Bd. 10, S. 169.

                         (1909 a) ›Allgemeines über den hysterischen Anfall‹, G. W., Bd. 7, S. 235; *Studienausgabe*, Bd. 6. (274)

                         (1909 b) ›Analyse der Phobie eines fünfjährigen Knaben‹, G. W., Bd. 7, S. 243; *Studienausgabe*, Bd. 8, S. 9. (105, 113, 121, 253, 265)

                         (1909 d) ›Bemerkungen über einen Fall von Zwangsneurose‹, G. W., Bd. 7, S. 381; *Studienausgabe*, Bd. 7. (40, 259)

FREUD, S. (Forts.)   (1910 c) *Eine Kindheitserinnerung des Leonardo da Vinci*, Wien. *G. W.*, Bd. 8, S. 128; *Studienausgabe*, Bd. 10, S. 87. (256, 296)

(1912–13) *Totem und Tabu*, Wien, 1913. *G. W.*, Bd. 9; *Studienausgabe*, Bd. 9. (164, 276, 279, 280)

(1913 f) ›Das Motiv der Kästchenwahl‹, *G. W.*, Bd. 10, S. 244; *Studienausgabe*, Bd. 10, S. 181. (42)

(1914 b) ›Der Moses des Michelangelo‹, *G. W.*, Bd. 10, S. 172; *Studienausgabe*, Bd. 10, S. 195.

(1914 c) ›Zur Einführung des Narzißmus‹, *G. W.*, Bd. 10, S. 138; *Studienausgabe*, Bd. 3. (125, 176)

(1915 b) ›Zeitgemäßes über Krieg und Tod‹ *G. W.*, Bd. 10, 324; *Studienausgabe*, Bd. 9. (176)

(1915 e) ›Das Unbewußte‹, *G. W.*, Bd. 10, S. 264; *Studienausgabe*, Bd. 3. (47)

(1916 a) ›Vergänglichkeit‹, *G. W.*, Bd. 10, S. 358; *Studienausgabe* Bd. 10, S. 223.

(1916 d) ›Einige Charaktertypen aus der psychoanalytischen Arbeit‹, *G. W.*, Bd. 10, S. 364; *Studienausgabe*, Bd. 10, S. 229. (280)

(1917 b) ›Eine Kindheitserinnerung aus *Dichtung und Wahrheit*‹, *G. W.*, Bd. 12, S. 15; *Studienausgabe*, Bd. 10, S. 255. (111–12)

(1917 e [1915]) ›Trauer und Melancholie‹, *G. W.*, Bd. 10, S. 428; *Studienausgabe*, Bd. 3. (224)

(1918 b [1914]) ›Aus der Geschichte einer infantilen Neurose‹, *G. W.*, Bd. 12, S. 29; *Studienausgabe*, Bd. 8, S. 125. (55, 253)

(1920 a) ›Über die Psychogenese eines Falles von weiblicher Homosexualität‹, *G. W.*, Bd. 12, S. 271; *Studienausgabe*, Bd. 7. (126)

(1920 g) *Jenseits des Lustprinzips*, Wien. *G. W.*, Bd. 13, S. 3; *Studienausgabe*, Bd. 3. (97)

(1921 c) *Massenpsychologie und Ich-Analyse*, Wien. *G. W.*, Bd. 13, S. 73; *Studienausgabe*, Bd. 9. (146, 185)

(1922 b) ›Über einige neurotische Mechanismen bei Eifersucht, Paranoia und Homosexualität‹, *G. W.*, Bd. 13, S. 195; *Studienausgabe*, Bd. 7. (126)

(1925 d [1924]) *Selbstdarstellung*, Wien. *G. W.*, Bd. 14, S. 33. (11, 295)

(1926 d) *Hemmung, Symptom und Angst*, Wien. *G. W.*, Bd. 14, S. 113; *Studienausgabe*, Bd. 6. (57)

FREUD, S. (Forts.)   (1927 *b*) ›Nachtrag zur Arbeit über den Moses des Michelangelo‹. *G. W.*, Bd. 14, S. 321; *Studienausgabe*, Bd. 10,
S. 221.

(1927 *e*) ›Fetischismus‹, *G. W.*, Bd. 14, S. 311; *Studienausgabe*, Bd. 3. (46)

(1928 *b*) ›Dostojewski und die Vatertötung‹, *G.W.*, Bd. 14,
S. 399; *Studienausgabe*, Bd. 10, S. 267.

(1930 *d*) Brief an Dr. Alfons Paquet, *G. W.*, Bd. 14,
S. 545; *Studienausgabe*, Bd. 10, S. 291. (289–90)

(1930 *e*) Ansprache im Frankfurter Goethe-Haus, *G. W.*,
Bd. 14, S. 547; *Studienausgabe*, Bd. 10, S. 292. (289–90)

(1930 *f* [1929]) Brief an Theodor Reik, in Reiks *Freud
als Kulturkritiker*, Wien. (270)

(1936 *a*) Brief an Romain Rolland: Eine Erinnerungs-
störung auf der Akropolis, *G. W.*, Bd. 16, S. 250; *Studienausgabe*, Bd. 4. (251)

(1939 *a* [1934–38]) *Der Mann Moses und die monotheistische Religion*, *G. W.*, Bd. 16, S. 103; *Studienausgabe*, Bd. 9.
(73, 121, 196)

(1940 *a* [1938]) *Abriß der Psychoanalyse*, *G. W.*, Bd. 17,
S. 67. (295)

(1942 *a* [1905–6]) ›Psychopathische Personen auf der
Bühne‹, *Neue Rundschau*, Bd. 73 (1962), S. 53; *Studienausgabe*, Bd. 10, S. 161. (43, 170, 179)

(1950 *a* [1887–1902]) *Aus den Anfängen der Psychoanalyse*, London. (11, 12, 88, 89, 178)

(1960 *a*) *Briefe 1873–1939* (hrsg. von E. und L. Freud),
Frankfurt am Main. (2. erweiterte Aufl., 1968.) (182,
196, 290, 295)

FÜLÖP-MILLER, R.   (1924) ›Dostojewskis Heilige Krankheit‹, *Wissen und
Leben*, Zürich, Heft 19–20. (275, 280)

FÜLÖP-MILLER, R.   (1925) (hrsg. von) *Dostojewski am Roulette*, München.
und ECKSTEIN, F.   (272, 275, 276, 283, 284)

(1926) *Der unbekannte Dostojewski*, München. (272)

(1928) *Die Urgestalt der Brüder Karamasoff*, München.
(269)

GARDINER, SIR A.   (1950) *Egyptian Grammar* (2. Aufl.), London. (90)

GRAF, M.   (1942) ›Reminiscences of Professor Sigmund Freud‹,
Psychoanal. Q., Bd. 11, S. 465. (162)

GRIMM, H.   (1900) *Leben Michelangelos* (9. Aufl.), Berlin und Stuttgart. (199, 200, 202)

GRIMM, J. und W.   (1918) *Die Märchen der Brüder Grimm* (vollständige Ausg.), Leipzig. (187–8, 192)

GUILLAUME, E.   (1876) ›Michel-Ange Sculpteur‹, *Gazette des Beaux-Arts*, S. 96. (200–1)

HARTLEBEN, H.   (1906) *Champollion, Sein Leben und sein Werk*, Berlin. (114)

HAUSER, F.   (1903) ›Disiecta membra neuattischer Reliefs‹, *Jb. österr. archäol. Inst.*, Bd. 6, S. 79. (85)

HERZFELD, M.   (1906) *Leonardo da Vinci: Der Denker, Forscher und Poet: Nach den veröffentlichten Handschriften* (2. Aufl.), Jena. (89, 97, 103, 109, 128–9, 135, 147, 148, 150, 159)

JEKELS, L.   (1917) ›Shakespeares Macbeth‹, *Imago*, Bd. 5, S. 170. (243)
(1926) ›Zur Psychologie der Komödie‹, *Imago*, Bd. 12, S. 328 (243)

JENSEN, W.   (1903) *Gradiva: Ein pompejanisches Phantasiestück*, Dresden und Leipzig. (9–85 passim)

JONES, E.   (1962 a) *Das Leben und Werk von Sigmund Freud*, Bd. 2, Bern und Stuttgart. (11, 182, 196)
(1962 b) *Das Leben und Werk von Sigmund Freud*, Bd. 3, Bern und Stuttgart. (269, 295)

JUNG, C. G.   (1906) (hrsg. von) *Diagnostische Assoziationsstudien*, Leipzig. (51)
(1910) ›Über Konflikte der kindlichen Seele‹, *Jb. psychoanalyt. psychopath. Forsch.*, Bd. 2, S. 33. (106, 121)

JUSTI, C.   (1900) *Michelangelo*, Leipzig. (200, 203–4, 213–14)

KNACKFUSS, H.   (1900) *Michelangelo* (6. Aufl.), Bielefeld und Leipzig. (206–7)

KNAPP, F.   (1906) *Michelangelo*, Stuttgart und Leipzig. (203–4, 213–14)

KNIGHT, R. P.   (1786) *A Discussion of the Worship of Priapus*, etc., London. (Neuausg., London, 1865.) (123)
[*Französische Übersetzung: Le culte de Priape*, etc., Luxemburg, 1866; Brüssel, 1883.]

KONSTANTI-NOWA, A.   (1907) *Die Entwickelung des Madonnentypus bei Leonardo da Vinci*, Straßburg. (*Zur Kunstgeschichte des Auslandes*, Heft 54.) (91, 134, 137)

KRAFFT-EBING, R. VON   (1893) *Psychopathia Sexualis* (8. Aufl.), Stuttgart. (113)

LANZONE, R.   (1881–6) *Dizionario di mitologia egizia* (5 Bde.), Turin. (114, 120)

LEEMANS, C.
(1835) (hrsg. von) *Horapollonis Niloï Hieroglyphica,* Amsterdam. (114–16)

LEONARDO DA VINCI
Codex Atlanticus, Biblioteca Ambrosiana, Mailand. Veröffentlicht von Giovanni Piumati, Mailand, 1894–1904. (99–100, 109, 115, 145)

Quaderni d'Anatomia, Royal Library, Windsor. Katalog von Sir K. Clark, Cambridge, 1935. (99, 103)

Trattato della Pittura, Biblioteca in Vaticano. *Siehe* Ludwig, H. (1909).

LLOYD, W. WATKISS
(1863) *The Moses of Michael Angelo,* London. (218 bis 220)

LÜBKE, W.
(1863) *Geschichte der Plastik,* Leipzig. (200, 202)

LUDWIG, H.
(1909) Deutsche Übersetzung von Leonardo da Vincis *Trattato della Pittura* unter dem Titel *Traktat von der Malerei* (2. Aufl., hrsg. von M. Herzfeld), Jena. (92, 100–101)

MERESCHKOWSKI, D. S.
(1902) *Voskresenie Bogi,* Petersburg. (88, 89, 100, 128 bis 130, 136, 145)

[*Deutsche Übersetzung* von C. von Gülschow: *Leonardo da Vinci: Ein biographischer Roman aus der Wende des XV. Jahrhunderts,* Leipzig, 1903.]

MILLER, O.
(1921) ›Zur Lebensgeschichte Dostojewskis‹, in F. M. Dostojewskis *Autobiographische Schriften,* München. (Russische Original-Erstveröffentlichung 1883.) (275)

MÜNTZ, E.
(1895) *Histoire de l'Art pendant la Renaissance: Italie,* Paris. (200, 201)

(1899) *Léonard de Vinci,* Paris. (96, 115, 133, 142, 146, 150)

MUTHER, R.
(1909) *Geschichte der Malerei* (3 Bde.), Leipzig. (133, 136–7, 141, 147)

NEUFELD, J.
(1923) *Dostojewski: Skizze zu seiner Psychoanalyse,* Wien. (269, 286)

PATER, W.
(1873) *Studies in the History of the Renaissance,* London. (95, 135, 139)

[*Deutsche Übersetzung* von Wilhelm Schölermann: *Die Renaissance* (2. Aufl.), Leipzig, 1906.]

PFISTER, O.
(1913) ›Kryptolalie, Kryptographie und unbewußtes Vexierbild bei Normalen‹, *Jb. psychoanalyt. psychopath. Forsch.,* Bd. 5, S. 115. (88, 89, 139–40)

PRELLER, L., ROBERT, C.
(1894) (hrsg. von) *Griechische Mythologie* (4. Aufl.), Berlin. (190)

RANK, O. (1909) *Der Mythus von der Geburt des Helden*, Leipzig und Wien. (184)

(1912) *Das Inzest-Motiv in Dichtung und Sage*, Leipzig und Wien. (251)

REIK, T. (1929) Artikel über S. Freuds ›Dostojewski und die Vatertötung‹ (Freud, 1928 *b*), *Imago*, Bd. 15, S. 232; abgedruckt in Reik (1930). (270)

(1930) *Freud als Kulturkritiker*, Wien. (270)

REITLER, R. (1917) ›Eine anatomisch-künstlerische Fehlleistung Leonardos da Vinci‹, *Int. Z. Psychoanal.*, Bd. 4, S. 205. (88, 97–9)

RICHTER, I. A. (1952) *Selections from the Notebooks of Leonardo da Vinci*, London. (89, 93)

RICHTER, J. P. (1883) *The Literary Works of Leonardo da Vinci*, London. (2. Aufl., Oxford, 1939.) (96, 100, 115, 130, 150)

RÖMER, L. VON (1903) ›Über die androgynische Idee des Lebens‹, *Jb. sex. Zwischenstufen*, Bd. 5, S. 732. (114–15, 120)

ROSCHER, W. H. (1884–1937) *Ausführliches Lexikon der griechischen und römischen Mythologie*, Leipzig. (114, 119, 188–90)

ROSENBERG, A. (1898) *Leonardo da Vinci*, Leipzig. (138–9)

SADGER, I. (1908) *Konrad Ferdinand Meyer*, Wiesbaden. (88)
(1909) *Aus dem Liebesleben Nicolaus Lenaus*, Leipzig und Wien. (88)

(1910) *Heinrich von Kleist*, Wiesbaden. (88)

SANCTIS, SANTE DE (1899) *I sogni*, Turin. (53)
[*Deutsche Übersetzung* von O. Schmidt: *Die Träume*, Halle, 1901.]

SCOGNAMIGLIO, N. (1900) *siehe* Smiraglia Scognamiglio, N. (1900)

SEIDLITZ, W. VON (1909) *Leonardo da Vinci, der Wendepunkt der Renaissance* (2 Bde.), Berlin. (95, 96, 133, 137, 144, 155)

SMIRAGLIA SCOGNAMIGLIO, N. (1900) *Ricerche e Documenti sulla Giovinezza di Leonardo da Vinci (1452–1482)*, Neapel. (88, 94, 99, 107, 109, 135)

SOLMI, E. (1908) *Leonardo da Vinci (Deutsche Übersetzung* von E. Hirschberg), Berlin. (97, 100, 127–8, 129–30)

(1910) »La resurrezione dell' opera di Leonardo‹, in *Conferenze Fiorentine*, Mailand, S. 1. (94, 102–3, 145)

SPRINGER, A. (1895) *Raffael und Michelangelo*, Bd. 2, Leipzig. (200, 202)

STEINMANN, E. (1899) *Rom in der Renaissance*, Leipzig. (201)

STEKEL, W. (1911) *Die Sprache des Traumes*, Wiesbaden. (186–7)

STRACHOFF, N. (1921) ›Über Dostojewskis Leben und literarische Tätig-keit‹, in F. M. Dostojewskis *Literarische Schriften*, München. (272)

STUCKEN, E. (1907) *Astralmythen der Hebraeer, Babylonier und Aegypter*, Leipzig. (183–4)

THODE, H. (1908) *Michelangelo: Kritische Untersuchungen über seine Werke*, Bd. 1, Berlin. (199, 200, 204–5, 206–7)

VASARI, G. (1550) *Le vite de' più eccelenti Architetti, Pittori et Scul-tori Italiani*, Florenz. (2. Aufl., 1568; hrsg. von Poggi, Florenz, 1919.) (91–2, 134, 135, 144, 146, 149–50, 151, 154)

[*Deutsche Übersetzungen: Leben der ausgezeichnetsten Maler, Bildhauer und Baumeister* (übersetzt von L. Schorn), Stuttgart, 1843.

Künstler der Renaissance, Ernst Vollmer Verlag, Wies-baden, Berlin (o. J.).]

VOLD, J. MOURLY (1912) *Über den Traum* (2 Bde.) (*Deutsche Übersetzung* von O. Klemm), Leipzig. (148)

WILSON, C. HEATH (1876) *Life and Works of Michelangelo Buonarroti*, Lon-don. (202)

WÖLFFLIN, H. (1899) *Die klassische Kunst: Eine Einführung in die ita-lienische Renaissance*, München. (203)

ZINZOW, A. (1881) *Psyche und Eros*, Halle. (191)

ZWEIG, S. (1920) *Drei Meister* (1. Band von *Die Baumeister der Welt*), Leipzig. (272, 284)

(1927) *Die Verwirrung der Gefühle*, Leipzig. (284–6)

LISTE DER ABKÜRZUNGEN

G. S.   Freud, *Gesammelte Schriften* (12 Bände), Wien, 1924–34.

G. W.   Freud, *Gesammelte Werke* (18 Bände), Bände 1–17 London, 1940–1952, Band 18 Frankfurt am Main, 1968. Die ganze Edition seit 1960 bei S. Fischer Verlag, Frankfurt am Main.

Studienausgabe   Freud, *Studienausgabe* (10 Bände), S. Fischer Verlag, Frankfurt am Main, seit 1969.

Almanach 1926   *Almanach für das Jahr 1926*, Internationaler Psychoanalytischer Verlag, Wien, 1925.

Almanach 1927   *Almanach für das Jahr 1927*, Internationaler Psychoanalytischer Verlag ,Wien, 1926.

Almanach 1930   *Almanach der Psychoanalyse*, Internationaler Psychoanalytischer Verlag, Wien, 1929.

Dichtung und Kunst Freud, *Psychoanalytische Studien an Werken der Dichtung und Kunst*, Wien, 1924.

S. K. S. N.   Freud, *Sammlung kleiner Schriften zur Neurosenlehre* (5 Bände), Wien, 1906–22.

Sonstige in diesem Band verwendeten Abkürzungen entsprechen der *World List of Scientific Periodicals* (4. Auflage), London, 1963–65.

NAMEN- UND SACHREGISTER

In dieses Register sind sämtliche Namen nicht-wissenschaftlicher Autoren aufgenommen. Es enthält auch Namen wissenschaftlicher Autoren; die angegebenen Seitenzahlen beziehen sich jedoch auf Textstellen, wo Freud nur den Namen des betreffenden Autors, nicht aber ein spezielles Werk erwähnt. Für Hinweise auf bestimmte Werke wissenschaftlicher Autoren möge der Leser die Bibliographie konsultieren. – Die Werke von Dostojewski, Goethe, Leonardo, Schiller und Shakespeare folgen hier in einer besonderen Rubrik »Werke« jeweils den Namen der Künstler. Die in diesem Band erwähnten Symbole sind unter dem Stichwort »Symbol(e)« zusammengefaßt.

Vater, Verhältnis zum 116–17,
142–45, 153–54
Wißbegierde 101–04, 106–07, 118,
152–54, 157
wissenschaftliche Tätigkeit 91–3,
100–04, 145–48, 150–51, 153,
155, 157–58
Leonardos Werke
Bacchus 94, 141
Heilige Abendmahl, Das 94–96,
144, 155
Heilige Anna Selbdritt 134–38,
138 Anm. 2, 155, 158
Johannes der Täufer 94, 134, 141
Köpfe von lächelnden Frauen und
Knaben 135, 154–56
Leda 94, 141
Londoner Karton 88, 138–40 Anm.
Madonna di Sant'Onofrio 94
Mona Lisa 95, 132–41, 155, 158
Reiterdenkmal des *Francesco
Sforza* 95, 128 Anm. 6, 144
Reiterschlacht bei Anghiari 96
Zeichnung des Geschlechtsakts
97 Anm. 4 bis 99 Anm.
Lermolieff, Ivan 207
Lessing, G. E. 167
Libido
Ablösung d., von Objekten 226–27
allgemeine Bedeutung d. 127
Entwicklung d. 155
Ich- 226
Konflikt zwischen Ich u. 236–38
Verdrängung d. 57
Libri, Girolamo dai s. Girolamo
Liebe
als Erzieherin 232
als Heilpotenz 25, 80–1
Liebermann, M. 224
Linkshändigkeit 88, 158
Linz 263
Literatur (*s. a.* Dichter; Dichtkunst;
Dostojewski; Dostojewskis Wer-
ke; Drama; *Goethe; Goethes*
Werke; *Gradiva; Ödipus Rex;
Rosmersholm; Schiller; Schillers*

Werke; *Shakespeare; Shake-
speares* Werke) 271, 281–82, 284
bis 285, 294–96, *passim*
Psychopathologisches Material in d.
42–3, 163–68
Lomazzo, Giovanni 94
Luca, Meister 127
Luini 127
Lustprinzip 231–32

Macduff (in *Macbeth*) 241
Magische Handlungen 262
Mailand 93, 94, 115, 128, 130,
138 Anm. 2, 144, 155
Männlich u. weiblich (*s. a.* Weib) 72,
277–79
Märchen
›Die Gänsehirtin am Brunnen‹
192 Anm.
›Die sechs Schwäne‹ 188
›Die zwölf Brüder‹ 187–88
Maria, Königin von Schottland 240
Marokko, Prinz von 193
Masochismus 83, 164, 269, 272–73,
278–79
Masturbation, Spielsucht u. 269–70,
285–86
Mathematik u. Sexualität 36–7
Medici 96 Anm. 2
Melancholie u. Erfolg 237
Melzi, Francesco 100, 127
Mephistopheles (in *Faust*) 296
Mereschkowski, D. S. (*s. a.* Biblio-
graphie) 107
Meyer, C. F. 11, 88, 178 Anm.
Michel, Dr. 291
Michelangelo 94, 96, 98, 196, 198–222
Milan 89, 109 Anm. 1
Mitchell, H. P. 221
Moiren (*s. a.* Horen) 188–91
Morelli, Dr. 207
Moro, Il s. Sforza, Lodovico
Moses 196, 198–222
München 85, 162
Musik 197
Mut (*s. a.* Mutter(göttinnen)) 114,
119–20, 123

---

* [Im übrigen wird der editorische Apparat in diesem Gesamtinhaltsplan, der lediglich zeigen soll, welche Werke Sigmund Freuds in die einzelnen Bände der *Studienausgabe* aufgenommen wurden, nicht berücksichtigt.]

Conditio humana
Ergebnisse aus den Wissenschaften
vom Menschen

Der Mensch ist von alters her das rätselhafteste und komplizierteste Forschungsthema. Der gewaltige Aufschwung von Naturwissenschaft und Technik hat den Brennpunkt des Interesses eine Zeitlang von ihm abgelenkt – ein Vorgang, der durch die extreme Spezialisierung der Einzeldisziplinen beschleunigt wurde. Seit die Menschheit im geschichtlichen Augenblick einer fast totalen Naturbeherrschung sich jedoch im Besitz katastrophaler, ihr Überleben als Spezies bedrohender Zerstörungsmittel weiß, stellt sich die alte anthropologische Frage: Was ist der Mensch? neu und dringlicher als je zuvor. Sie wird durch die bange Unsicherheit herausgefordert, wessen eine Gattung fähig sei, deren eigentümliche biologische Ausstattung sie hinfällig macht, andererseits aber durch die Fähigkeit zur Schaffung kultureller Umweltbedingungen allen anderen Lebewesen überlegen sein läßt.

Die Antwort ist längst nicht mehr allein von der Philosophie zu erwarten; normative Theorien und spekulative Menschenbilder haben an Überzeugungskraft verloren. Sie muß heute in der disparaten Mannigfaltigkeit einzelwissenschaftlicher Forschung gesucht werden, in all jenen geistes- wie naturwissenschaftlichen Disziplinen, die sich mit jeweils spezifischen Aspekten der Conditio humana beschäftigen.

Die Reihe ›Conditio humana‹ stellt solche anthropologischen Materialien vor. Sie will die interdisziplinäre Verständigung zwischen den einzelnen Wissenschaften vom Menschen fördern helfen, gibt aber keine vereinheitlichende Interpretation.

Dies sind ihre wichtigsten Themengebiete:
– Molekularbiologie, Humangenetik, Abstammungslehre, Biologische Anthropologie, Ökologie, Verhaltensforschung;
– Psychosomatische Medizin, Psychoanalyse, Psychologie;
– Sozialpsychologie, Soziologie, Kulturanthropologie, Linguistik;
– Sprachphilosophie, Philosophische Anthropologie.

Die Reihe richtet sich vor allem an die Studenten aus den humanwissenschaftlichen Einzeldisziplinen, aber auch an den Nicht-Fachmann.

S. Fischer

Conditio humana
Ergebnisse aus den Wissenschaften
vom Menschen

Eine
Titelauswahl:

S. Fischer

*Da die Psychoanalyse Sigmund Freuds unbestritten zu den
Meilensteinen auf dem Felde der Wissenschaften vom Men-
schen zählt, wurde die Freud-Studienausgabe der Reihe
›Conditio humana‹ angegliedert.*